W9-CUD-999

山崎豊子

大地の子

上

文藝春秋

目次

装幀　菊地信義

大地の子　上

この作品は、多数の関係者を取材し、小説的に構成したもので、登場する人物、関係機関なども、すべて事実に基いて再構成したフィクションである。

一章　小日本鬼子（シアオリーベンクイツ）

北京（ペイチン）の空は紺青に澄みわたり、秋の陽（ひ）が眩（まばゆ）く地面を照しつけている。時々、舞い上る黄塵さえ、光を含んでいるが、数千人の工人（労働者）が集っている北京鋼鉄公司の広場は、光を失った影絵のように暗い。作業衣を着、地面に蹲（うずくま）ったり、煉瓦や板切れに腰を下したりして集っている群衆は、やがて始まる大衆批判闘争大会に対する好奇心と恐怖で、不気味に静まりかえっている。

一九六六年五月、文化大革命が起ると、数カ月後には市内から北へ二十五キロ、近くに八達嶺（パーターリン）が連なり、山腹に万里の長城が窺（うかが）える北京鋼鉄公司にも運動が波及し、工場内の造反派が、全工場の実権を奪い取ってしまったのだった。

以後、毎日のように批判大会にあけくれ、生産も目にみえて低下していた。

製鋼工場の工程師（技術者）である二十六歳の陸一心（ルーイーシン）は、次第に狂気を孕んでくる批判大会に警戒しながら、今日も工場ごとに招集された参加者たちと板切れに坐り、開会を待っていた。中山帽（ちゅうざん）の下の太い眉から鼻梁（びりょう）にかけ、若い技術者らしい爽やかさがあったが、切れ長の眼の奥で、周囲の状況を神経質に観察していた。

時間がたつにつれ、参加者の数は続々と増え、以前はサッカーの競技場だった広場は埋め尽され、今までにない大規模な批判大会になりそうであった。

正面の台上に、大会を主宰する造反派幹部たちが姿を現すと、

「同志諸君、静粛に！　今より北京鋼鉄公司の紅色联合兵団主宰の批判闘争大会を行う！」

開会宣言の声が上った。そこここに置かれた拡声器から、『東方紅(トンファンホン)』のレコードの前奏が流れはじめた。数千人の群衆は、一斉に『東方紅』を歌った。

东方红太阳升（東方が紅くなって陽が昇ってくる）
中国出了个毛泽東（中国は偉大な毛沢東を生んだ）……

批判大会の冒頭に『東方紅』を合唱することは、欠かせぬ儀式であった。

「闘争対象の〝牛鬼蛇神(ニューグイシャーシェン)〟（妖怪変化）どもを連行しろ！」

曾(かつ)て工人だったが、今は紅色联合兵団の司令である王(ワン)が、晴れ舞台に躍り出た主役のように、野太い声を張り上げた。それを合図に総指揮（総責任者）以下、五人の副総指揮、各工場長、技師長など、総勢二十五人が頭に三角帽子を冠(かぶ)せられ、胸に罪状を記した黒牌子(ヘイパイツ)（看板）を吊され、両手をうしろ手に縛られて、台上へ上げられた。

それぞれの黒牌子には、『反革命修正主义分子』『死不改悔的走资派（死んでも悔い改めない走資派）』『反动学术权威（反動的な技師長）』『鉄杆保皇派（鉄のように頑固な保皇派）』『里通外国分子（外国に通じるスパイ）』『特务（国民党のスパイ）』という罪名が大書され、個々の名前の上に、処刑者のように赤で×印を入れられたり、死者のように名前を逆さに記されたりしている。

「反革命分子！」

「走資派を八裂きにしろ！」

群衆から、罵声が上った。陸一心たちの工場の朱技師長も、台上で惨めな姿で俯いている。

「いつか、僕もあんな目に……」

耳もとに怯える声がした。同僚の唐偉だった。

「しっ！」

陸一心は、同じ作業衣を着、中山帽を冠っていてもどこか垢ぬけている唐を窘めた。唐偉は、曾て周恩来総理が、海外華僑に祖国建設を呼びかけた際、呼応してシカゴから帰って来た物理学者の息子であった。

ドラが打ち鳴らされ、『毛主席語録』の一節が全員で唱えられると、王司令は再びマイクに向い、

「われわれはこれまで数々の激しい闘争において、偉大なる毛沢東思想を学び、内部の敵を摘発して来たが、闘争の成果は充分に上っていないと認識しなければならない、今日こそ牛鬼蛇神どもを徹底的に闘争にかけ、息の根を止めなければならない！」

『毛主席語録』を高々と振りかざし、声を張り上げると、群衆も赤いビニール表紙の『語録』をうち振った。高揚した雰囲気の中で、正面台上にしつらえられた主席台の中央に陣取った王司令は、二人の副司令、十人の常委（常務委員）ら造反派の幹部を左右に従え、自ら口をきった。

「まず最初は、孫希文だ、お前自身の口から罪状を告白しろ」

この間までは、孫副総指揮に頭が上らなかった工人が、今は造反派の首領として、傲然と云い放った。

第一番に指名された孫希文は顔面蒼白、全身をぶるぶる震わせ、掠れた声で、

「私は孫希文です、もと北京鋼鉄公司の副総指揮です、私は重大な過ちを犯しました、偉大なる

無産階級に対し、劉少奇を代表とするブルジョワ階級……反動路線を歩み、それを私の単位の指導目標にして、歴史の罪人となりました、私は革命路線を実践する革命大衆の皆さんの、私に対する批判を完全に受入れます」

「好了！　もっと態度で示せ！」

台の下から声がかかると、孫希文は全身をわななかせながら、台上にひざまずいて、大衆に頭を垂れた。胸にぶら下っている看板が床につき、『反革命修正主义分子』と記した大きな看板の上に蒼白な孫希文の顔が載っている。さらし首同然の不様さであった。群衆はその姿に昂奮し、

「毛主席の『語録』を暗誦させろ！」

「いいぞ、やらせろ！」

王司令は、群衆の声に呼応した。

「では、『毛主席語録』の一〇頁を暗誦してみろ」

「はい――、人民はわれわれが組織しなければならない。中国の反動分子は、われわれが人民を組織することによって打ち倒さなければならない、すべて反動的なものは、倒されない限り倒れはしない。これも掃除と同じで、箒がとどかなければ、塵はやはりひとりでに逃げはしない――」

孫希文は、広場の雰囲気に呑まれ、つっかえ、吃りながらも、間違えずに暗誦した。

「もっと読ませろ！」

「続けて、他の章をやらせろ！」

大衆の声がかかると、王司令は、

「では、二七一頁を暗誦しろ！」

と畳みかけた。孫希文は戸惑うように、口ごもり、眼鏡がずり落ちた。

「どうした、毛主席の著作を忘れたというのか」

きめつけるように云うと、孫希文は、

「いいえ、そんなことはございません、すべて覚えております、覚えていますとも——。仕事とは何か。仕事とは闘争することである。そうしたところには困難があり問題があるので、われわれは困難を解決するために仕事をしに行くのであり、闘争をしに行くのである。困難なところへほど進んで行く。それでこそ立派な同志である」

と答えると、王司令は冷笑を浮かべ、ぐいと孫希文の首を押え込んだ。

「『毛主席語録』は、二七〇頁までだ、お前は、われわれの偉大なる指導者、毛主席の著作を冒瀆した」

「飛行機に吊せ、飛行機に乗せろ！」

一斉に声が上った。王司令を補佐する造反派が、直ちに孫希文の両腕を背中へねじり上げた。肩の骨がはずれんばかりにねじ上げられるにつれ、頭が下って床につき、大衆にひれ伏す形になる。うしろ手にねじり上げた手をロープで縛り、台上の棒杭に吊して、孫の体を宙に吊り上げた。

飛行機のように体が宙に浮くと、孫希文は足をばたばたさせ、身をよじって、もがき苦しんだ。殺気だっている群衆は、宙吊りされてもがく姿に刺激され、さらに昂奮した。

ようやく、孫希文が降され、次にひっぱり出された総指揮は、三角帽子を冠せられず、頭を陰陽頭に刈られていた。広場に嘲笑が湧き、石が飛んで来た。頭髪の半分をつるつるに剃られることは、最大の侮辱であった。

陰陽刈りにされた総指揮は、王司令が何を聞こうが、補佐の造反派が何を怒鳴ろうが、眼を閉し、唇をひき結んで、一切、答えない。沈黙は、造反派に対する無言の反抗であった。王司令は激怒した。マイクを摑み、耳を聾さんばかりの声を張り上げた。

「嗨、どうして答えないか、批判台に上って腰をぬかして、耳も聞えず、眼も見えないのか、これまで総指揮として威張り返っていたお前の権威は、どこへ行ったんだ、沈黙は全罪状を認めることになるんだぞ、いいか」

それでも、総指揮は口を開かなかった。

「それなら、せめて審査を受けて以来、食を与えて戴き、命を助けて下さったことを、毛主席に感謝しますと、その陰陽頭を三回下げて云え」

批判台を囲む群衆が、どっと笑った。その途端、陰陽頭が、台上で三度、叩頭する滑稽さが、先に眼に浮かぶからだった。陰陽頭がぐうっと上った。

「私は発言する、耳を傾けてよく聞け！」

「頭が高い、叩頭して、まず人民にあやまるのだ！」

王司令が、飛びかかるように頭を下げさせかけると、

「お前たちこそ、党中央の方針を過ち、生産を破壊している、私は北京鋼鉄公司の総指揮の地位にあり、一九五〇年以来、首都第一の生産量を維持し、年間生産量は一四〇万トンに及んでいる。革命の目的は革命の力によって生産を促すことにあるが、お前たちにはこの鋼鉄公司を管理する能力はない、党中央と国務院はまだ私の職務を解任していない」

胸に『死不改悔的走資派』の看板を掲げられながらも、体をまっすぐ伸ばし、鋭い眼光で云い放つと、王司令は半分刈り残されている総指揮の髪をひっ摑んだ。

「おい、お前の狗眼（犬の目）を開いて、現状をよく見ろ、工場は既にわれわれ造反派によって制圧され、権力はわれわれの手にあり、工場のすべてを管理している、お前たちは、われわれによって批判されている走資派だ、その中でも一番腐った走資派がお前なんだぞ！」

脅しをかけたが、総指揮は、怯まなかった。

「その通りだ、私は社会主義の道を歩む当権派で、私が革命に参加した時、お前らはまだ生れていなかった、そいつらがいかなる資格で、延安（イエンアン）以来の党歴三十年以上を誇る私に教訓をたれるんだ」

「俺は偉大なる毛主席のプロレタリア文化大革命に参加し、北京鋼鉄公司の造反派代表だ、お前は罪名通り、死んでも悔い改めない走資派だ！　徹底的に打倒！」

王司令は、マイクを摑んで、スローガンを叫んだ。十数個のスピーカーから、スローガンが広場に響き渡ると、群衆も狂ったように、スローガンを叫び、総指揮の徹底打倒を要求した。

王司令と二人の副司令が直ちに、総指揮の腕をうしろ手にねじり上げ、台のうしろにたっている棒杭の先に、縄で吊し上げた。宙吊りにされると、さすがの総指揮も足をばたつかせ、陰陽頭を左右に振り、もがきながらも、

「お前たちこそ反革命だ、党と国家の秩序を破壊している！」

と云うと、台上の王司令が、

「手ぬるい！　千刀万剐、抽筋剝皮（刀で肉を削ぎ、皮を剝がし、筋を引き抜け）！」

最大級の残忍な言葉で、怒鳴った。

「徹底的に、やっつけろ！」

「処刑にしろ！　革命大衆に対する冒瀆だ！」

常委たちが台から飛び降り、広場の砂を摑んで、宙吊りになっている総指揮の口に砂を押し込んだ。顔を歪め、白目をむいて、吐き出そうとすると、さらに押し込み、ばたついている両足を棍棒で乱打した。不意に総指揮の体が動かなくなった。広場に衝撃の気配が漂ったが、王司令は平然として、

「まだ息があるなら牛小屋へ運べ、死んでいるなら麻袋（マータイ）に入れて運び出せ」

と命じた。造反派たちは総指揮の体を台上に降した。その途端、口から砂と血が吐き出されたが、死んではいなかった。だが足の骨は折れたらしく、たち上ることは出来ず、常委らが台上から、引きずり降した。

「朱子明（チュツーミン）、前へ出ろ！」

遂に、陸一心たちの上司である製鋼工場技師長の番が来た。長身で、いつもはきちんとした身装（みなり）の技師長の上衣の前がはだけ、靴が片方なく、靴下もどうしたのか、素足であった。

「朱子明、お前の罪名を云ってみろ」

「反動学術権威と記されています」

「知識人面をして、いい加減なことを云うなよ」

王司令にかわって、副司令が吊し上げを開始した。

「お前は、われわれ造反派が管理する工場の操業妨害を意図して、送電線を切って停電させ、生産を一時、停止させた事実があるではないか」

「あの夜の停電の原因は、お笑い草のようなことが原因です、即ち、製鋼工場の変電所に猫が入り込み、温かい電気ボックスの上で丸まって寝ていたとは知らず、私が入って行ったため、猫は驚いて地面へ飛び降りて高圧線にひっかかり、停電してしまったのです、全く偶発的な出来事です」

「停電を猫のせい、つまり猫停電にするのか！」

広場に、どっと笑い声が上った。副司令は粗野な顔に怒気を漲（みなぎ）らせた。

「お前は、生産破壊の目的で変電所へわざと猫を入れたんだ、お前のような威張り返った技師長が、電気室へ行くはずがない、他に誰か一緒に連れて行ったか」

「一人だけだが、あの夜は、製鋼工場内の政治学習に操業員が参加し、人手がなかったので、見廻りをしていたのです、猫のことまで気を配らなかったことは、反省します」

「なぜ、政治学習に出なかったんだ！」

「〝長〟と名のつく職名の者は、出席する資格がないと、命じられていたものですから」

「で、その猫はどうした」

「当然、感電死したから、外へ捨てました」

「そんなことを聞いているのではない、その猫はどこから持ち込んだのだ、故意に猫を入れましたと、白状しろ！」

副司令が喚く(わめ)と、群衆の前列の方から、突如、ギャオー、ギャー、ギャーと凄じい猫の鳴き声がした。群衆の前列にいる造反派が、生きた猫を押えつけ、鋭い鉄棒で、猫の肛門から串ざしにして、台上の朱技師長に投げつけたのだった。

串ざしにされた猫は、ギャア、ギャアと断末魔の声を発して、もだえ死んだ。

あまりの残忍さに、製鋼工場の参加者は目をそむけた。陸一心の隣りの唐偉は、ショックで歯の根が合わず、ガクガクと震えている。

副司令は、群衆に恐怖心を植えつけることが出来たと見て取ると、朱技師長に向き直り、

「お前も、死んでも悔い改めない走資派だ、革命大衆に頭を下げ、早く悔い改めるために、お前の胸看板は鋼材に変える」

と断じると、補佐たちが予め用意されていた鋼板の看板に、白ペンキで『朱子明』と逆さや左右反対に乱暴に書きなぐった。名前も体もばらばらにし、中国古代の刑で五頭の牛で車裂きにして殺す、という意であった。

鋼板の看板を掲(か)けられた朱子明は、台上に這いつくばってしまった。

吊し上げはなお続き、後になるほど、残忍さを増し、批判台にひき出された者は、リンチの処

刑台に上げられたように、自分の足でたつことも出来ず、無理に背後から支えられる者や、泣き喚き、錯乱状態に陥る者もいた。

延々、続いた批判大会もようやく最後の二十五人目が終り、これで解放されたとたち上りかける群衆に、王司令は再び野太い声をかけた。

「同志たち！　今日の批判大会はまだ解散ではない、なぜなら今、批判した反革命分子、走資派よりも、もっと悪質な反革命分子が、われわれの中に潜んでいる、そいつをあぶり出し、正体を暴かなければ今日の闘争は終らない！」

広場は、騒然となった。

「静まれ！　皆、胸に手を当てて、毛主席の偉大な思想にはずれていないか、考えてみろ、もし罪があると思った者は素直に出て来い、自発的に罪を告白すれば、われわれは寛大な態度でのぞむ」

群衆を見渡した。たとえ工人といえども、目をつけられれば、蛇に睨まれた蛙と変らないから俄かに息をひそませ、陸一心や唐偉たちも、じっと前列の人の背中に眼を向けるのみだった。

数分ほどの猶予が、永遠に続く長い時間に思えた。

「せっかく寛大な毛主席の御心を汲んで猶予を与えたのに、出て来ないのか！　では、そいつを引きずり出してやる！」

広場は一人一人の鼓動が聞えるほど静まり、恐怖のどん底にあった。

「そいつは、外国語を話す海外の特務（スパイ）だ」

王司令は、ずしりと腹の中におち込むような声で云った。唐偉がびくっと肩を震わせた。

「そいつは、中国名をかたる外国人だ」

群衆は驚愕の眼で、互いを見つめ合った。

「そいつは、日本侵略主義者の雑種、日本鬼子（リーベンクイツ）だ！」

陸一心は、凝然とした。体から血の気がひき、ゆらりと足もとが揺れた。横にいる唐偉の方を向くと、怯えきっている。

「製鋼工場の陸一心、出て来い！」

周囲の同僚は、危険から身を避けるように後退（あとずさ）った。陸一心は何かに救いを求めようとしたが、咽喉が灼（や）けつくように熱く、干からびて、声が出ない。

四、五人の造反派が来て、陸一心を捕え、台上へひきずり上げた。

王司令は、陸一心の頭の上から下まで、じろりと見、

「ふん、なるほど、われわれと見分けがつかない見事な化けっぷりだな」

中山帽がふっ飛び、やや伸びすぎた髪が、額にかかっていたが、切れ長の眼も、浅黒く引き締った皮膚の色も、周囲に居並ぶ中国人と何ら異るところはなかった。

「なぜ、素直に出て来なかったのだ」

「私を産んだのは日本人です、しかし私は中国人として育ち、生きて来ました、党と国家への忠誠心にかけて、私は中国人以外の何ものでもありません」

そう云い切ると、がくがくしていた膝からようやく震えが止った。

「そうか、ではお前は何年何月に入党したのだ、党歴を云ってみろ！」

陸一心は口ごもった。その人間に一生、ついて回る档案（タンアン）（身上書）に日本人、と記されているために、入党申請は却下され続けて今日に至っている。

「お前の日本人名を名乗れ！」

「知りません」

「お前を産んだ日本人の両親は？」

「知らない、私の両親は長春の田舎の范家屯におります、それ以外の父母はおりません！」

それは、陸一心の心からの叫びであった。

「お前はこの数年、工程師として主にどういう仕事をしていたのだ」

「中国で最初の上吹き転炉の開発に携りました」

「その秘密を、日本へ逐一、報告していたのだろう、どういう方法で流したのか正直に云え！」

陸一心の両腕が背後から捻り上げられ、もがけばもがくほど、ぐいぐい押えつけられ、頭に血が逆流し、失神しそうになった。

「同志たち、反革命分子よりずっと罪が重い日本帝国主義者の種をここに批判する」

王司令が宣言すると、

「狗雑種（人間と狗の間の子）！　日本侵略主義の種を許すな！」

「日の丸をやっつけろ、膏薬旗の頭にしろ！」

四方八方から狂気じみた声が飛んだ。〝膏薬旗〟は、四角の布地にまる印の薬を塗った膏薬で、日の丸の旗に対する最大の蔑称であった。

「よし、膏薬旗の刑を行う！」

王司令が叫ぶと、左右の常委たちが陸一心の頭を押えつけ、鋏でばりばりと髪を刈り取り、丸坊主にした。そして頭のてっぺんに赤ペンキで日の丸の印をつけ、ぺっと唾を吐きつけた。

「陸一心の罪状を改めて告発する、一、日本侵略主義の種であることを隠していた、二、国家の生産設備を故意に阻止した生産破壊罪、三、海外関係、つまり日本との外通、スパイ行為があったことを証明する材料がある」

と告げた。一はともかく、二、三に至っては事実無根で、甚しいでっち上げの冤罪であった。すぐに晴らさなければ、故意生産破壊は、死刑を宣告される場合があるほど、重罪である。

「間違いだ、絶対、間違いだ！」

一心は膏薬旗にされた頭を振りたて、声を限りに叫んだ。

「不忘民族恨、小日本鬼子(シアオリーベンクイツ)を許すな！」

「日本侵略主義がやった三光政策に報復しろ！」

「そうだ、杀光（殺しつくす）、焼光（焼きつくす）、略光（奪いつくす）の三光が、われわれ親兄弟を殺したんだ！」

広場に殺気と復讐の声が沸きたち、小石や木切れが飛んで来た。

王司令は、陸一心の手首を造反派にねじり上げさせたまま、作業衣の襟をずり下して、首に太い針金をまわした。

「牌子の代りに、煉瓦を吊す」

と云うと、台の下の群衆が尻の下に敷いていた煉瓦を渡した。

「一、日本侵略主義の種であることを隠した罪」

針金の先に、煉瓦をぐるぐる巻きにして吊した。一個二・五キロの重さであった。

「二、社会主義建設を故意に破壊した生産破壊罪」

二個目の煉瓦が吊され、重みでぐいと頭が下った。

「三、スパイ行為を行い、プロレタリア独裁を転覆しようとした罪」

三個目の煉瓦が吊された。針金が首の肉に喰い込んだ。

「もう一つ罪名を付け加える、人民の血と汗によって、大学で劉少奇の修正主義の教育を受けた」

四つ目の煉瓦を吊した。陸一心の体が、前へつんのめった。王司令は、肩を引っ摑んで引き起そうとしたが、十キロの重さが加わった陸一心の体は容易に引き起せない。

ドラがけたたましく打ち鳴らされ、一斉に、

「小日本鬼子！」

「侵略者の種は死刑だ！」

囃したてる声が、失神しそうになる耳をつんざいた。王司令が何度も陸一心の体を蹴り、たてと喚いたが、動けない。

朦朧となる意識の中で、聞き馴れた歌声が聞えた。毛主席を賞讃する『大海航行靠舵手（大海を行くにも舵取りに頼らねばならない）』の合唱であった。

「本日の北京鋼鉄公司の批判闘争大会が、大衆の高い意識によって、勝利のうちに終了したことを宣言する」

王司令の声が、広場のスピーカーから響いた。批判台に倒れた陸一心の耳にも、群衆が、潮のひくように広場から去って行く気配が感じ取られた。

陽が落ち、俄かに冷気を増した広場には、煉瓦、石礫、新聞、紙屑、木片などが散乱し、まるで戦場の跡のようであった。その殺伐とした地面の上を、陸一心を加えた二十六人の被告たちが、足をひきずり、這うようにして、牛棚（牛小屋）と呼ばれる数カ所の隔離所へひきたてられて行った。

陸一心がぶち込まれたのは、電気動力工場の工人の仮眠所を改造した建物で、ベニヤ板で仕切った一画は、陸一心だけだった。

布団が取り払われた三、四人分の広さの板の台に腰を下すと、針金が喰い込んだ首筋や手足の節々が疼いた。

ゴホン、ゴホン！　ベニヤの間仕切りの向うから、咳が聞え、耳をすますと、三、四人の人の

気配がした。陸一心より以前に闘争にかけられた人たちらしく、自分を造反派に密告した者への恨みつらみや、職場と家族から隔離されて、何日も監禁されている不安をぼそぼそと話し合っている。

隔離されても、隣室のように数人一緒ならまだしも、一人きりというのはこたえる。これも日本人の血を持つ故の差別かと思うと、自分の血が呪わしい。

陸一心は、あくまで中国人として行動した二週間前の国慶節の光景を思いうかべた。

一九六六年十月一日の国慶節は、建国十七周年目に当った。雲一つない晴天で気温二十八度、天安門(ティエンアンメン)広場には赤い風船や、『毛主席万岁（万歳）』と一字ずつ書いた大きなアドバルーンがあがり、中国各省から集った農民、労働者、解放軍兵士、紅衛兵と名乗る学生たち百万人を超える大群衆が広場を埋め、陸一心も北京鋼鉄公司の一員として、恒例のパレードに加わった。

建国記念日に天安門広場につどい、新中国を産んだ偉大な指導者、毛沢東主席の姿を一目でも見ることは、中国人として最上の栄光であった。陸一心は、自分たちのパレードを天安門楼上から謁見(えっけん)する毛主席の姿を眼のあたりにして、名状しがたい感動と精神の高揚で体が震えた。

だが、今から思えば、例年と異る変化があった。

午前十時、軍楽隊の『東方紅』吹奏とともに楼上に毛主席を中心に国家指導者が姿を現すと、「毛主席万歳！」の歓呼が天地を揺がさんばかりに湧き起り、『毛主席語録』がうち振られたが、毛主席の横のナンバー2の位置には劉少奇ではなく、林彪(リンピャオ)副主席がたっていた。周恩来総理でさえ林彪から間をおいてたっており、百万人を超える大群衆に、『毛主席に代り、党中央と政府を代表する挨拶』を送ったのも、林彪副主席であった。

もう一つの変化は、紅衛兵の数の多さと、傍若無人さだった。労働者や農民、兵士たちの列に割り込んで来、注意すると、「俺たちは、毛主席の紅衛兵なんだぞ」と、毛主席直筆の『紅衛兵』という字をプリントした腕章を誇示した。陸一心たちも、未熟な学生のくせにと舌打ちしたが、正面きって文句がつけられなかった。

四時間以上にわたるパレードが終っても、紅衛兵たちはたち去らず、毛主席が楼上から降りて、オープンカーに乗るのを待ち構えていた。

オープンカーが動き出すと、

「毛主席万歳！」

「われらの紅い太陽、沈まぬ太陽、毛主席！　万歳！」

狂気のようにオープンカーめがけて殺到し、周総理が「前列から早く進みなさい」と促しても動かず、遂に毛主席は車から降りて、紅衛兵たちと握手した。歓声が轟き、昂奮のあまり泣き出す者もあり、千切れんばかりにうち振られた赤い表紙の『語録』が、天安門広場を赤く塗りつぶしたのだった。

不意に、足音がした。

「陸一心、出ろ！」

二人の若い造反派が、怒鳴りつけるように命じた。何時か解らないが、ぐっと冷え込み、夜も相当、遅い時刻と思われた。

「厠へ行って来い」

その一言で、もしや嫌疑が晴れ、釈放されるのではないかという一縷の望みは消えた。厠で用を足すと、そのまま戸外へ押し出された。

「どこへ行くのだ」

「黙ってついて来い！」

手荒らに肩をこづかれ、暗い道を歩かされた。造反派が奪権するまでは、外灯はきちんと整備されていたが、いつの間にか電球が抜き取られたり、投石で壊されたりしていた。

陸一心が入れられたのは、二階建ての煉瓦造りの建物で、どの部屋にも電気が点き、深夜とは思えぬ人の往き来がある。

「日本鬼子を連行しました」

突き当りの部屋の中は、さらに明るく、ベルトを締めた紅衛兵スタイルの工人たちが屯し、酒、煙草、食べものの臭いが充満していた。椅子を並べて眠りこけている者もあり、暴徒のアジトへ連れ込まれたようだったが、王司令の酒気を帯びた赫ら顔を見、陸一心は慄然とたち竦んだ。自分が隔離審査されることを知ったからだった。

王司令は、机の前に坐り、大足をその上へのせて、

「坐らせてやれ」

若い造反派に云った。四角い箱のような小椅子が、コンクリートの床にぽんと投げてよこされた。

「膏薬旗の頭が似合っているぞ」

髪を刈り取られ、ペンキで日の丸印を入れられた滑稽な頭をからかった。

「大分、長い時間をやったから、反省しているだろうな、最大の罪は何か云ってみろ」

王司令は、椅子の肘のところでマッチをすり、ゆっくり煙草に火を点けた。

「――――」

陸一心は、膝に眼を落し、黙したままでいると、

「お前のことは徹底的に調べ上げ、証拠を持っている！　俺は専案組（取調べの組織）の組長だ

ぞ！」

王司令の傍らから、ぬっと体をのり出して来た眼鏡の男を見て、驚いた。何かにつけ仕事を休み、手抜きし、陸一心たち工程師を悩ませてきた製鋼工場の工人の李忠国だった。

「反省してみましたが、私は悪いことはしていません、何かの間違いだと思うので、証拠を示して下さい」

と云うと、

「とぼけるな！」

コンクリート床に、びゅんと革ベルトが鳴った。

「これを見ろ、この中にはお前が犯した罪がすべて書かれている」

〝巻宗〟と印刷された資料挟みの表紙をちらつかせた。

「一番、新しい罪状を暴いてやろう、お前は今日の批判大会で、日本人の親のことを知らないと云ったが、お前が現在の中国人の子に化けたのは七歳だ、档案にちゃんと書いてある」

档案――、それはその人間の出生時から死ぬまでの経歴、家族関係を洩らさず書き記した身上書で、档案を持ち出されると、云い逃れは出来ない。青ざめた陸一心を見て、李忠国は、薄笑いをうかべた。

「七歳といえば、もう立派にものが解る齢だ、それで自分が日本人の子と知らないわけがないだろうがぁ！」

革ベルトが、頭の上で唸った。

「覚えていません――、多分、よほど怖しい目に遭って、記憶喪失したのだと思います」

勢い込んだ李の顔が、戸惑った。記憶喪失という意味が呑み込めないらしい。王司令はくわえ煙草で、

「そんな知識人ぶった言葉で、わしの隔離審査が通ると思っているのか！」

と怒鳴った。

「そんなつもりはありません、当時、私の頭は異常な状態にあったのは事実です」

陸一心は言葉丁寧ながら、強く主張した。

「しぶとい奴だな、次々に追及して、正体を暴いてやれ！」

王司令が、李忠国にはっぱをかけた。

「お前はこの二年間、上吹き転炉の開発研究員として、朱技師長の下で働き、その秘密を日本へ送っていた」

「そんな馬鹿な！　一体、どうやって日本へ送るのでしょうか」

「短波ラジオだ、お前の宿舎の部屋にあるラジオを押収した、それはお前が中の部品を入れ替え、組立てたものだ、同室者が証言している」

「それは認めます、しかし皆で聞いていました、ただそれだけのことです」

「中国のラジオは、毛主席の思想を正しく学習するために聞くもので、外国語や腐った資本主義の音楽を聞くためではない！」

「解っています、しかし……」

一心は説明に戸惑った。普通のラジオでも、北京では夜になると、ボイス・オブ・アメリカや、香港、日本からの北京官話による放送が、よくキャッチ出来、知識人の中には世界情勢を知り、情報蒐集の手段として周囲の耳をはばかり音量を絞って秘(ひそ)かに聞いている者もいる。しかし、陸一心たち若い工程師は、単に未知の世界のニュースを聞き、音楽を楽しみたかったのだ。それが厳しい情報閉鎖社会の中での若者たちのささやかな欲求であった。

「短波ラジオの所持を党が禁止したことは知っているだろう」

「通達を聞いた時点で、すぐ届け出、短波周波はカットしました」

「だが、悪知恵の働くお前は、日本と連絡する周波はそのままにし、機密を日本へ送っていたのだ」

「それは絶対、違います、少し考えただけでも、私のラジオで海外と交信するなど出来るはずがありません」

あまりの馬鹿馬鹿しさに、声高になった。

「態度が悪い！」

革ベルトが、まともに日の丸頭めがけて打ち下された。眼から火が出る痛さで、椅子からころげ落ちた。

「もう、椅子は許さん、床に坐れ」

李忠国が云ったが、暫く目眩みがし、そのままコンクリート床に這いつくばっていた。専案組と称する造反派たちは、こんな光景は日常茶飯事らしく、振り向きもせず、寝そべり、酒を飲んだり、煙草を喫ったりしている。

「短波ラジオの罪は、認めるな」

「いや、私はそんなラジオは持っていない、押収したなら、それを見せて貰いたい、私のは上海製の〝風雷〟で、色はこげ茶です」

「おい、こいつのラジオを探し出し、ぐうの音も出ないようにしてやれ！」

李が眼鏡を光らせ、寝そべっている造反派に云いつけた。

「こっちへ来て、自分で探せ」

一人が、面倒そうに一心を部屋の奥へ引ったてた。木箱を脚代りにして、大きな板がずらりと並び、押収品らしい横文字の書籍、水墨画、ラジオ、腕時計、腕輪、毛皮の帽子などが、持主の名札をつけて、並べられている。ブルジョワ思想の腐った証拠品として、牛鬼蛇神から取り上げた品々であった。

「私のは、ここにありません」

丹念に見て廻ったが、上海製の〝風雷〟は見当らなかった。

「そんなはずがない、云い逃れをさせんために、全部、名札をつけてあるんだ」

若い造反派は、眠たげに眼をこすり、自分で調べたが、見つからなかった。その杜撰(ずさん)な管理に呆れ果てたが、陸一心は暫く我慢し、

「疑いが晴れたら、もう帰らせて下さい、明日は朝八時から転炉の稼働回数を上げる重要な実験があるのです」

と云うと、

「お前は隔離審査を逃れて、また生産破壊を企むつもりか」

李忠国が、仁王だちして云った。

「破壊など――、生産性を向上させるための実験です」

「黙れ、お前の最も重大な罪は、三月十二日、工人代表が三十トン転炉の試運転の視察をする直前に、炉を破壊したことだ」

確かにその時の実験の失敗は手痛かったが、朱技師長の指揮下で、そんな馬鹿げたことは考えられないことだった。

「この重大容疑について、転炉の開発に携っていた工程師全員から証言を取っている、読み上げるからよく聞くんだ」

一九六六年三月九日、われわれ転炉開発実験班は、鋼鉄研究所、設計院、及び工業大学の英雄

的研究者、献身的労働者の励ましを得て築いた三十トン実験転炉の精錬中、突如、炉内より黒煙が発し、内張りの耐火煉瓦及びメジ用コールタールが溶解した。この予想だにしなかった実験の失敗は、陸一心が規定以上の酸素を故意に吹き入れ、炉内が異常燃焼したことが原因であり、生産破壊である。これにより膨大な国家資金を投じて行われた転炉の早期稼働は大きく後退した。

「でたらめだ、失敗の原因は、内張りの煉瓦を充分、乾燥させずに築炉したことと、カーボン不足だという結論が出ている！」

一心は、断言したが、王司令は取り合わなかった。

「お前の企みによって、何万何千の膨大な国家資金が損失したか、やがて明るみに出るだろう、猶予を与えるから、罪のすべてを審問表に書き、提出しろ、もしごまかしたり、隠しだてをしたら、絶対に許さないぞ！」

と、云い渡した。

小黒屋(シアオヘイウ)は、これまで押し込まれていた牛小屋からどれくらい隔った処にあるのか解らなかったが、二メートル四方ぐらいの小さな部屋で窓一つなく、薄暗い裸電球が一日中、鈍く光り、床に破れた毛布が一枚敷かれているだけだった。周囲に人の気配が全くなく、扉の外に監視役の男がいるだけで、まるで刑務所の独房のようであった。昼間は、天井から僅かながらも陽が入った。その光の下に、台を持って行き、背を伸び上らせると、天井に近い部分の壁板がずれていて、一・五センチほどの隙間があった。

そこから外を子細(しさい)に見ると、高炉の煙突が見え、煙を吹き出していた。他の操業はストップしても、高炉の火だけは消えていないことを知ると、ほっとした。これだけの混乱の中で、高炉の火を停めないために、造反派の監視下で、黙々と働いている仲間たちのことを思うと、熱いものが胸にこみあげてきた。しかし、今、陸一心が、転炉の開発中に故意に事故を起したとして糾弾されている件で、同じ実験グループの仲間が、生産破壊として証言したことは、一心にとって信じられぬ衝撃であった。

この数年来、寝食を共にし、互いに知識を貪り合うように開発実験を手がけて来たあの唐偉たちの仲間が、事実に悖る証言をするはずがない。そう考える一方で、唐偉のように祖国建設のために、アメリカから敢えて自由で快適な生活を捨てて帰国しているにもかかわらず、政治運動が起る度に、白い目で見られる立場を考えると、造反派のボスから証言を強要されれば、逆いようがなかったのかもしれない。他の同僚も誠実一途の技術屋ばかりで、他人を中傷する人柄ではないが、密告を奨励し、相互監視体制がきびしい中で、人に知られては困る事情を持っていて、やむなく署名せざるを得なかったのかもしれない。

錠が、がちゃりとはずされ、革ベルトに棍棒を挟んだ監視人が、饅頭と漬物一切れを扉の間から入れた。

「おい、めしだ」

いつもは、口をきくのが損のように何を聞いても一切、答えない男が珍しく声をかけた。

「李忠国からの命令だ、審問表にはちゃんと書き入れただろうな」

「――――」

「ペンを失ったのか」

「いや、持っている」

「それなら、なぜ、書かんのだ、書いているのを一度も、見たことがないぞ」

「――」

陸一心は、しぶとく押し黙った。男は勝手にしろと云わんばかりに、扉をばたんと閉めた。食事は一日二食、朝は黒面饅頭と漬物一切れ、夜は玉蜀黍の粉の粥と白菜が一切れ浮いている湯のような汁が与えられ、時々、昨日か、一昨日の残りもののような腐りかけの残飯が与えられる。それでも空腹の陸一心は、ぬるい汁をぐっと飲み、固い饅頭に歯をたてる。なぜ毎日、六、七年前の大飢餓の頃のようなひどい食事を与えるのかと腹をたてながらも、空腹にまけ、つい、がつがつと食べてしまう。

饅頭のこぼれた粉まで拾い、汁の器のふちを舐めんばかりに最後の一滴まですすりながら、一心は、ふと毎日、飢え、ごみ箱の残飯をあさり、寒さをしのぐために、ごみ箱に寝、まるで獣の仔のようであった幼い自分を拾い、人間らしく育て、貧しい中から高等教育まで受けさせてくれた養父、陸徳志のことを想った。長春の駅で養父の手に拾われていなければ、とっくに餓死したか、生きていても東北の片田舎で、牛馬の如く終日、畑で過す生涯であったと思った。

日本人の子供ということを養父母も、自分もひたすら隠してきたが、出生を隠して生きることは、至難のことであった。どんなに神経を張り詰め、口を固く噤んでいても、辻褄の合わない出来事が思いもかけぬ形で起り、その度に養母と一心は窮地にたたされたが、養父が黙々といつの間にか解決してくれた。

不意にボーッと、汽笛の音が聞えた。北京鋼鉄公司の構内を走る蒸気機関車の汽笛で、十数台の貨車を連結している。工場で生産した製品を貨車に積んで、北京郊外の豊台駅で、一般の鉄道に乗り入れ、中国のあらゆる地方に向って走行する。線路はモスコーを経由して、ヨーロッパまで繋がっているのだった。貨車が延々と列を作って、進行して行く様子が、手に取るように解る。貨車は陸一心にとって、運命的な役割を果しているのだった。ソ連国境に近い東北の僻村から貨車で長春駅まで逃れたことによって、現在の養父にめぐり会うことが出来た。

長春の田舎の范家屯の小学校の教師である養父は、一心を実子同様に慈しんだが、言葉や動作には出さなかった。言葉数が少く、殆んど無駄口をきくことがなかったが、一心は、養父の傍らにいるだけで心がやすらいだ。養母も一心を可愛がり、服の仕立の内職の合間に、時々、一心に新しい服を縫って着せたり、菓子を与えたりしたが、なぜか、一心は始終、世話をやいてくれる養母より、養父を慕った。父親が街へ出かけて遅く帰って来る日は、一心は家の中で耳をそばだて、父親の帰りを待ちわび、足音が聞えるなり、ほっと安堵するのが常であった。

初級中学を卒業し、高級中学、大学へ進学する時、小学校の教師である養父と、内職の仕事をする養母の収入を合せて、食べるのがようやくの貧しい生活から、中国の一般家庭では数少い大学進学を許してくれた。そのおかげで、現在の北京鋼鉄公司に配属されたのだった。

日本人の実父は消息不明のままで、養父の存在だけが、心の中に在り、養父のことを思い出すだけで気持が落ち着く。その養父に、もし、日本人の子供を育てたということで、罪になるようなことが起ったら、どうすればよいのだろうか――。

小屋の中の唯一の置物である小さな台の上には、造反派が自白を強要する審問表が、白紙のまま、載っている。審問表に何か書くことがあるとすれば、養父の身の安全をはかることであるが、この間の審査で、両親のことには全く触れていないから、ことさらに記述することは、藪蛇になりかねない。

考えれば考えるほど、思考が混乱した。何かを書けば、ここから釈放されるという誘惑と、どんなに暴力を振われても、事実に悖る捏造は書けないという気持が、激しく錯綜し、揺れ動く。

ボー、ボー、今度は間近で汽笛が聞えた。おそらく構内の踏切りの近くで、貨車を連結した機関車が、横断する人やトラックに向って警笛を鳴らしているのであろう。だが、殆んど操業を停止している工場から、何を積み出し、どこへ運んで行くのだろうか。もしや、紅衛兵や造反派グループの無賃輸送に使われているのではないかという思いが頭を掠めた。

小屋の外では、連日、大衆批判大会が盛んになっている様子であった。スピーカーの数が以前より増し、批判大会のスローガンや吊し上げの言葉が、広場から相当離れているはずの小黒屋まで聞えて来る。陸一心たちが批判された広場だけではなく、各職場や体育館、講堂などにも分れて、頻繁に行っているらしい。

風の音の強い深夜、監視の男が入って来た。台の上の審問表をじろりと見、白紙であることを確めると、一言も発せず、がちゃりと陸一心の手に手錠をかけ、引っ張り出した。

以前と同じ隔離審査室へ連行されることが、すぐ解った。専案組は被告に恐怖感を与えるため、彼らは昼間寝て、専ら夜中に審査するやり方を取っているらしい。

風が吹きつけ、夜目にも砂塵が舞う広場を通り抜けると、三週間前に乱暴な取調べを受けた建物であった。

前回と同じ隔離審査室へ押し込まれると、入れ違いに、気絶した五十近い技師長が、造反派たちに足を引きずられて行った。

不吉な予感が、胸を掠めた。

「今度は、日寇(リーコウ)(日本侵略主義者)か」

王司令が、むくんだ赭ら顔を向けた。気のせいか、以前より獰猛な顔付きになっていた。飲み食いしている七、八人の専案組の中から組長の李忠国が出て来、

「審問表は、ちゃんと書いただろうな」

眼鏡を光らせ、開口一番、確めた。

「一字も書いていないですよ」

一心を引ったてて来た男が、白紙を渡した。

李の顔が引きつれ、憎々しげに一心を睨みつけた。王司令の机の後方には、前回なかった毛主席の大きな肖像画が掲り、その上に、

伟大的导帅　伟大的领袖

伟大的统帅　伟大的舵手

毛主席を称える際の四つの言葉が恭しく書き並べられている。

「なぜ、書かない、どういうことだ！」

以前より、残忍な眼つきで叫び、膏薬旗の頭、胸、足を容赦なく叩いた。革ベルトでなく、鉄棒をゴムで包んだ橡皮棍棒で、革ベルトより強烈だが、体に殴打の痕跡が残らぬ拷問道具の一つであった。一心の体はひとたまりもなく、床に倒れ、呻いた。さっきの技師長もこの橡皮棍棒で叩きのめされたのだろう。

「さあ、自白しろ！」

一心は、コンクリートの床に坐り、

「私を信じて下さい、毛主席の前で私は誓えます、たとえ血は日本人であろうと、私は毛主席を心から尊敬している中華人民共和国の公民です、罪は犯していません」

「それだけきっぱり云えるなら、日寇の種であることを、なぜ同僚に打ちあけ、許しを乞わなかったのだ」

「まだ思想がたち遅れていました、反省します」

一心は頭を下げ詫びた。二度と橡皮棍棒で打ちすえられたくなかった。

「お前の大学はどこだ」

檔案に当然記されていることを、聞いた。

「大連工業大学です」

「吉林省長春にも、大学があるのに、どうして大連まで行ったのだ」

「鉄を以て要となすという毛主席の教えに従い、国家の建設に役だつ人間になるべく、工業大学を選んだのです」

「それなら最も適切な瀋陽鋼鉄学院があるではないか、なぜ入らなかったのだ」

「それは――、ご承知のように入学校は国家が配分することですので」

「それはお前が、第一志望校を大連工業大学としたからだ、大連は日本に近い、お前はその時から日本の特務の訓練を受けていたのだろう」

云いがかりにも程がある――と、頭が狂いそうになったが、黙して耐えた。

「返事をしろ」

「毛主席、どうか助けて下さい、そんな事実はありません」

毛主席の肖像画に、懇願した。

「そうやって、素直に自分のことを打ちあけた相手はおらんのか」

王司令が、前方から憐れむような笑いをうかべた。一心は、身じろいだ。

「どうした、打ちあけた相手がいるのか」

一心は、力なく首を振ったが、大連で自分が日本人であることを打ちあけたただ一人の女性がいたのだった。既に五年の歳月が経っているのに、こんな状況の中で、なお忘れ難く、これほど心が揺さぶられるとは……。一心は忌々しく切なかった。

「誰だ、云ってみろ」

「――誰というわけではなく、共産主義青年団に入りたくて、告白しかけたまでです」

王司令の動物的直感を、辛うじてかわした。

「どうせ、そんなことだろう、李、続けろ」

顎をしゃくった。

「ところで例のラジオだが、出て来たぞ」

李忠国は、若い専案組に持って来させた。確かに一心のラジオだが、スピーカーの張布が破れ、傷だらけになっている。鞍山鋼鉄公司へ転勤になった先輩から安く譲り受け、新しい真空管と短波部品を買って、自分で組立てたも同然のラジオであった。

「こんな上等の〝風雷〟を、お前のような若造（わかぞう）が持っているのが、まず不明朗だ、いつ、どこで、いくらで買ったのだ」

「転勤者に譲って貰いました」

名前を出せば、その先輩が苦しめられるので、云えなかった。

「誰が、お前のような特務に売ったのだ」

「――」

「答えられんだろう、スパイの道具としてお前に金が渡ったからだ、今日こそ、中国初の転炉を開発するために実験を重ねて来た秘密情報を、日本へ売った手口を自白するのだ、この間の炉の破壊は、いつ頃から計画していたのかも、正直に白状しろ！」

ラジオをさし示して、迫った。

「これは交信が出来ないことを、上海のラジオ工場へ問合せて下さい、それに上吹き転炉は文献によれば、諸外国で既に稼働しており、秘密情報ではありません、炉の失敗については、この間、申し上げた通りです」

あくまで下手に出、申し開きをした。

「こいつは、骨の髄まで日寇だ、そういう奴には、日帝式やり方で白状させろ」

王司令が、吠えた。造反派が三、四人、一心に飛びかかり、右手をねじり上げ、黒いボールのようなものを握らせた。

「お前が握っているのは、手榴弾だ、まだ白状しなければ火を点ける、これは日本侵略軍が、われわれ中国人にした拷問だ」

工程師である一心は、手を失うことの恐怖に震えた。

「お前に、われわれの苦しみをたっぷり味わせてやる、陸一心、撫順の万人坑のことは知っているだろう」

王司令は、自らの言葉に昂奮するように、李を押しのけ体をのり出して来た。専案組の造反派たちも、一心のまわりを取り囲んだ。どの顔も、中国人として育ち、中国の思想教育を受け、国家の生産に従事している陸一心を、同胞と見なさず、曾ての日本侵略軍に対するのと同じ憎悪を燃やしている。

「万人坑は、何のために掘られたのか」

「……日本帝国主義者が、中国の人民大衆を酷使し、病気になって働けなくなると、その死体を捨てるために……」

万人坑は、炭鉱で使役された苦力の死体が何百、何千と投げ込まれた坑で、白骨化した骸骨の山を、今なお日本帝国主義への恨みを籠めて保存し、抗日思想の教材として、人民大衆に見学させている。

「東北で育ったお前も、見ただろう」

「はい」

「それで、どう思ったのだ」

「残酷の一言です、累々とした骸骨の中には、針金で縛られたままのもありました……」

「男ばかりか」

「……女と子供も……」

「そうだろう、お前の体の中に流れている血は、われわれ中国人を虐殺した血だ！　手榴弾で自白させるぐらいでは、まだ足りんぐらいだ」

王司令はそう云うと、

「さあ、お前の罪を全部、自白しろ、しなければ、ほんとうに火を点けて、こなごなにしてやる」

単なる脅しではないらしい。造反派たちは後へ慌てて飛びのいた。

「一——」

処刑場のような不気味さの中で、王司令が最初の数をかぞえたが、無実の陸一心には自白のしようがない。

「二——」

心臓の鼓動が高なり、脂汗がにじみ、口もきけない。

「三——」

思わず眼を閉じた。その瞬間、爆発音がし、硝煙がたちこめた。

陸一心は気を失い、倒れた。

どのくらい、経ったのか、自分をのぞき込み、笑っている造反派たちの顔が見えた。鼓膜は破れたのか、声はよく聞きとれない。殺されなかったのだ、と気付いた瞬間、右手に激痛を覚えた。

王司令が何か云っているが、激痛で解らない。右手は、指先から手首まで火ぶくれし、血が床に滴っていた。

そのまま、陸一心は放り出され、再び小黒屋の独房へ連れ戻された。誰が巻いたのか、右手に雑巾のようなぼろ布がまきつけられている。

殺されもせず、右手も吹っ飛ばされずにすんだのは、不思議であった……。あの手榴弾は、何だったのだろう。学生時代、毛主席の〝全民皆兵〟の呼びかけで、軍事訓練を受けた時、民兵の練習用の手榴弾があったが、造反派たちはそれを使って脅し、自白を強いたのだと思われた。

この先も、深夜の隔離審査室へ呼び出され、どんなリンチを受けるのかと思うと総毛だち、党中央、国務院の中にも自殺者が続出しているという壁新聞が、誇張でないことを知った。こんな日々が続けば、自分のような弱い立場の者など、遠からず神経をやられる——。

今、陸一心を支えているのは、血の繋がりのない自分を中国人として育て、教育を受けさせてくれた養父母への恩愛であった。養父母のために、いかなることがあっても耐え、生きぬかなければならない。

その明け方、一心は初めて長春の田舎の范家屯にいる父の夢を見た。

小学校の教師として生徒はもちろん、同僚、父兄たちからも敬愛されている父が、反革命分子という看板を胸に掲げられ、三角帽を冠せられて遊街（街頭の引廻し）をさせられている。それでも父はいつもと変らぬ温和な表情で街中を歩き、郵便局や人民公社などの站に着くと、心ある人々がそっと父に熱い湯を呑ませたり、饅頭の切れを手渡している。父は白湯は口にしたが、饅頭は受け取らず、遊街の列から一人だけ、だんだん遅れ、しきりに、「一心、一心」と自分の名を呼んでいる。

「父さん、ここですよ！」

一心は声を限りに呼び、手を振りかけ、激痛に呻いた。

眼が覚め、夢だったことにほっとしながらも、もしや父も范家屯でこの夢のように批判されているのではないだろうか。憎んでもあまりある日本孩子（息子）を育てたことが明るみに出れば、いくら父を敬愛している人々も、許さないかもしれない。一心の眼から涙が溢れた。

それから何日かし、またしても深夜、隔離審査室へ連れて行かれた。

樹々は、いつの間にか一晩で葉を落し、つむじ風に吸い上げられた葉が、夜の闇の中できりきり舞いしている。これから審査室ではじまるリンチで身悶えする自分の姿に似ている。

「自白しなければ、絶対、許さん、といったわしの言葉を覚えているだろう」

王司令は陸一心を見るなり、いきなり云った。黙していると、

「お前を、労働改造所送りにする、すぐ出発だ」

「え、労改送り——、そんなことは法院がきめる事です」

「お前はまだ目覚めんのか、北京の公検法（公安、検察院、法院）は、毛主席の指示によって、各単位のわれわれ造反派に占拠されているんだ、文句をつけるだけ無駄だ、出発する駅へ行けば、お前と同じような奴が山ほどいるから、よおく現状を聞いてみろ！　さっさと行け！」

とのみ云い、その罪名も、刑期も告げなかった。

北京駅から二、三十キロ隔った名の知れぬ小さな駅に、列車輸送される囚人たちが、十一月の寒さに凍えながら、列をなしている。不潔な人間の体臭が充満し、喧噪を極めていた。汚れたぼろ服をまとい、髭ものび放題の囚人たちが、突然の移動に驚き、騒ぎ喚いたが、銃を持った兵隊たちが駅舎を包囲し、家畜を追うように囚人の群を列車の中へ追い込み、前後の出入口に錠をかけて、警護を固めている。

陸一心は、北京鋼鉄公司の仲間がいないか、必死に探したが見当らない。やはり日本人の血をひく自分だけが労働改造所送りになったようだった。

「おい、のろま！　ぐずぐずするな」

うしろから蹴り飛ばされた。

囚人たちは席を確保するために争い、屈強な者は腕力にものを云わせて、先に坐っている者を追い散らし、追われた者は、さらに自分より弱い者を押し退け、互いに怒鳴り合い、罵り合っている。

夜の闇の中を、列車が動き出すと、

「おい、これはどっちへ行くんだ」

「知らねえ、俺こそ、知りたいんだ」

「おい、誰か犬のように嗅いで、方向が解る奴がおらんのか」

口々に云った。窓には逃亡を防ぐ鉄柵が入り、ガラスは黒く塗りつぶされている。

列車が速度を増し、次第に北京から遠ざかるにつれ、囚人たちは行先の解らぬ不安に駈られ、殺気が漲り、それが頂点に達しかけた時、銃を持った兵隊が車内へ入って来た。

「囚人たちに警告する！　移動の途中、逃亡をはかった者は、警告なしに射殺する、騒ぎを起した者は、手錠をかけて移送する、いいか、解ったか！」

大声で告げた。その途端、車内は静かになったが、兵隊がいなくなると、また腕力と怒号が飛び交い、腕力をきかせて座席を確保した連中は、紙で作った手製の象棋盤を広げ、手巻きの煙草を賭けて、勝負をはじめた。

そんな中で、陸一心は、屈強な男たちに押し挟まれるような形で椅子に坐ることが出来たが、象棋どころではなく、列車の行先に全身の神経を研ぎすましていた。

列車はのろのろと、鈍行で走り、時々、停車した。数時間走った時、窓の外で銃声と大砲の音が聞え、不意に列車が、がたんと、大きく揺れて急停車した。事故があったのかと思っていると、列車の出入口で怒号が聞え、扉のガラスを叩き割って、十数人の紅衛兵たちがなだれ込んで来た。手に手に銃を持ち、銃弾を入れた革ベルトを腰に締めた紅衛兵たちであった。〝毛主席の紅衛兵〟であるから、警護の兵隊たちは下手に手出しできない。紅衛兵のリーダーが、名乗りを上げた。

「われわれは偉大なる指導者、毛主席の指令によって組織された紅工兵联合行動である、プロレタリア文化大革命を最後までなし遂げるために、今や武力を以て走資派を打倒する！　革命は武力によってのみ最後まで完遂出来るのである、われわれの革命的闘争をお前たちは支持するか、支持しない者はたち上れ！」

十四、五歳の紅衛兵のリーダーは顔を紅潮させ、眼を血奔らせている。四人たちはしんと押し黙り、身動き一つしない。反対の片鱗でも見せれば、忽ち列車から引きずり降されて、なぶり殺しにされるだけである。誰もがこれが噂に聞く紅衛兵の武闘かと思った。『武闘』という言葉は聞いていたが、まだ子供のような紅衛兵たちが、軍隊から銃を奪い、武装して、走資派を吊し上げるだけではなく、造反派の中での権力争いに武力を行使している姿を目の前にして、文革がさらに熾烈となり、いつ果てるともない様相であることを知った。

「よし、われわれは武力によってプロレタリア文化大革命を闘い取る、お前らは労働によって悔い改め、一般大衆の許しを得て、革命に参加できるように努力しろ！」

と云うなり、天井に向けて一発、威嚇弾をぶっ放して降りて行った。

列車は西へ向っていた。そして時々、停車しては四人を乗せた。四人の数は増え、最初、二、三人ずつであった座席に、四、五人も詰め込まれ、通路にも人が重なり合い、車内の喧噪を増した。

凄じい喧噪の中で、陸一心は押し黙り、ひたすら長春の田舎の范家屯にいる養父母を想った。自分の消息が解らなくなった時の養父母の衝撃を考えると、堪え難かった。何とかして、労働改造所送りになって、僻地へ移送されるのは、冤罪であることを報せたかった。

北京を発って二日目の夜、比較的大きな駅に停車し、黒く塗りつぶされたガラス窓の剝げ目から外を窺うと、探照灯の光の中にトラックが数台停り、銃を持った兵隊が取り囲んでいる。号令とともに、囚人たちがトラックから下り、次々と列車に乗って来た。

「おい、女だ、女囚がいるぞ！」

誰かが云うと、囚人たちはわれ勝ちに人を押しのけて窓に群がった。窓には鉄柵が入り、ガラスは黒く塗りつぶされているが、ところどころ剝げたり、ひび割れているところがある。争うように外を見ると、警備の探照灯の輪の中に女囚たちがいた。同じような黒い囚人服を着ているが、髪を束ね、灯りの中で白いうなじが、かすかに見える。車内の囚人たちが喰い入るように見詰める中を、女囚たちは、男囚たちから遥かに離れた後部の列車に追いたてられて行った。

陸一心は、ふと窓の下に、落花生と向日葵の種を入れた籠を提げた子供がたっているのに気付いた。さっきの囚人たちの子供かもしれない。女囚の姿に昂奮し、卑猥な言葉で呼びかけている囚人たちの騒ぎを利用し、手製の象棋に興じていた隣りの男の手もとから㊫の一駒を抜き取り、囚人たちの間を縫って便所へ行った。いつもはその前にたっている兵隊も、男女の囚人の受け渡しのため、姿が見えない。陸一心は素早く便所へ入って、紙製の駒の裏に、養父母の名と住所を走り書きし、『労改、冤枉（冤罪）、陸一心』と七文字だけ書くと、便所の鉄格子の隙間から、

「小孩（坊や）！」

と呼んだ。子供は怪訝そうに首をかしげて、便所の下まで来た。

陸一心は象棋の駒に、隠し持っていた五元の紙幣を添えて、格子の間から滑り落した。

「小孩、私の有金全部だ、この宛名のところへ送ってくれ、お前を信じる」

と云うと、子供は純朴そうな眼で頷き、落花生と向日葵の種の中へ紙幣と象棋の駒を隠した。

列車が動き出すと、囚人たちの家族が、夫や兄弟の名を呼びながら、列車を追って走った。

陸一心は、急いでもとの座席へ戻った。

「おい、お前、何をしやがったんだ！　俺の駒を盗んで、どこへやったんだ」

象棋をしていた男が、喰ってかかった。陸一心は、そっぽを向いて、答えなかった。

「なんだ、お前の罪名は泥棒か、そのくせ知識人面しやがって、こそ泥奴！」

ぱっと唾を吐きかけた。

「泥棒じゃない、刑事犯ではない」

刑事犯より、政治犯の方が罪悪だとされているが、陸一心のプライドが、そう云わせた。

「じゃ、政治犯だというのかい、その罪名とやらを聞かして貰おうじゃないか」

おっかぶせるように云うと、向い側の象棋の相手も、

「罪名と刑期を云ってみろ、こそ泥のくせに、恰好つけるな！」

口汚く罵る。周囲も退屈しのぎに騒ぎたてると、銃を持った兵隊が割り込んできた。

「誰だ、騒ぎを起したのは？」

「この野郎です、俺たちが作った象棋の駒札を盗んで、どこかへ捨てやがった」

駒札をなくした男が云うと、兵隊は、

「お前は象棋の駒をどこへ捨てたんだ？」

「いいえ、私ではありません、全く知りません」

陸一心は平静な表情で答えた。

「しらを切るな、俺はお前が便所へ行くのを見たぜ、便所へ捨てたんだろう」

通路にいる囚人が云うと、兵隊の顔が俄かに険しくなった。

「なに、便所へ——、お前は象棋の駒に暗号を書いて、逃亡を図ろうとしたんだな、お前は刑事犯より罪の重い政治犯、その中でも最も悪い日本のスパイだ！」

憎悪に満ちた眼で云い、手に持った銃先で、中山帽をかぶった頭を小突いた。陸一心の頭から帽子が落ち、坊主刈りの頭に記された赤い日の丸が剝き出しになった。

「なんだ、日本のスパイの野郎か！」

「裏切者の小日本鬼子！」

「叩き殺せ、婦女暴行よりみっともない小日本鬼子！　狗雑種！」

車内が騒然とすると、兵隊は、

「皆、勝手に騒ぐな、日本帝国主義は、われわれ革命軍隊の敵だ、お前は、逃亡をはかった囚人として、逃亡阻止のため手錠をかける！」

手錠を出して、がちゃりとはめた。まだ手榴弾の火傷が癒えていない手首からは、鋸でひかれるような鋭い痛みが骨の髄までひびいた。列車はさらに西に向って、夜の闇の中をひた走った。陸一心の体は、手錠をはめられたまま、左右に大きく揺れ、日の丸印の坊主頭も揺れた。

揺られながら、なぜ小日本鬼子、狗雑種とまで罵倒されるのか？　日本の戦争孤児なる故に、幼い頃からこの二十数年間、自分の体に捺印のように捺された蔑称——、〃小日本鬼子〃とは何かを、心の底から問いかけた。

二章　棄　民

一九四五年八月九日――、陸一心は、ソ満国境に近い日本人開拓村で、松本勝男として数え齢七歳になり、国民学校の初めての夏休みに入っていた。

松花江の支流がそそぎ込む北満の東索倫河の開拓団では、いつものように各集落の人々が、地平線まで遥かに続く畑で働いていた。どの家も、二十歳から四十五歳までの男子が徴兵されていたから、広大な畑を耕しているのは老人、女子と僅かに残った十七、八歳の青少年たちだった。

長野県出身者たちの信濃郷も、四十八歳の山田団長の他三人だけが壮年で、あとは殆んど老人と女子供たちだけであった。四月に国民学校へ上ったばかりの松本勝男は、祖父と母に随いて畑へ出ていた。二十五歳の母は、去年の秋、現地召集された父に代って、牛の手綱を取り、祖父は中国人を使って、穫り入れの準備にかかり、勝男は手伝いながら、五歳の妹あつ子の守りをしていた。その足元には愛犬のシロがじゃれついていた。

突然、非常サイレンが鳴り響いた。各村の家や畑へ馬に乗った連絡員が走り、「ソ連が参戦し、国境を越えて攻めて来た、宝清へ避難するから、三日間の食糧と身の廻りの品を持って本部前へ集れ」とふれ廻った。

羊草葺き(ヤンソウぶき)の家へ戻っても、祖父の松本耕平は「ロスケらが来ても、無敵関東軍がおるから、避難に及ばずじゃ」と不満気だが、母のタキエは、勝男と、妹二人に一番新しい服を着せ、信濃神社のお守袋をつけさせた。祖父にもカーキ色の開拓団員の制服に着替えるように勧め、米、炒り豆、塩、味噌と肌着類をリュックサックと大きな麻袋に詰めた。母自身、一歳半のみつ子を背負い、両手に荷物を提げ、祖父と勝男はリュックサックを背負い、五歳のあつ子は、勝男が手をひいた。どの家も男手がなく、準備が捗ら(はかど)ない中で、母はてきぱきと片付け、「また帰って来るし、兵隊さんも泊るかもしれん」と、柱時計のぜんまいを巻いた。

隣家の大沢の家は、五十過ぎの両親と十八歳の長男を頭に、十二歳まで四人兄妹が揃い、手が足りているから、あちこちの家から手助けを求められ、長男が馬に乗って、力仕事を助けた。

本部前に集ると、山田団長の指示で、老人以外の男子は、各戸に一挺ずつの警備用の銃を持ち、本部のトラックと大車(ターツァ)に、老人、幼児を乗せ、あとは全部、徒歩で午後六時、西山部隊が駐屯している宝清へ向けて出発した。一緒に追ってくる飼犬もいたが、松本の家のシロはワンワンと激しく吠え、一家を行かせまいとするように、勝男とあつ子のズボンやモンペの端をくわえて引っ張った。だが、今は犬どころではなかった。

男子と老人二十名、女子供二百十名の一行であったが、出発して間もなく雨が降り出した。灯りのない暗闇の道で、足を滑らせたり、石に躓い(つまずい)たりしながら、一晩中、歩き続けた。

翌十日昼前、宝清近くまで来ると、飛行機が飛来し、町の中心部へ爆弾を落して去った。頼みにしていた関東軍ではなく、ソ連機であった。火災がおさまるのを待ち、西山部隊まで辿り着くと、迷彩色を施した兵舎には二十名にも満たない開拓団連絡用の兵隊が残っているだけで、もぬけの殻であった。

三日も経てば帰れるという望みが断たれた。団員たちは、

「ソ満国境の軍の拠点に、わしら開拓民を入植させた以上、いざという時はまっ先に保護してくれるのが当然じゃのに、軍が先に逃げ出すとは何たることじゃ」

と憤った。祖父の松本耕平も、

「つい先月、電話一本で根こそぎ動員をかけた時から、こういう事態は解っていたはずじゃが、開拓民には隠していたんじゃから、はなからわしらを棄民扱いしとったちゅうことか」

一徹者らしく、声を震わせた。勝男は子供心にも、異様な事態を感じ取った。

兵舎に泊った次の日も雨だったが、ソ連機が飛来した。団長は「満鉄の勃利駅まで行けば、日本の大部隊が駐屯しているから、われわれを列車に乗せてくれる、そこまで頑張るのだ」と一同を励まし、百七十キロ先の勃利目ざして、山中の道を行くことになった。連絡用の兵隊や、宝清へ集って来た他の開拓団も加わり、山道を行くうち、泥濘にトラックのタイヤがはまって動かなくなり、老人、子供たちは降され、団の食糧は大車に積みかえ、余計なものは捨てた。やがて各自が担いでいる布団も雨で水を含んで重くなり、道端に次々と捨て、皆、濡れねずみになって、黙々と歩いた。その日、泊った小さな開拓団跡で、女たちは「畳の上で眠れるのも、今日が最後かもしれんねぇ」と、不安そうに話し合った。以後、山中の彷徨が続き、野宿が重なり、落伍者が出はじめた。

疲労困憊の避難民の行手を、山中の湿原が阻んだ。片や険しい原始林で迂回もならず、前進するしかない。遂に大車も捨て、食糧だけを背負って、湿原に足を踏み入れた。木の枝で深さを確め、慎重に渡ったが、底なしの泥沼にはまり込んだ人や馬は、もがけばもがく程、沈んで行き、助ける術もない。勝男は五歳の妹あつ子を背中にくくりつけ、祖父と手を取り合って渡り、母は赤ん坊を背負い、兵隊の手をかりて渡った。

ようやく湿地帯を脱けると、母の背で泣き続けていた赤ん坊がいつの間にか、ぐったりしていた。母は背中からおろし、乳をふくませたが、乳は出ず、見かねた団員が粥汁(かゆじる)を水筒から出して飲ませてくれたが、赤ん坊は口を開かず、ヒクッ、ヒクッと小鼻を動かしたかと思うと、息絶えた。母は半狂乱で名を呼び、「みつ子！　父ちゃんにすまない、すまない」と自分を責めた。祖父は「泣くな、ここまで来る山中で、他の団の歩けんようになった母親は、赤ん坊を道端に捨てて行った、お前は最後まで頑張ったんじゃ、息子が戦地から帰ったら、わしがよう話す」と慰めた。母はせめて赤ん坊を埋葬したいと云ったが、それでは一行が、他の団から遅れてしまうからと、山中の草にくるみ、その上に木の枝を重ねて掩(おお)った。「冬になりゃあ、寒かろうに」母は声を放って泣いた。祖父は「泣くんじゃねぇど、泣くんじゃねぇ」と云いつつ涙ぐんだが、勝男は不思議と涙が出なかった。それより自分の団の人たちに遅れてしまう方が怖しかった。

八月十五日、誰も日本が降伏したことを知らず、ソ連機と匪襲を怖れて、夜は火を焚かず、木の下で夜露を避けて、さらに野宿を重ねた。日に日に、満軍の銃声が近くなり、中国人集落からも発砲されるようになったが、日本の敗戦を知らない兵隊たちは殺気だち、避難民の列を足手まといにした。特に幼児の泣き声は、敵に察知される因(もと)だとし、「五歳以下の子供は殺せ！　それが全滅から助かる唯一の道だ」と命令した。

逃避行に疲れ果て、前途を悲観した若い母親たちは、自分の手で殺すのにしのびず、顔をそむけて、兵隊に幼児や赤ん坊を手渡した。子供たちは叢(くさむら)に俯(うつぶ)せにされ、首を締められた。母は五歳のあつ子を六歳と偽り、絶えず、兵隊の眼につかぬよう庇(かば)った。

原始林のような山道はいつ果てるともなく続き、食糧はさらに逼迫(ひっぱく)し、もう米もなくなり、大切にしていた塩も大半、雨に流され、殆んどの人が飢え死に一歩手前になっていた。他の団ではこれ以上、歩行困難な病弱者は、ひとまず山中に残して、体力のある者が先行し、一日も早く人家のある集落を見つけ、そこから食糧を貰って来て救出するしか方法がないという結論に達し、何人かの老人、病人、幼児が残されることになった。大きな樹陰に残留する老人を集め、残った僅かな食糧と野草、木の実などを渡して「必ず迎えに来るぞ、少しの間の辛抱だ」と別れを告げていたが、勝男は、子供心にも、もう迎えには来られない、この人たちはこのまま、山中に置き去られ、死んでしまうのだと思った。

樹陰にかたまって、一行を見送る老人、病人たちの前を通り過ぎかけると、持病の高血圧と下痢続きで脱水状態になっている祖父は「わしも、ここに残る」と坐り込んでしまった。気丈な母は、いきなり、背に負った荷物を投げ出し、あつ子の手を離し、祖父を背負った。「タキエ、お前、気ぃ狂うたんか」祖父が拒むと「お舅さん、黙っておぶさってなされ」と云ったが、数歩行ってはよろめいて倒れ、倒れては起き上り、歩いては転んだ。その度に背負う者も、背負われる者も泥まみれになり、同じ団からみるみる遅れてしまったが、母は狂気のように祖父を背負って歩いた。勝男は、あつ子とはぐれないように手と手を紐で結わえて、祖父を背負って歩く凄じい母の姿に随いて、無我夢中で歩いた。

その夜も野宿であったが、雨が降らず、樹陰の下に草を敷いて、祖父を寝かせた。食糧はすっかり底をつき、草や茸を探して来たが、祖父は何一つ口にせず、骸骨のように痩せさらばえた体を仰向け、母と勝男を手招きした。

「わしは、もう助からん、タキエと勝男に詫びたいんじゃ、一家を挙げて満洲へ移ろうと云い出し、しぶる息子を説き伏せて、開拓団に加わったのは、このわしのせいじゃ、お前たちの将来のため、お国のためと思うてのことが、今、国からは見棄てられ、お前たちをこんな酷い目に遭わせてしもうた、息子は現地召集、嫁と孫たちまで、生き地獄にさらしてしもうたが、どんなことがあっても、お前たちは生きて日本へ帰り、戦地から戻った父ちゃんに会うんじゃぞ」

腸を搾り出すように云った。母のタキエは、

「何を云いなさるか、赤子を死なせ、その上、お舅さんに死なれたら、私は生きて日本へは戻れん、主人に合せる顔もない……」

と嗚咽した。祖父は、勝男の手を摑み、

「父ちゃんに会うたら、母ちゃんは、えらい女じゃ、どない辛うても、子捨てはせず、背中の上で赤ん坊を死なせ、最後は祖父ちゃんを背負うたことを話すんじゃぞ、父ちゃんにな」

と云い聞かせ、咽喉をくぅくぅと鳴らしたかと思うと、息絶えた。祖父の遺体は葬る術もなく、母は両手を合掌させ、頭を日本の方角に当る東向けにした。

それから二日後、数千人の避難民が入っている開拓団跡に辿り着いた時はほっとしたが、馬小屋さえも先着の人たちで一杯で、軒下にしゃがんで眠った。そこから目指す勃利までは五十キロであったが、翌朝、勃利がソ連軍の空爆を受けていることが解り、茫然とした。

「そんなら、わしらはどこへ行きゃあ、助かるんじゃ」

「かくなる上は、われわれは哈爾濱へ向けて自由行動に出る！」

他の団も交えた幹部会で協議されたが、結論が出ず、信濃郷よりもっと奥地から逃避行を続けて来た団は絶望し、畜産指導員が持っていた青酸加里で集団自決してしまった。

信濃郷の山田団長は、「この世で最も尊いのは人間の生命だ」と云い続け、勃利へ出ることは断念して、依蘭へ出ることを一同にはかった。

晴天にめぐまれていたが、昼間は真夏の太陽の下を、夜は野宿の寒さに震えながらも、ようやく大きな河に出た。松花江支流の倭肯河であったが、ソ連軍の追撃を避けるため、日本軍の手で橋が破壊されていた。雨の直後で水嵩が増し、黄濁色の水が渦巻いている。「やはり関東軍はわれわれを見殺しにした。開拓団の農民はソ連軍に殺されてもええのか！」という声が、そこここから上ったが、団長の指示で、幅五十メートルの河を、中洲を中継ぎにして、太いロープを両岸の大樹に結びつけて、それを頼りに渡ることにした。老人と子供は、僅かに残っている馬の背にのせ、若い男子がロープにつかまって手綱を取り、あとの男女は、頭の上に荷物をのせ、一本の命綱に縋って、死にもの狂いで渡った。途中、激流にのまれ、流されて行く者もいたが、信濃郷では全員、無事に渡河した。

運命の佐渡開拓団跡へ入ったのは、逃避行十五日目の八月二十三日だった。ここにも三千人以上の避難民がいたが、幸い学校の建物の一部を割り当てられた。周囲は麦畑と馬鈴薯畑で、久しぶりに敵を気にせず煮炊きでき、子供たちはふかし芋を喜んで食べ、「もう歩かないで、ここに住みたい」と無邪気に云った。

午後、ソ連の偵察機が低空で旋回した。もの陰や地面に身を伏せたが、爆弾ではなく、ビラを撒いた。

『日本は戦争に敗けた。皆さんは降伏して、建物から出て来なさい』

日本語で記したビラだった。皆は「日本が敗けるはずがない、デマだ！」と口々に叫び、激昂した男たちが飛行機に向って、発砲すると、土塀から、五百メートルほどの麦畑に不時着した。飛行士は、近寄って来る開拓団員に発砲して逃げ去ったが、団員の一人が射殺されたことで、長い逃避行に倦み、自暴自棄になっている男たちは、復讐だと叫び、夜になって、偵察機を焼き払ってしまった。

翌二十四日、ソ連軍の装甲車が四台、佐渡開拓団本部から、八百メートルほど離れた第二集落へ来た。日本語を話す将校を連れて、降伏を勧告に来たが、憎悪にいきりたつ団員は、将校たちをおびき入れ、発砲して一人を殺し、逃げ遅れた装甲車を焼き払った後、女子供も含めて全員、自決してしまった。

二度にわたる事件で、佐渡開拓団跡の四方は包囲され、ソ連軍の報復は避けられぬ緊迫した情況のうちに、一日、二日と過ぎて行った。集団自決する団、脱出する団と、それぞれだが、信濃郷では、山田団長が最後の決断をした。

「信濃郷を出て十八日間、命を大切にという一念で、今日まで助け合い、行をともにして来たが、遂に一縷の望みもない情況にたち至った、あとは天命を待つしかないが、力のある若い者は脱出して、日本へ帰り、われわれの団の最期を伝えてほしい、私たちは運尽きてここで死んで行くが、いつの日か骨を拾って下さることを信じている、そのためにも無事、日本へ帰り着かれるよう祈っております」

話し終えると、山田団長は天を仰いで男泣きし、一同も声を上げて泣いた。暫くは全員、もう生きることに疲れ果てたかのように動かなかったが、団長が、信濃郷の最期を伝えるため決断を促した。ようやく、四十七歳と四十八歳の幹部と、十七、八歳の若い男子五名が脱出することになった。隣家の大沢の長男もその一人であった。各々の肉親、隣人たちは、開拓団の土塀のところまで見送りに行った。送る側も、送られる側も、今生の別れに言葉もない。

大沢の長男が馬にまたがった。

「命拾いをしろよ」

父親が、馬の鞍をさすった。

「皆さん、お達者で――、頼むぞ」

あとの言葉は、残る妹たちに云い、思い切るように、馬を走らせて行った。両親、妹たちは肩をよせて泣き、一緒に見送った勝男と母も泣き、姿が見えなくなるまで見送った。

翌二十七日、早朝からボーン、ボーンと大砲が撃ち込まれはじめた。

各団の団員が、高さ一・五メートルの土塀の内側に銃を持って伏せ、応戦の構えに入ったが、ソ連軍は用心深く、遠距離から大砲や迫撃砲を撃ち込んできた。

午後になると、包囲網は次第に狭まり、建物が次々と崩れた。勝男たち信濃郷の女、子供は、砲弾が飛んで来る本部の学校から退避して、別の建物に身を潜めていた。

ガチャーン！　窓ガラスが破れ、勝男が驚いて母のそばから外へ飛び出そうとすると、

「勝男！　危い、出るではない！」

後で母の声がした。後退りしかけると、凄じい炸裂音がし、突然、目の前に、キラキラ光る鉄カブトを冠ったソ連兵が見えた。思わず、地面に俯した。ソ連兵たちは土塀を越え、機銃掃射を浴びせながら、進んで来る。ピュピュッと弾丸が飛ぶ度に、銃で応戦している人たちがなぎ倒され、硝煙がたった。勝男は、濛々とたちのぼる硝煙と土埃の中を夢中で地面を這って、土塀のところまで行くと、ソ連兵と応戦して射殺された死体が、上へ上へと折り重なり、そこに三人の男女がまだ生きている。

「あ！　またソ連兵が来るぞ、今度はもっと多勢だ！」

若い男が云うと、二人の女が、

「お願いです、その銃で撃ち殺して！」

と哀願した。土塀の外に、キラキラと無数に光る鉄カブトが迫って来た。男は、バーン、バーンと二人の女を撃ち殺した。

勝男も、頼んだ。

「兄ちゃん、僕も殺して！」

「弾が一発しかない、お前は子供だから、大丈夫だろう」

と云うなり、男は、銃口を顎の下に当て、

「天皇陛下、万歳！」

と叫んで、足で引金をひいた。その銃声と同時に、ソ連兵たちは銃を乱射しながら、続々と土塀をよじのぼって来た。勝男は今、死んだ男の死体の下に隠れた。生あたたかい血や脳味噌が頭にかかって来、唇に塩酸っぱいものが流れ込んで来、腹も足もぬるぬるとした。

銃声が止み、ソ連兵は土塀沿いに折り重なった死体の山を一人一人、地面に仰向けに並べた。勝男はその度にするり、するりと死体の下にもぐり込んで、見つからぬようにしたが、反対側からも死体を並べはじめた。

死体の数をかぞえ終ると、時計や財布類を剝ぎ取り、銃剣で、一人一人に止めを刺した。ぴしゃ、ぴしゃっと、臓器が裂ける音が、勝男に近付いて来た。死んだふりをしていても、自分の真上に足音が止った時、恐怖のあまり、足が動いてしまった。その途端、銃剣の先が腹から胸にかけてスッと走り、勝男は気を失った。

どのぐらい経ってからか、顔に冷たいものが当り、勝男は気がついた。小雨が降っていた。勝男は、自分が天国にいるのかと思ったが、そろりと腹に手を当てると、シャツとセーターがぱらりと両側に開いた。手を直に当ててみると、痛くない。死んでいないのだと、思った。薄目を開け、周囲を窺うと、雨の向うが明るく、ソ連兵たちが騒いでいた。もう少し目を開けて見ると、明るいのは家々が燃えている炎で、燃えている家の柱を三叉にして、馬の肉を焙り、酒をがぶ呑みしながら、馬肉にむしゃぶりついている。その横では踊ったり、歌ったり、勝利の昂奮が醒めないのか、時々、鉄砲を空に向ってバンバンと、ぶっ放している。

やがて召集ラッパが鳴り、ソ連兵は一箇所に集り、大砲を乗せたトラックを先頭に、何十台ものトラックに分乗し、引揚げて行った。

勝男は、しんと静かになったのを確めてから、たち上ると、「母ちゃん」「助けてぇ」という呻き声が聞え、やっと母のことを思い出し、母と隠れていた建物を探したが、小雨の中で家はまだ燃えていた。

「母ちゃん――」

母を探していると、死人の中から、痛い、助けて！　という声がした。しゃがんで見ると、同じ団の大沢の姉さんだった。

「お姉ちゃん」

「勝ちゃん、生きてたの、よかったわねぇ」

と云い、血が流れている腕を押えた。勝男はシャツを千切って、姉さんの腕を縛り、

「僕の母ちゃんと妹、どこにいるか探して」

と頼んだ。

「勝男ちゃんの母ちゃんは死んだよ」

「ウソだ――」

「撃たれる時まで一緒だったから、本当よ」

勝男の手をとって、さっきの建物の前へ行くと、モンペ姿の母の胸に血がたまり、死んでいた。あつ子はいなかった。

「母ちゃん――」

と呼んだが、涙は出ない。

「今度は、私の父さんと母さんを探すから、一緒に来て」

「うん」

多くの死体は止めを刺されて、胸から噴き出した血が黒くかたまり、顔も服も血みどろになっている。中には、顔がつぶれ、首がふっ飛んで胴体だけ転っているものもあるが、神経が鈍くな

っていて、怖しさを感じない。大沢の姉さんは国旗掲揚台の傍でお父さんの死体を見つけたが、お母さんや弟妹は見つからなかった。

真っ暗になり、人の顔も見分けがつかなくなったので、二人は馬小屋の壁が崩れて丸いほこらのようになった中へ入りかけると、向いからよちよちとモンペ姿の小さな女の子が歩いて来た。よく見ると、妹のあつ子だった。

「あつ子！　兄ちゃんだよ」

と呼ぶと、駈け寄って来、

「兄ちゃん、痛いよぉ」

と泣き出した。モンペの上にはみ出したブラウスの右袖口が焦げ、ひどい火傷をしていた。

「よしよし、泣くんじゃない、すぐなおるよ」

とあやしながら、首から下げているお守袋の長い紐も焦げ、切れかかっているのに気付き、固く結び直してやった。その間、大沢の姉さんは、傷口に薬代りの灰を塗った。

あつ子は母が死んだことも、目の前の惨事も解らないようだった。

ほこらの中は土壁が熱く、ペーチカに入っているように温かだった。

「明日、夜が明けたら、山へ逃げよう」

大沢の姉さんが云い、途中で拾った一枚の毛布を、三人でかぶった。しんとしたしじまの中で燃え尽きた柱がばさりと倒れたり、ぱちぱちと木がはぜる音だけがして、心細く、殆んど一睡もしなかった。

遠くに人声が聞えた。まだ夜が明けない薄暗い中を、何人かの人影が歩いて来る。またソ連兵かと思い、毛布の下からそっと様子を窺うと、死体の間をかき分けて、まず鉄砲を拾い、次に馬の荷、最後に死体の衣類を剝ぎはじめた。次第に人影が近付いて来た。怖しさのあまり、三人抱き合っていると、人が入って来、ぱっと毛布を剝いだ。

「死了没有（死んでないぞ）」

開拓団にいた時、中国の農民がよく使った言葉だった。

「小孩、餅子」

三人に吉備団子のようなものをくれた。大沢の姉さんは食べなかったが、勝男とあつ子は、昨日の朝から何も食べていなかったから、固い餅子にかぶりついた。

五、六人の農民は、まず鉄砲や衣類など拾ったものを馬に積み、勝男たち三人も馬に乗せた。拾った鉄砲を肩にかけた男が、馬の手綱を取ったから、どこかへ連れて行って殺されるかもしれないと、思った。

長い道程を馬に揺られて、小さな村落に着くと、沢山の人が珍しそうに集って来、血まみれの姿に悲鳴を上げる子供もいた。馬から下ろされると、勝男たちを連れて来た五、六人の男に、他の人も加わって、がやがやと暫く、話し合った後、一番齢嵩の男の家へ入ることになった。

齢嵩の男が中心になって、鉄砲や衣類などの分配について相談したあと、三十歳ぐらいの柔和な顔の中国人が、

「私は何もいらないから、この日本の娘さんが欲しい」

大沢の姉さんの腕を取って、出て行った。

「お姉ちゃん、連れてって」

勝男が後を追いかけると、大きな節くれだった手で遮られた。

「ふん、お前はいくつだ」

「七つ」

「そうか、七歳にしては体がいいから、わしはお前を貰う」

と肩を摑んだ。

「じゃあ、俺はその子だ、いくつだ？」

あつ子は、別の痩せた中国人が抱き上げた。

「おじさん、妹はまだ五つ、僕と離さないで——」

と頼んだが、通じず、あつ子を抱いた男は「来来」とあやしながら、家を出かけた。

「兄ちゃん！」

あつ子が、叫んだ。

「お願い！　僕も一緒に貰って！」

勝男は、哀願し、おかっぱ頭のあつ子も兄にしがみついたが、兄妹は手荒に引き裂かれ、男はあつ子を背負って、駈け出した。あつ子は男の背からのけぞり、「兄ちゃん、兄ちゃん！」と泣き叫んだ。勝男がそのあとを追いかけようと走りかけると、したたかに足蹴を喰らい、背中を土足で押えつけられた。地面に四つ這いになり、這いずりながらもなお追おうとしたが、妹の姿は消えて行った。

三章　この子売ります

七歳の勝男が、七台屯（チータイトン）の丁財福（ティンツァイフー）の家に貰われ、最初に教えられた中国語は、『尿（ニァオ）』

であった。

翌朝、ひどい寝小便をしたからだった。三十四歳と三十一歳の子なしの丁夫婦は容赦なく尻をぶち、小便がしたくなったらニァオと云うように、何度も声に出させた。文盲の夫婦は文字で教えられなかった。

「ニャア、ニャア……」

「不対（プートン）（違う）、ニァオ、ニァオじゃ」

「ニァオー」

「そうだ、小便は裏庭の畑でやるもんじゃ、今度、尿床（ニャオツァ）（寝小便）してみろ、二度とズボンははかせねぇぞ」

丁は粗暴で、けちな性格を丸出しにして、怒った。

「この子、柄（がら）が大きいからと貰うて来たけど、相当なうすのろじゃよ」

ひっつめ髪をした妻も、日本人の子供を値ぶみするように、じろじろ眺め廻した。

勝男が、こわがって泣くと、

「うるさい、泣くな！」

丁は声を荒げた。

「きっと腹をすかせてるんじゃろ、ひとまず高粱飯を喰わせ、この子を何と呼ぶかね」

「さあな、わざわざ礼を出して、坊さんにつけて貰うほどでもなし、うちに福がたんと来るように縁起をかついで大福でどうじゃ」

その日から勝男は、ターフーと呼ばれ、丁夫婦を爹（とっちゃん）、媽（おっか）と呼ぶよう教えられた。

衣服も中国風の綿入れの上下を着、逃避行で伸びきっていた頭髪も短く刈り、外見は中国の小孩と同じ姿になった。

だが、水や食べものは体に合わず、激しい下痢続きでますます痩せ細り、近所の世話好きの老婆や主婦が、みょうばんや、山で摘んで来た薬草を持って来、丁の妻に煎じ方を教えたりした。大福は、そんなことより、猿股をはかせてほしかった。素肌に直に前ボタンのないズボンをはき、前をかき合せて紐でしばるだけだから、スコスコと風が入り、朝夕、気温が下ると、下腹がさし込んだ。

その度に、戸外の厠につくばり、大便の始末は紙がないから、玉蜀黍の葉ですませることを教えられた。玉蜀黍の固い葉で尻を拭きながら、大福は母が生きていたら、猿股をはかせて温かい腹巻きをさせてくれるのにと思うと、大福などという可笑しな名前もつけられなかったのにと、泣けて来た。

めそめそしながらも、やがて大福の生命力は環境に適応し、下痢が止る一方、言葉も覚えはじめた。開拓団の時から、少し聞いて育ったせいか、上達が早く鶏、鵞鳥、豚小屋の掃除や餌のやり方もすぐのみ込んだ。

瘦せ細っている体で、一日中、家の手伝いをしている大福に、近所の大人たちは、

「大福はよく働くなあ、うちのガキなど遊ぶことしか考えんのに」

「是、是（そうだ）、わしも日本人の子供を拾って来りゃあよかった」

口々に羨しがった。そんな時、丁は必ず、

「じゃが、育ち盛りで、食べて、着せにゃならんから、結構、もの入りだて」

と強調したが、大福は下痢が治っても、腹一杯、食べさせて貰えることはなかった。

朝は大餅子に湯（汁）、昼は玉蜀黍の窩頭に湯、夜は包米粥に白菜と春雨というような三食だった。丁の妻がおかわりを促すことは一回もなく、鍋底の一粒、一滴まで丁が舐めるようにさらえてしまうから、もっと食べたくても云い出せない。大福はたえまなく空腹にさいなまれ、心がいじけた。

腹を痛めて子を産んだことのない丁の妻は、そんな子供心はわからず、丁は、豚の餌やりの次は、薪運び、牛、馬の世話まで手伝わせた。

「そりゃあ、まだ無理だべ、うちの二つ齢上の坊主でもつとまらん」

隣人が懸念したが、

「ガキは小さい時から仕込むのが肝腎だて、わしもそうじゃったから、口を挟まんでくれ」

と耳をかさず、馬の飼葉切りの仕方一つも、丁が飼葉切りの刃先を上げると、大福が横から草をさし入れ、その長さが教えられたより二、三センチでも長いものなら、

「小王八蛋（うすのろ）！」

平手打ちを喰らわし、瘦せた大福の体は二、三メートルほど吹っとぶ。そこで蹲れば、馬に

蹴られるから、すぐ這い戻って飼葉切りを手伝わなければならない。

貧しい農村の各戸に、牛馬が飼われるようになったのは、日本の敗戦で開拓団が置去りにした家畜を手に入れてからで、丁が大福を貰ったのは、こうした家畜を世話させるためであった。

丁は、近所の人がどんなに云おうが、もの覚えのいい大福に一つ、一つ、重労働を教え込んでいき、遊ばせる暇など与えなかったが、村の子供たちは、好奇心に満ちた眼で大福を眺め、窓や裏庭の柵の間から顔を突っ込んで、

鶏咯咯　天明了　日本鬼　死浄了（鶏が啼いて、夜が明けた、日本人は皆、死んだ）

節をつけて歌いはやした。日本の敗戦で、開拓団の難民が逃避行の果てに死んでいった様子を、曾て畑を取り上げられた農民が、怨念を晴すように歌った歌だった。

丁夫婦のもとでは、おとなしい怯え切った大福だったが、悪童たちのいじめには気が狂ったようにたちむかい、取っ組み合いの喧嘩をした。多勢に無勢で、結局、袋叩きにあうのだが、そんな夜は一つの炕（オンドル）の部屋で丁夫婦と寝ていても、

「母ちゃん、父ちゃん、祖父ちゃん、あつ子」

離散するまで一緒に暮していた頃の家族の名前は、何故か思い出せないが、引き裂かれるまで一緒だったすぐ下の妹の名前だけは忘れず、眠りに落ちるまで呼び続けた。

しかし、夢にみるのは恋しい家族ではなく、佐渡開拓団跡のあの怖しい体験だった。血まみれの死体の山、燃えさかる家、耳もとで飛び交う銃弾、馬の嘶き、自分の腹にふりおろされたソ連兵の銃剣――。

「助けて！」

いつもきまって、そこで恐怖の声をあげ、小便をもらしてしまうのだった。寝巻に着替える習慣がなく、着たきりで寝るから、隠すことはできず、丁の妻に厳しく折檻されるが、寝小便の癖だけは治らなかった。

夏場は午前三時頃から明るくなり、夜は十時頃までほの明るい白夜も終り、またたく間に日が短くなった。高粱、玉蜀黍の穫り入れが一段落したかと思う間もなく、冬の準備に向って、一刻の休みもない。

丁は、大福をはじめて一人で、村の外へ草刈りに出した。

数回、一緒に草刈りに行き、山裾の野原の場所も、草の種類も解っているから、背負い籠一杯になると、大福は草原に寝転った。温かい大地のぬくもりが伝って来、まるで母の懐（ふところ）に抱かれているような気持にひたった。

「母ちゃーん、帰りたいよーぉ」

天に向って、声を限りに叫んだ。

皆、どうしているのだろうか？　祖父と母と赤ん坊のみつ子は死んでしまったが、最後まで一緒だったあつ子はどこの家に貰われたのだろうか。だが、大福は父や母、祖父の顔が全く思い出せず、自分の名前さえも思い出そうとすればするほど、頭の中に蜘蛛の巣が巣くったようにもやもやし、思い出せない。妹のあつ子以外、どうして何もかも忘れてしまったのか——。いつ頃から忘れてしまったのかさえ、しかと解らない。

ボーッ、ボーッ

遥か彼方から汽笛が響いて来た。大福はびっくりして体を起した。

雑木林の向うに、黒い煙を吐きながら、蒸気機関車がゆっくりと走って行く。機関車のうしろには貨車が何台も続いている。大福は弾かれたようにたち上り、爪先だち、貨車が見えなくなるまで、見続けた。

あの汽車はどこへ行くのだろう？　駅は近くにあるのだろうか？　今まで考えたこともないことが頭にこびりついた。

その夕方、丁が機嫌のよい時を見計らい、

「爹、今度、町の市場へ行くのはいつのこった？」

と聞いた。大福は用事以外、あまり喋らなかったから、

「なんでだ」

聞き返した。

「市場へ売りに行く卵や肉を盗まれんよう、番しとるよ」

村には、定期的に、農産物を買付けに来る商人がいるが、まとまった量になると、馬車で七台屯の町へ売りに行くことが時折、あった。

「お前のようなガキに番などできん」

丁は一蹴したが、妻が横から、

「この前は鶏二羽、大豆十斤も盗まれたじゃねぇか、大福は利口だから、見張番はできるはずじゃよ」

と勧めた。

出かける朝は暗いうちから起き、煤油灯の明りの中で、馬車に豚肉、鶏、卵、大豆、野菜類など、近所の売り物も一緒に積み込んだ。大福は馬の飼葉を切り、力のつく大豆油のしぼり滓やおからも用意し、馬が荷車に繋がれるのを待った。大福は馬の飼葉を切り、市場のある町へ行けば駅があり、そこから汽車に乗って逃げられると一途に思いつめた。

「大福、めしが放ったらかしじゃねぇか！」

丁の妻が、竈の前で怒鳴った。

「麻袋も忘れているぞ、クソたれが！」

そわそわして、いつになく物忘れが多い大福に、丁も怒声を上げた。大福は「饒了我吧（気をつけるだべ）」と口ごもりながらも、顔を上気させ、明朝までの四食分の弁当を籠に入れ、馬車に積んだ。一日で往復できる距離だが、金を持っての夜道は危険なため、町の旅籠で一泊する予定になっていた。

朝靄が薄れ、一番鶏が時を報せると、馬も出発が待ちきれないようにたてがみを振った。

「あんた、塩、白布、縫針を忘れんとくれよ」

丁の妻が帰りの買い物を念押しした。

土塀で囲った村の門を出ると、南に向って広い一本道が通っている。馬の首につけている鈴がシャン、シャンと規則正しく鳴るうちに、大福は出発までの昂奮で疲れ、ぐっすり眠りこけてしまった。

「大福、起きろ！」

慌てて目をこすり、丁の馭者台の横から左右を見廻した。

陽は高く昇っており、土塀が崩れ落ちた小さな集落に入った。元日本人の開拓団跡であることは解ったが、中は人の気配がなく、がらんとしている。丁は注意深く四方を見廻して、廃屋の一軒に馬車ごと乗り入れると、休憩のため、大福を見張番にして、大鼾をかいて寝込んだ。破れ障子が風にヒラヒラしている家の中で、大福はこの村の人たちはどこへ逃げて行ったのか、ずっと考え続けていた。

「出発じゃ！」

丁が起き上った。

町へ通じる一本道は曲りくねり、川を渡って、昼前に市場に到着した。

道の両側は縁日のように賑やかで、豚、鶏、卵、穀類、野菜類から日常用品、菓子類に至るまで、あらゆるものが露天の店や地面に並べられ、威勢のいい売り買いの声がわんわんと響いている。

丁は市場のはずれの旅籠の庭へ馬を入れた。

「わしは、ここのおやじと話があるから、お前は馬を休ませ、餌をやっておれ、馬車のもんを盗られんよう、絶対、目を離すじゃねぇぞ」

と注意し、急いで家の中へ入って行った。

大福は汗まみれの馬の体を拭いてやり、飼葉を与え、水を飲ませた。途中、何度も旅籠の中から丁が顔を出し、馬車の様子を見ていることは気づいていたが、なかなか出て来ず、逃げ出すなら今だという気がした。

弁当と、大豆を一摑みズダ袋に入れ、卵二個を綿入れのポケットにしのばせ、大福は素早く庭から外へ出ると、一目散に市場の人混みの中を分けて走った。村落に廻って来る行商人から駅は市場の近くにあることを聞いていた。

必死で走り抜けたが、川で洗濯をしている纏足の老婆に、

「駅はどっち？」

と聞いた。

「この先じゃが、駅へ何しに行くだ」

石に洗濯ものを叩きつけながら、老婆は聞いた。

「哈爾濱へ行く」

この東北地方の大都会が哈爾濱で、そこからどこへでも行けることも、行商人から聞き出して

いた。

「汽車は走らんぞな、日本が作った鉄道じゃで、敗けてから動かんようになった」

「そげな……」

大福は絶句した。老婆は手をとめて、

「一人で、哈爾濱へ行くつもりぞいな」

「いや、爹(デエー)と一緒、爹(デエー)が待ってるからもうええわい」

大福はごまかし、駅への道を急いで歩いた。この間、列車を見た大福は、老婆の言葉など信じなかった。

汗をにじませ、息をきらせて歩くと、ようやくつき当りに駅舎が見え、貨車が見えた。

大福は周囲を用心深く窺い、駅舎の端に積み上げられている木材の隙間に身をひそませた。線路に木材と石炭を積み込んだ無蓋貨車が五輌、止っていたが、機関車が連結されていない。駅舎も、人影がない。

どうしたらいいのか戸惑い、ともかくあの貨車の中に隠れて考えようと、線路をまたぎかけた時、

「小僧！　停まれ！」

背後から声がした。びくっと足を止めかけたが、一気に貨車に向って走ると、脂(やに)っぽい手が伸び、襟首を摑まれ、捻り上げられた。

「なんだ、お前は、丁の家の小日本鬼子(シアオリーベンクイツ)じゃないか！」

男は、同じ村に住む材木を扱う商人だった。ぶるぶる震え、青ざめた大福の顔を見、

「てめぇ、逃げる気だったな」

図星(ずぼし)をさすように云い、

「俺は、今日で三日、待っているのに、機関車はまだ来ん、ちょっと、くさっていたところだから、丁の奴にお前を引渡し、酒代を巻きあげてやろう」

黄色い歯をみせてにやりと笑い、大福をひったてた。

血相変えて飛んで来た丁は、気絶するまで大福を殴り倒した。

逃亡に失敗して、七台屯の村に引き戻された大福は、以来、子供として扱われなくなった。

「お前のようなずる賢(がしこ)いのは、見たことがない、恩を仇(あだ)で返すとはお前のことだ」

丁は毎日、罵倒し、夜は逃げないように大福の両足を縄で縛って、柱に繋(つな)いだ。

見かねた近所の長老が、

「そりゃあ、あんまりだ、かりにも人の子、畜生のように扱うては罰が当るぞ、いらん子供なら、他の子なしの夫婦へ譲れ」

と説教した。長老に逆えば、村八分にされるから、丁は縄をほどいたが、

「もし、今度、逃げたりしたら、老毛子(ラオマオツ)（ソ連人）の兵隊に引渡すからな」

と脅した。大福はまっ青になり、逃げることを諦めた。近くの元(もと)日本軍の飛行場には、ソ連軍がまだ駐屯し、中国人の村に押し入るという噂を聞いているからだった。

十月に入った或る夜、突然、トラックの音がし、ソ連兵が村へ入って来た。

丁の家にも、四人のソ連兵が荒々しく押し入り、鶏や卵を要求した。言葉が解らぬ振りをすると、

「コケコッコー、ポコン！」

鶏の鳴き声を真似、尻から卵が落ちる恰好(かっこう)をした。丁は仕方なく、売りものの貴重な卵をさし出すと、次は鶏を要求した。

「没有（無い）」

丁が首を振ると、ソ連兵は物置小屋を開けて、隠していた鶏を見つけるなり、その場でひねりつぶした。他の兵隊は、炕の上の棚にあるガラス瓶を見つけ、

「ウオツカだ！」

歓声を上げ、ぐうっとラッパ飲みした途端、ウエッ！　と吐き出した。夜の灯りに使う透明な煤灯油を、ウオツカと間違えて飲んだのだった。

それから連日、略奪を重ねた上、

「女を出せ！」

男と女が交わる猥褻な手の形を示した。丁は首を振りながら、妻を空の水甕に隠してよかったと思ったが、兵隊たちは物置から外の馬小屋まで執拗に探し廻り、暫くすると、どこからか長い髪を三つ編みにし、裾長の長袍を着た女を連れて来た。

「これは、お前の妻か」

「不是、不是（違う）」

丁が驚いて、両手を振ると、

「黙れ！　どいつも、同じことをいう」

と云い、無理矢理に、引きずってトラックの荷台に乗せかけた。隣近所の男たちも出て来、〝三つ編み〟をかばいかけると、ソ連兵は一発、威嚇弾を放った。明らかに〝女狩り〟だった。

荷台に乗せられた〝三つ編み〟は、

「わしは男だ、放してくれ！」

と喚いたが、ソ連兵はなおも信じず、抱きかかえかけると、

「ほんとに男だ！　これこの通りだ」

長い丈の裾をめくり上げると、男性そのものが、ぽっこり現れた。三つ編みにして長袍を着ている男は、この村の僧侶で、近くの家に死人が出、弔いに来て、災難に遭ったのだった。ソ連兵は、僧侶をトラックから蹴り落した。見ていた村人たちは、笑った。

「笑うな！　お前たちの中に、ヤポンスキー（日本人）を隠している者はいないか」

俄かに矛先を変えた。トラックを遠巻きにしていた農民たちは、早々に各自の家へ入ってしまったが、ソ連兵は一軒一軒、調べはじめ、丁の家へも再び入って来た。

「お前のところの子供を見せろ！」

丁は、はっと思案に惑ったが、麻の束の中へもぐり込ませている大福をソ連兵の前へ連れ出した。

「こいつ、お前の子か」

「是（そうだ）」

「顔が似ていない、ヤポンスキーの子供ではないか」

「いや、うちのガキですだ」

「よし、裸にして調べろ、もし、ヤポンスキーの子供を隠していたんなら、ただではすまさんぞ」

と云うなり、大福を素っ裸にして、体中を調べたが、弾の痕も、銃剣の傷もない。

「よし――」

ソ連兵たちは、家畜や卵などをトラックに積んで村から出て行った。丁は、がたがた震えている大福に、

「うちの子供だとかばってやらんかったら、お前は今頃、ズドンと殺られてるぞ！」

と云った。水甕から出て来た丁の妻も、

「そうだとも、うちの人の恩を忘れるでねぇよ」

揃って恩きせがましく云ったが、大福は、夫婦が自分を日本人の子と云わなかったのは、労働力を失うからであることぐらい、解っていた。

やがてソ連の駐屯部隊は移動して、略奪はなくなったが、襲って来る厳冬を前にして、各戸では窓の障子を貼り替え、太陽をよく吸い、風雪に耐え得るように油を塗り、余裕のある家は、反古を窓の回りや壁に貼りつけて、厳寒に備えた。

風が鳴り、地上のあらゆるものが凍りつくと、戸外でする作業は、堆肥作り以外、殆んどなく、男は専ら、麻や薄の茎でアンペラを編んだり、縄作りをしたりし、女は衣服の繕いものや、一年分の家族の布靴作りに精を出した。大福は、丁夫婦の恰好の手伝いになったが、一番辛いのは、やはり毎朝の水汲みだった。

真冬の午前五時はまっ暗で、気温は零下二、三十度にまで下っている。頭からすっぽり綿入れの防寒衣に身を包み、足は中に藁を敷き込んだ靴を履いても、一歩、外に出ると、眉と睫が白く凍り、大きなマスクも、吐く息のためにすぐ、ごわごわと凍りつく。枠を柳で編んだ行灯の灯りを頼りに、共同井戸へ行くと、井戸の水の方が温かく、白い湯煙がたちのぼっているが、汲み上げて少しでもこぼすと、忽ち凍って足を滑らせる。滑り止めのために、予め灰をまき、用心深く二つの桶に水を汲み、天秤棒の平衡をうまくとって、人間の飲料用と家畜用の二つの水甕を満たすまで、十数往復しなければならない。足を滑らせたり、天秤棒の平衡を崩し、水が手袋にかかると凍傷になる。大人たちが、楽々と運んでいるのが羨しかった。

それでも冬は、水汲みのあと、子供らしい遊びが出来た。

正月になると、横なぐりの強風に混って吹雪が吹き、風が吹き抜けない場所にだけ、雪が吹きだまって凍るから、晴れた日は、橇でその斜面をすべって遊ぶのだった。

近所の子供たちは、大福に馴れて、あまりいじめなくなり、時折、子供連れで来る若い母親たちは、おやつのない大福に、油条（ねじり揚げ菓子）や煎餅（焼き菓子）を分けてくれたりした。その中で陳という名の若い母親が、大福の身の上を不憫がって、水汲みであかぎれになった手を、さすってくれ、

「あんたが、妹と引き離された子だね」

小声で聞いた。大福は思わず、眼を見張った。

「おばさん、妹はどこにいるの、教えて」

「うちの親戚がいる村だよ、幼い兄妹が、ばらばらになって、可哀そうだねぇ」

眼を潤ませた。

「おばさん、お願い、妹のところさ連れてって！」

「丁に見つかったら、怖しかことになる、そのうち会わせたげるから、今のは丁に内緒やよ」

と云うと、大福から離れ、橇に夢中になっている自分の子供を呼んで家へ帰って行った。

この日以来、大福の暗い心に灯りがつき、必ず哈爾濱へ逃げようという気力が甦り、逃げる時は、妹も一緒だと、心に決めた。

五月になり、凍土もゆるんで、大地に黄色い花が咲き乱れたが、種まきの仕事に追われ、大福は年に一度の最も美しい景色を眺める暇さえなかった。そして八月半ばともなると、もう刈り入れがはじまった。相変らず、大福は痩せていたが、八歳の齢の割には背が伸び、労働で力もついて来ていた。

地平線まで続く畑で玉蜀黍、大豆、馬鈴薯などの収穫に明け暮れ、盥のような赤い太陽が地平線の彼方に沈むと、作物の運搬、乾燥、畑の雑草抜き、傷んだ鍬、鎌、鋤の手入れをして、眠るのは午後十時、朝起きるのは、冬以外は午前三時であった。

どんなに辛くとも、妹のあつ子が近くの村におり、いつかは連れて逃げるのだという秘かな希望が、八歳の大福を強くした。妹に会わせてあげると云った陳おばさんとは、時々、畑で会った。人前では口をきかないが、優しく笑ってくれるのが救いだった。

子供たちも駈り出される農繁期も終りに近い或る日、田畑で皆が昼飯を食べ、樹陰で一休みしている時、大福の体が硬ばるような話が聞えて来た。

「ほう、そんなに大勢の日本人が、死なずに越冬して哈爾濱へ逃げているのか、列車もろくにないのに、どうやって行ったんだべ」

「さあなぁ、列車や馬車で何カ月もかかって哈爾濱へ着いたげな、けんど、栄養失調や伝染病で、ばたばた死んでるちゅう話じゃ」

「わしらの先祖からの畑を取り上げて、無理無体した因果応報じゃて、わしらが畑を取り上げられて、どんな苦しい思いをしたか、よう解ったじゃろ」

仇を討つように憎々しげに云った。

大福は眠った振りをして、大人たちの話を聞き、勇気づけられた。この一年ほどの間にも、哈爾濱へ行くには途中、牡丹江で乗り換え、定期列車がないから貨車を乗り継ぐことなどは、行商人と大人たちの話に耳をそばだてて、聞いていた。

この冬になる前に、必ず逃げ出そう。そのためには一日も早く、妹に会わねばならないと焦り、陳おばさんと畑で話す機会を毎日、待ち受けた。

しかし、農繁期が一段落し、九月半ばになると、大福は羊飼いの仕事に出された。

この辺一帯の大地主の家が焼打ちに会い、所有していた畑はむろん、家畜が分配され、丁の近所には羊が一頭ずつ分配された。近所十五軒分の羊飼いを、仔羊が生れれば最初に貰い受けるという条件で、丁が引き受けて来、大福にやらせることになったのだった。

羊の群には、自然にボスが一頭でき、その他の羊は従順にボス羊に従う習性があるから、少年でもそれほど難しい仕事ではなかった。

朝の水汲みのあと、朝露が消えてから、十五頭の羊を村落から離れた野原へ連れて行き、草を求めて移動する羊の群のあとを一日中、ついて廻り、迷いかける羊には、その前方へ小石を投げて脅すだけで、すぐ群に戻って来る。僕が羊なら逃げる！　と思うほど、従順であった。

羊の昼寝する時が、大福が体を休める時でもあった。岩にもたれて、青い空にぽっかり浮かんでいる雲を見上げ、あれが母ちゃん、あつ子となぞらえた。

陳おばさんが教えてくれた近くの村にいるという妹は今頃、どうしているのだろうか――。あの陳おばさんは、いつになったら会わせてくれるのかと思いふけっていると、突然、近くの羊が怯えたようにたち上り、円形に集った。次の瞬間、

メェ……メェ……

異様な声が起り、円形が一列に変った。一匹の狼が羊の咽喉ぶえに喰らいついている。もう一匹の狼も襲いかかっている。羊の群は逃げようとするが、ボス羊がやられたらしく、怯気づいて動かない。

「這個該死的渾蛋（こんちきしょう）！」

大福が、必死になって鞭を鳴らすと、竦んで動けなくなっていた羊はさっと逃げたが、狼は、大福に向って来た。血の匂いを嗅いだ狼は、鞭を怖れず、大福の咽喉を目がけて来た。山中で狼に出会ったら、死んだ振りをしろという丁の教えも、もはや、通らない。狼は毛を逆だて、迫って来た。二歩、三歩、退った時、銃声が鳴り、狼がもんどりうって、倒れた。羊の咽喉ぶえをくわえて山中へひきずり込もうとしていた他の狼も、銃声に驚き、凄じい勢いで草むらの中へ逃げ去った。

狼を殺したのは、猟師だった。

「こんな山中へ子供一人で、羊を連れて来る馬鹿がおるか！　お前が喰われんでよかったわい」

と云い、気つけに水筒の水を飲ませてくれた。猟師は、陳おばさんの夫だった。

「おじさん、家へ帰ったら、丁に叱られる、妹のいる村へ連れて行って！」

「あの子なら、もうおらん、あの子を貰った男は、国府軍（国民党軍）相手に一儲けするんじゃと、大都会の長春へ出て行った、またどこかで別の戦争がはじまるらしいのでな」

と云い、生き残った羊を追い、一緒に山を下りてくれた。村落が近づくにつれ、大福は、妹がいなくなった失望と、丁にひどい目にあわされる怖しさで、体が震えた。

丁は事情を知ると、天秤棒で大福の骨が折れんばかりに打ち据え、狼に襲われた羊の持主に平身低頭して詫び廻った。だが羊の持主たちは、そんな子供にやらせたからだと怒り、中には馬か、牛ですぐに弁償しろと迫る者もあった。

家に帰って来た丁は、さらに逆上し、羊三頭分を弁償するまではもちろん、死ぬまでお前を酷き使ってやると、罵った上、

「お前はもう、丁大福ではない、小日本鬼子だ！」

唾を吐きつけ、丁の妻も同じように唾を吐き、その夜は食事も与えられず、物置小屋に放り込まれて、閂をかけられた。

「母ちゃん、助けて！」

心の底から叫び、歩いてでも日本人が沢山集っているという哈爾濱へ逃げよう、そこまで行けば、きっと助かると思った。物置小屋の板囲いの釘を一晩かかって抜き、横板をはがして、そこから這い出た。

朝はまだ明けきらず、夜星が輝いていた。大福は足音をしのばせて村落の土塀を越え、外へ出

ると、一本道を歩き出した。やがて陽がのぼると、丁の追手にかからぬように玉蜀黍や高粱畑の間を縫い、畑のものをかじって、七台河の駅の方向に歩き続けた。天秤棒で打ち据えられた足が痛み、足を引きずりながらも、死にもの狂いで歩いた。

陽が西に傾き、夕闇が迫った頃、ようやく見覚えのある老市場に出たが、追手がかかっていないか、大車の下にもぐって、注意深く周囲を見廻した。一日の売り買いが終った市場は、人影はなく、馬車も繋がれていず、静まりかえっている。駅までもう少しの距離であったが、激しい足の痛みで眼が眩んだ。

這うように駅へ近づいて行くと、前方に駅の灯りがぼうっと、にじんだ。その灯りの下に、線路があり、貨車を連結した蒸気機関車の輪郭が黒々と浮かび上り、白い煙をシュッ、シュッと吐き出していた。

大福は動物のように体を丸め、線路をわたると、今度は誰にも見咎められることなく、貨車の中へもぐり込めた。その途端、大きな汽笛が鳴り渡り、貨車はガタンと動き出した。

材木を積んだ貨車に吹きつける風は、肌をきるように冷たい。黒龍江省の奥から脱走して来た大福は、材木の間に身をひそめ、寒さと空腹に震えていた。

貨車は、牡丹江までの折り返し運転になっていたが、少し走っては停り、停っては動く状態で、いつ牡丹江に着くか解らない。汽車が停る度に、大福は用便を足し、近くの畑から玉蜀黍や野菜を盗んで生で齧って飢えをしのいだ。貨車はところどころ、不通となった。日本軍が撤退する時、鉄橋を破壊したり、ソ連軍がレールをはずして持ち去ったためであった。その区間は徒歩で迂回しなければならない。貨車には途中からこっそり乗り込んで来る大人たちがいたから、大福は大人たちに紛れて、通り合わせた大車に乗ったり、線路沿いに歩いて、汽車が動いている駅まで行き、また貨車にしのび込んだりした。

正常運転なら一日で行きつく距離を、大人たちに随いて農家の軒先で泊めて貰ったりしながら、十日がかりで、ようやく牡丹江に着いた。ここで哈爾濱行きに乗り換えることは、知っているが、どれが哈爾濱行きか解らない。貨車の間を縫っているうちに、引込線から外に出てしまい、駅前の露店が並んでいる通りへ来た。食べもの屋の店先に並んでいるほかほかの饅頭や煎餅、油条を見ると、胃が痛くなるような饑じさを覚えた。

屋台で五、六人の老人たちが、大声で話しながら老酒を飲み、火爆猪肝（レバー炒りつけ）や松花蛋（ピータン）、炸子鶏（若鶏の空揚げ）など、目のくらむようなご馳走をつついている。大福はごくりと唾をのみ、じっと見入った。この十日間、穀物や野菜の生ものしか齧っていなかった。老人たちはしたたか酩酊し、国府軍の、八路軍のと、政治論議に口角泡をとばし、傍らの子供など眼中になかった。大福は老人たちの間にもぐり、食卓の下から、そっと手を伸ばして、炸子鶏の皿をすっと手前にひいた。

「いやいや、老蔣（蔣介石）は所詮、ごろつきの頭の域を出ん男じゃて、すぐ外国人（西洋人）の云いなりになり下るのじゃ」

「かといって、延安の毛沢東とて、赤匪の親玉と何ら変らんじゃろが！」

大福には何のことか解らぬ話だが、店の主人は、『莫談国事』（政治論議するなかれ）の貼紙を眼で指した。その間に大福は、盗んだ食物をポケットに入れ、もと来た道をまっしぐらに戻った。線路脇まで来ると、あたりを見廻す余裕もなく、鶏の空揚げにむしゃぶりつき、指をベトベトにして、骨まで舐め尽した。

元気が湧き出、大福は再び駅に戻った。人混みに紛れ、駅の構内を順番に歩いていくと、人がひしめいている客車が見えた。超満員で、乗降口のタラップ、車輛の連結器の間まで、荷物を抱えた人で占められている。諦めて、客車の後に連結されている有蓋貨車に乗ろうとしたが、やはり満員で蹴落され、さらにその後方の石炭を積んでいる無蓋車にようやく乗り込めた。そこにも十二、三人の無賃乗車の一団がいた。

汽車が動き出して暫くすると、

大柄な男の子が、傍へ寄って来た。

「お前、どこへ行くんだ」

「哈爾濱じゃで」

「俺はそこよりもっと遠い吉林省(チーリンセン)の田舎へ帰るんだ、今まで口減らしのために、牡丹江にいる金持の叔父のところへ奉公に行ってたけど、焼打ちに遭ったんだ」

「ひでえ目こいたな」

「いや、せいせいしたよ、金持なんて自分勝手で大嫌いだ、で、お前は哈爾濱へ奉公に行くのか」

「うん……」

大福は、曖昧(あいまい)に相槌(あいづち)を打った。子供の一人旅は珍しいから、互いに名乗り合い、同い齢と解ると、すぐ打ちとけた。袁力本(ユワンリーペン)と名乗った少年は大福の中国語が正確でないのに気付いて、朝鮮人かと聞いた。ぎくりとして、頭を振ると、「隠しても駄目だ、さっきから聞いていると、餓死鬼(ウスクイ)(餓鬼タレ)、臭東西(チオウトンシ)(糞タレ)、鶏巴蛋(チーバータン)(チンポコ野郎)、って平気で云うけど、訳もわからず喋ってるんだろう？」

と笑った。大福がきょとんとすると、袁力本は意味を話し、

「それこそ今まで、一体、どこのどいつに育てられたんだ」

と聞いた。大福が赤くなっておし黙ると、小袁（シアオユワン）は自分の持っている煎餅と飲み水を分け、煎餅布団に大福も入れてくれた。ゴトゴトと石炭が揺れる貨車の中で、二人は体を寄せ合い、互いの体温でぬくもりながら、貨車の旅を続けた。

哈爾濱に近づくにつれ、列車は以前にも増して、しばしば長時間にわたって停車した。そういう時は軍用列車優先のためであることが多く、軍用列車には兵隊や大砲を満載していた。兵隊たちは若く強そうだったが、ぼろぼろの服を着、手にしている銃は、日本の開拓団が警備用に使っていた銃とよく似ていた。

大福は、七台屯の陳家のおじさんに、「あの子を貰った男は、国府軍相手に一儲けするんじゃと、大都会の長春へ出て行った、またどこかで別の戦争が始まるらしいのでな」と聞かされたことを思い出した。兵隊たちが、どこへ行くのか解らなかったが、どこかで戦争が起っているのではないかと、小袁とあれこれ話し合った。

ようやく、大きな駅に着き、前方の客車から沢山の人が先を争って降り出した。大福と力本が乗っていた貨車には二日前から誰もいなくなっていたから、確めようがなかったが、ともかく降りようと、二人で貨車をまたぎかけた途端、

「こら！　石炭泥棒！」

駅員が大声をあげた。二人は貨車を飛び下りた。小袁は「こっちだ！」と大福に声をかけ、敏捷に線路を駈けて行ったが、大福は、七台屯の駅で脱走に一度、失敗しているから足が竦（すく）み、近くに停っている有蓋貨車の中へ身を隠した。

「子供のただ乗りらしい」

「なんだ、そんなことか」

二人の駅員の声がし、足音が遠ざかって行った。ほっとして這い出しかけると、外からガチャ

ンと扉が閉まり、貨車は動き出した。

　袁力本とはぐれ、一人になってしまった大福は、がっくりと気力が萎え、荷物に背をもたせたまま、進行方向も解らない貨車に揺られ続けた。どれだけの駅を通過し、大人たちが何人、乗り降りしたのかも、はっきりしなかった。臨時停車中に農家の納屋にしのび入り、大豆や芋を盗んで食べつなぎ、終点らしき駅で大人たちのあとから貨車を降りた。改札口から離れた木柵の間から外へ出ると、霜がおりていて、寒気が身にしみた。

　七台屯を出た時は九月であったが、もはや十月の初冬になっていた。大福は、長旅の疲労と空腹ですっかり痩せこけ、眼だけをぎょろぎょろさせていた。駅の正面には『長春』と記され、駅舎の屋根には、青色に白い太陽を象った旗が、翻り、銃を持った兵隊が警備している。時々、向日葵の種をポケットから出して齧っていた。貨車の中で袁力本が話してくれた国府軍の旗と軍隊らしい。

　駅からまっすぐ、広い道路が通り、三頭だての馬車や輪タク、軍のトラックが走っている。駅前の広場には『日軍雲消』という大きなビラが掲げられ、その広場の周囲には、今まで大福が見たこともない高い洋風の建物がたちならび、その壁に蔣介石総統と記したポスターと、『国軍徴兵』のビラが貼られていた。

　夜が明けると、気温が上り、俄かに人の往来が激しくなった。広場のそここにある飲食店や洋服屋、日用雑貨の店が開き、活気を帯びて来た。大福は一通り駅前の様子を見終り、哈爾濱まで戻るにはどうすればよいかを知るために、駅の周辺をうろついていると、町角に、『新京』と書いた字が残っていた。どこかで見たような地名だが、思い出せず、大福は町行く人に聞きたかったが、日本人の子供であることが解れば、また丁のような男につかまるかもしれず、聞けなかった。

空腹の大福は、駅前から少し入った裏通りの飲食店のごみ箱をあさって飢えをしのぎ、夜は寒さを防ぐために、大きなごみ箱に入って眠った。

翌朝、ごみ箱で眠っていた大福は、揺り起された。眼をこすると、肥った男がたっていた。

「小孩（シアオハイ）、どこから来たんだい」

「…………」

「可哀そうにこんなところで——、日本人の子かい」

「…………」

「おじさんは日本人と親しいんだよ、助けてやるから話してみな」

優しく話しかけ、大福はつい勃利（ボーリ）県の七台屯から逃げ出したこと、一番、日本人が沢山集っている哈爾濱へ行って父を探したいことなどを話した。

「そうか、そうか、大へんな目にあって可哀そうになぁ、おじさんが一緒に探してやるからついておいで」

と手を取り、駅前の裏通りへ入って行くと、小さな薄暗い家へ入り、大福に饅頭を一つ渡した。飢えている大福はがつがつと食べた。その間、二、三人の男が出入りし、何か小声で話していた。やがて大福に汚れた顔を洗わせ、服についた石炭の黒い粉をはたかせた後、

「小孩、駅へ行くから安心しな」

にいっと笑顔を向けた。

「駅？　じゃあ、哈爾濱へ行くの」

大福は、痩せ細った顔を輝かせた。

昼食にもう一つ饅頭を食べさせたあと、肥った男は、大福を連れて外へ出た。駅に近い人通りの多いところまで来ると、男は俄（にわ）かに大福の腕を強く摑んだ。

「痛いよ、おじさん」

よろけながら抵(あらが)うと、さらに強く締(し)めつけた。

「わしの云う通りしないと、お前は、中国人の養父母の家から脱走して来た小日本鬼子(シアオリーベンクイツ)として、警察へ引渡すぞ」

今までの優しい顔が、一転して鬼のように変り、大福の首に木札をかけた。『卖孩子(マイハイツ)』(この子売ります)と書いてあるが、丁財福の家で学校へ行かせて貰えなかった大福は、中国語は話せても、字は読めない。それでも事の異様さに感づき、男の手を振りきって逃げようとしたが、痩せ細った子供の体には、それだけの力がなかった。

「お前はもう、俺の売りものだ、おとなしくせんと、ただではすまんぞ！」

男の眼に、丁財福以上の惨忍な色を感じ、大福は竦(すく)んでしまった。男は、人攫(さら)いだったのだ。

「さっさと、この道の角にたつんだ」

男は、大福を元日本人街の盛り場だった吉野町の四つ辻にたたせ、うしろ襟に売りものであることを示す草签(ツオチエン)(麦の茎)をたてた。

「さあ、この子を百元で売るよ、齢(とし)は十二歳、野良仕事はもちろん、野菜売りや行商、露店の荷運びもできる、安い、安い買物だ！」

日本人の子供の売り買いは珍しくないことだから、人々は大福を囲んで、煙草をふかし、値ぶみするようにじろじろと眺めた。大福はじいっと俯(うつむ)き、うなだれ、また丁財福のような男に買われるのではないかという恐怖で、震えていた。

男は、声を張り上げた。

「ええい、この辺で大まけにまけよう、八十元、八十元でどうか！」

「高過ぎるぞ！ こんな痩せっぽちで、野良仕事や行商の天秤棒が担(かつ)げるかい、十二歳はふっかけだろう、ほんとは幾つなんだ」

煙草をふかしている客が云うと、人攫いは、

「正真正銘、十二歳だ、何しろ勃利県の七台屯から四十日がかりで、一人で出て来た子だ、頑丈にできてる、痩せているのは、長旅の疲れだぜ」

と云い返すと、厚い綿入れを着た男が、

「正真正銘、使いものになるか、ならんか、裸にして見せて貰わんことには信じられん」

と云うなり、両手を伸ばして、大福の上衣をひっ剝がした。草箞が地面に落ち、痩せこけ、垢だらけの体がまる出しになった。その裸の体を値ぶみするように、親指と人指し指で、びんびんと皮膚を弾(はじ)いた。

「ひどい栄養失調で、くたばる寸前だ、薬代分、まけろよ」

綿入れを着た商人風の男が、値切りにかかった。人攫いの男は、

「ケチをつけるなら行った、行った！　さあ、日本人の子供がたったの八十元、えいっ！　それなら七十元に大安売だ！」

豚やアヒル同然に売り叩いた。

「この小僧、いやにがたがた震えて、病気らしいぜ。この夏、引揚げた日本の難民たちに、伝染病が多かったから、この小僧もそうじゃねぇか」

伝染病という言葉を聞くなり、取り巻いていた人の輪が、俄かに疎(まば)らになった。

「手前(てめえ)、俺の売りものにケチをつけたな、それならお前が買い取れ、十元まけてやる、六十元払え」

人攫いの男は、商人風の男に、喰ってかかった。

「ふん、こんな病気持ちは、半値でも高すぎるぜ」

瘦せこけた体で震えている大福を、値切りにかかった時、

「人間の子に、値段をつけるようなことはやめた方がよい」

咎める声がし、三十五、六歳の男が現れた。商人風の男は険しい顔で振り返った。

「おや、陸先生でしたか、いつもうちの子供がお世話になりまして」

慌てて頭を下げた。

「ああ、お宅の娘さんはまた休んでいるね」

「子守りさせているんですよ、何しろ手がないもんで」

「女の子でも、小学校はちゃんと出してやりなさい、利発な子なんだから」

と云うと、商人風の男は、ばつ悪げに、そそくさと姿を消した。人攫いの男は、

「おう、小学校の先生とやら、妙な説教たれたな、日本人も、喰えなくなったら、自分の子を売ってたんだぜ、よくも人の商売をこけにしたな、まけてやるからお前が六十元で買いな」

「私は貧しくて、そんな大金は持っていない」

「では、五十元でどうか」

「私は、人の子は買わない、それにこの子は明らかに病気だ、助けてやれ」

と云うと、売り手の男は、大福を殴りつけた。

「この碌でなし奴！　病気の真似しやがって、さあ、もう一度、大まけにまけた！　三十五元……ええい、三十元……三十元でどうだ！」

値下げしたが、病気持ちらしい孩子に買い手がつかない。さっきまで薄陽が射していた空が曇り、雪模様になって来た。男は苛だち、まだそこにいる小学校の先生に喰ってかかった。

「おい、お前のために商売がふいになったんだ、手前が引き取れ、こんな売りものにならん餓鬼など、もう要らねぇや」

野良犬を捨てるように、大福を放り出した。

「乱暴はよせ、この寒空に死んでしまう、早く服を着せろ」

上半身を裸にされている大福に上衣を着せた。

「おっと、無料(ただ)というわけにはいかねぇ、金が無えのなら、お前さんのその新品らしい綿入れの上衣を脱ぎねぇ」

先生は、一瞬、躊躇(とまど)ったが、雪模様の空を見上げ、

「よし、この上衣で、この子が助かるのなら――」

上衣の片袖を脱ぎかけると、男は両手をのばして、ぐいと綿入れを剝ぎ取り、大福の首にぶら下げていた『卖孩子(マイハイツ)』の木札をはずした。大福がよろよろとたち上ると、

「小孩(シアオハイ)よ、こんなところでうろうろしていると、また人買いに摑まるから早く日本人のいる所へ行きなさい」

と云い、さっさと歩き出した。大福は黙って、先生のあとに随(つ)いて行った。先生は時々、足を止めては、

「小孩よ、ほんとうに、私に遠慮はいらない、早くさっさと行きなさい」

と云ったが、行くべきところがない大福は、黙ってまた随いて行った。

駅前から暫くは、広い道路がまっすぐ通り、馬車や輪タクが往来し、両側には高い洋風の建物が並んでいたが、大通りを左へ折れると、急に道路が狭くなった。

両側に飲食店や衣類、薬、日用雑貨などの商店と、焼餅、焼鳥、豚肉などの屋台がならび、油やニンニクの匂いがたっていたが、なぜか吐気を催した。多くの人々がひしめくように歩き、道端にしゃがんで話している者もいるから、狭い道は混雑していた。大福は、先生を見失いそうになっては、慌てて先生の腕に縋(すが)った。

「心配しなくていい、ここは日本が支配していた時、城内といわれた中国人街で、日本人街とは区別されていた処だよ」

そう云い、繁華な通りをぬけて、十分ほど行くと、二馬路と記してある通りから、細い道へ入った。低い庇の土壁の家が並び、胡同（路地）の家々の前には、季節の白菜が積み上げられ、通りの端には石炭の山があった。纏足の老婆や子供たちも加わり、一家が総出で厳しく長い冬に備えて白菜を家の前に掘った貯蔵庫に運び入れている。

寒空に木綿の服一枚の先生を見ると、胡同の人は皆、お辞儀しながら、うしろにいる大福を見た。先生は、胡同の中ほどの家に入った。

「淑琴、帰って来たよ」

声をかけると、ふっくらとした顔の主婦が顔をのぞかせ、

「お帰りなさい、おや、昨夜、仕立直したばかりの綿入れの上衣は？」

驚くように云った。

「ああ、あれは温かだったよ、お前が丹精こめて作ってくれたものだし……、だが、この子が可哀そうで、上衣と引き換えにしてしまった、すまない」

「まあ、この子のために——、じゃあ、この冬も、あの古い綿入れで過すつもりですか」

「仕方がない、一人の子供が、私の上衣一枚で救えるのなら、いいじゃないか、駅の近くで売られていた子供だよ」

「じゃあ、日本人の子供ですね、どうするつもりなんです」

「何度もどこかへ行くようにと云っても、随いて来たんだ。まあ、今日一日だけうちに置いて、温かいものを食べさせよう」

大福は、丁財福とはあまりに異る人柄に戸惑った。家の中を見廻すと、炕の壁際に本を置き、

衣箱(イーシャン)を机代りにして、その上に、硯(すずり)と筆が置かれ、壁に毛筆の書が掲(かか)り、陸徳志(ルートウチ)と記されていた。農家しか知らぬ大福にとって、小学校の先生の家は、初めて知る世界であった。

陸徳志先生は、広い額の下に温和な眼ざしがあり、口数が少かった。妻の淑琴は、ふっくらした顔に、髪をゆるやかに束ね、次々によく気がつき、まず大福に体を洗わせ、夕食も遠慮なくお食べと、促した。先生は大福の身の上と齢(とし)を聞くと、明日までゆっくりお寝(やす)みと云い、炕(カン)(オンドル)の一番温かい処に寝させた。

翌朝、眼が覚めた時、大福は寝小便を垂れた。

「まあ、八歳にもなって――」

淑琴は呆れた顔をしたが、陸徳志は、貨車やごみ箱の中に寝て、冷えたのだろうと庇(かば)い、恥しさでうなだれている大福に、

「私は学校に行く、小孩(シアオハイ)はどこへでも自由に好きな処へ行くがいい」

と云い、玉蜀黍の蒸し焼きを大福に渡し、自分は弁当を持って出かけたが、大福は一日中、竈(かまど)のそばに蹲(うずくま)っていた。淑琴も、

「私たちに気を遣わず、早く、どこかへ行きなさいよ」

と促したが、大福は、先生が学校から帰って来るまで、じいっと待っていた。陸徳志は驚いたように大福を見、

「まだいたのかい、じゃあ今晩一晩だけ寝て、明日は行くんだよ」

と云い、昨夜と同じようにあまり喋らず、食事をし、そのまま寝た。だが、その夜から大福は高熱を発し、食べたものを吐いた。陸夫婦は家に備えている薬を飲ませ、布団を重ねたが、瘧(おこり)のように体が震え、三日目から口と耳から黒い血が流れた。先生は驚いて、医者を呼んだ。

大福は、高熱に喘(あえ)ぎながらも、医者が来、診察しているのが解った。診察が終ると、

「これは多分、黒腋病でしょう、癒すには、六斗の小麦がいるぐらい高価な薬代がかかるから、まず、ようく、思案することです」

と云って帰った。淑琴は、

「とても、そんな高価な薬代は払えませんよ」

陸徳志は黙って、答えなかった。

「高粱と玉蜀黍を食べている私たちが、小麦六斗分など、どうしようもないです、もともと日本人の子で、私たちとは何の関りもない子ですよ」

陸徳志はまだ、黙っていた。

「元日本人街のどこかへおいて来たらまだ残っている日本人が拾って、助けてくれるでしょう」

さらに促すと、陸徳志は、

「そうだな、日本の医学と薬は優れているから、その方が助かるだろう、一般の避難民は引揚げてしまったが、医者や技術者は、国府軍の留用者として残っているそうだから、その宿舎の近くへ置いて来よう」

大福を背負おうとしたが、熱でぐったりしている体は、重くて背負えない。

「淑琴、保長（隣組長）のところで、荷車を借りて来てくれ、この子を乗せて行く」

荷車が来ると、夜が明けるのを待って、大福を布団にくるんで荷車に乗せ、陸徳志一人で車を曳いた。日本人街まで荷車を曳いて行くのは大へんだったが、頼みにしていた家々は標札が残っているだけで、人の気配はない。

陸徳志は、曾て日本が支配していた満洲電信電話会社の近くの空家へ入った。目ぼしいものはすべて略奪され、畳も椅子もなかった。大福を布団にくるんで、床に下した。

「お前の強運を祈るよ、七台屯から長春まで千六百里（八百キロ）を一人で生き延びたお前だ、日本人に拾われて、日本のいい薬で癒して貰うんだよ」

熱でぐったりとした大福は、答えなかった。陸徳志は足音をしのばせて玄関まで出たが、日本人が拾ってくれるまで、たち去れなかった。長い間、待った。しかし日本人は現れない。時々、人影がさしたかと思うと、中国人の浮浪者で布団だけを剝ぎ取ろうとした。その度に、陸徳志は大声で怒鳴り、大福の番をしていた。

学校の始業時間が迫っていた。自分の生徒たちのことを思うと、遅れるわけにはゆかない。さりとて、病んでいる子を見捨てて行くのも忍び難かったが、陸徳志は心を鬼にしてたち去った。

車を曳いて元日本人街を通り抜けようとすると、数匹の野犬が襲って来た。石を投げつけて追っ払ったが、大福の身が案じられた。もしや、あの子が野犬に喰われるようなことに――、そう思うと、陸徳志は、何という人の道にはずれたことをと、自らを責めた。くるりと、車の向きを変え、人の流れが増えて来た通りを、息をきらせて、もとの空家まで戻り着いた。

「先生……、おいて行かんで……」

高熱で動けないはずの大福が、布団から這い出していた。陸徳志は思わず、大福の体を抱きかかえた。熱いものがこみ上げて来た。もとの荷車に大福を乗せて、家へ向って車を曳いた。

その翌日から陸徳志は、小学校へ出勤する以外のすべての時間を大福の看病に当てた。医者を呼んだり、高貴薬を買うことは出来なかったが、人から人へ聞きづてに、よく効くという薬を買って、淑琴と代り合って看病した。

一カ月ほど経つと、黒い血が出なくなり、体力も徐々に回復して来た。淑琴は粥を作って、寝ている大福に食べさせ、精がつくからと、卵も与えた。大福を見る眼が次第に温かくなった。

そんな或る日、淑琴は、

「元気になっても、この子を手離すのかと思うと、淋しいですねぇ、いっそ、うちの子にしては

――」

と話す声が、寝ている大福の耳に聞えた。陸徳志は、

「お前がそう思うのなら、うちの子供にしよう、早速、大福などという名前を改め、何事も誠心誠意で行うという意味で、陸一心という名にしよう」

と云い、

「今日から私のことを爸々（父さん）、淑琴のことを媽々（母さん）と呼ぶんだよ」

と告げると、八歳の大福は、こくりと頷いた。

一心はすっかり健康になり、小学校へ入学した。養母の淑琴は、紺の木綿の布で、一心のために新しい中国風の服を作り、内職の仕立仕事で得た金で、大きな肩かけカバンと文房具を用意した。そして近所の子供たちに、一心と仲良くしてくれるように、頼み廻ってくれた。

小学校は、大経路に近い経国小学校で、煉瓦造りの建物だった。高い塀に囲まれた広い校庭には、白楊の大樹が緑の芽をふき、春の明るい陽がふりそそいでいた。

生徒たちは、一学年三班、一班が二十五名ぐらいで、女の子は少かった。一心は、一年二班に入った。その受持ちの老師（先生）は、養父の陸徳志であった。

最初の授業の時間は、語文（国語）であった。生徒たちは、机の上に国民党政府編の教科書を広げた。人間の眼　鼻　口　耳　手　足の絵が描かれ、絵の下に漢字が記されている。

老師は教壇に立ち、

「まず、自分の眼睛（眼）、鼻子（鼻）、嘴（口）、耳朶（耳）、手、脚（足）を指で示しながら、正しい発音、特に巻舌音（舌を巻く音）を練習しましょう」

と云い、生徒たちと一緒に、眼や鼻を指して発音すると、生徒たちも口を揃えて何度も発音した。

「ここで一番難しいのは、耳の舌を巻く音です」

と云い、順番に耳の発音をさせる。一心の番になると、

「アエ、エ、エ……」

生徒たちはどっと笑った。一心は皆と同じ発音をしているつもりだが、巻舌音になっていないようだった。発音練習が終ると、字の練習に入った。

「人には眼が二つ、鼻と口が一つずつ、耳は二つあります、そして人間には両手があってその手で働き、足も二本あって、その足で歩き、どこへでも行くことができます」

生徒に興味を持たせ、授業の雰囲気を盛り上げるように話し、黒板に向って字を書き、それぞれの書き順を教えた。生徒たちは、帳面に一字を五回ずつ、書いた。一心は、片仮名に始まる日本の国語と異り、最初から漢字で始まる難しさに戸惑った。

「このように字を覚えることを識字といいますが、字を覚える易しい方法を一つ話しましょう、たとえば『木』は一本ですが、二本以上、沢山ある時は『林』、もっと沢山木が茂っている時は『森』というように字の意味を考えながら覚えると、非常に覚えやすい」

生徒たちに馴染みやすく、解りやすく教えた。一心は、教壇にたって熱心に教える老師が、養父であるのを誇らしげに感じると同時に、自分はいい成績を取らねばならぬと思った。

授業が終ると、生徒たちは長春市内の商人の子供たちが多いから、まっすぐ家へ帰り、豆腐屋や菓子屋、八百屋などの手伝いに追い使われたが、一心は家の薪割りを手伝うだけで、あとは石盤に向って白墨で、何度もその日、習った字を練習した。第一の養父・丁財福には学校へ行かせて貰えず、牛馬の如く酷使されていたから、勉強できることが嬉しくてならなかった。だが、それは束の間のことであった。

この年の秋には、長春に近い四平や遼源が八路軍に占領され、長春市を占拠している国府軍

が、じりじりと押され、次第に戦局が緊迫して来た。

翌年の春になると、内戦が激しくなり、登校する生徒が激減し、各学年にようやく一班が出来る程度であった。

老師の数も減り、前日まで算数を教えていた老師が、次の日の授業から出て来ないため、また生徒も減るという状態だったが、一心はどんな場合でも熱心に授業を受ける生徒の一人だった。

水曜日の午後の授業は毛筆だった。陸老師が書いた手本を下敷きにして、生徒たちは、

花　鳥　風　月……

と筆を動かした。陸徳志は、半数に減った生徒の間を見て廻り、一人一人、手をとって毛筆の持ち方を教え、悪い筆癖を直した。

一心の傍に来た。

「筆の軸頂と、目線が一直線になるような角度で書くこと」

と注意し、他の生徒と同様、うしろから一心の右手をとり、筆運びを教え、そのあと一回、自分で書かせると、次の生徒へ移った。一心は、学科の中でも毛筆が不得手で、もう一度、手をとって教えてほしいが、陸徳志は私情を厳しく抑え、教室ではどこまでも老師と生徒との間柄であった。

やがて終業の鐘が鳴った。生徒たちはがやがやと硯をしまい、机の上を片付けて、起立しかけると、陸徳志はそれを止めた。

「皆に話がある、坐り直しなさい」

生徒たちは、視線を一斉に教壇へ向けた。

「大へん辛いことを伝えなければならない、皆も知っているように、長春にはこのところ戦火蔓

延の兆しが俄かに迫って来、いつ戦禍に巻き込まれないとも限らないので、世の中が落ち着くまで、休校することになった」

生徒たちは、驚きの声をあげた。

「老師、八路軍はいつ攻めて来るのですか」

「学校は、もうなくなるのですか」

口々に、聞いた。

「皆、静かに――休校といっても、決して長い間ではない、わが国は今は兵荒馬乱の時代だが、間もなく黎明が訪れ、明るく倖せな日が必ずやってくる。それまで家にいて、両親の云いつけをよく守り、学校で勉強したことを復習し、次の授業がはじまった時、困らないようにしておきなさい」

生徒の動揺を鎮めるように諭すと、生徒たちはしんと静まった。

「そう皆が沈んでしまっては、辛い、こういう時は志高清遠――志を高くもち、世俗の垢にまみれない清らかな心で、遠大な理想をもって生きてほしい」

陸徳志は、自身の座右の銘として掲げている言葉を生徒たちへの餞とし、校門まで見送った。

一心は、二人の仲よしと一緒に校門を出たが、突然、休校と云われ、気持が暗くなっていた。

「今日で、学校が終ってよかった」

散髪屋の子供が云った。

「へぇ、どうして？」

「僕のところはもう逃げるんだ、学校がなくなると、皆と遊べなくなるけど、仕方がないね」

「私の家も、明日、逃げるの」

唯一人の女生徒になった漢方医の娘も、小声で打ち明けた。

「で、一心のところはどうするの」

異口同音に聞いた。

「知らない、僕はさっきまで休校になること全然、知らなかった――」

「自分の子供にだけ、こっそり教えないのは、やはり老師だな、立派だねぇ、うちの爸々(バーバ)はうちへ散髪に来る客の中で、陸老師のことを一番、尊敬しているんだよ」

ませた口調で云い、

「だけど、爸々の話では、八路が入って来たら、百姓と乞食以外は、皆殺しにされるんだって、だから早く逃げなきゃだめだよ」

一心は、ぞっとした。四つ角まで来ると、二人は左右に手を振り、駈け足で帰って行った。

公園のところまで来ると、人だかりがしていた。人垣をくぐって前の方へ出ると、公園の大木に、顔も体も傷だらけで、服も引き破れた十七、八歳の八路軍の捕虜が、荒縄で縛りつけられている。その前に五人の国府軍の兵が銃を構えている。よほど拷問を受けていたのか、顔は紫色に膨れ上り、むき出しになった手足も青黯(あおぐろ)い痣(あざ)だらけで、裸足(はだし)であった。遠巻きに見ているのは、長春の市民たちであった。

兵隊の一人が、

「こら、八路のスパイ奴(め)！　どこから入って来たか白状せい！」

「これが最期だ、白状すれば助けてやる！」

と云っても、若い男は口を固くひき結んだまま、眼を閉じている。

「よし、公開処刑を行う、用意！」

号令がかかった。兵隊が黒い目かくしの布を持って、男に近付くと、

「不用(ブヨン)」

「毛主席万歳！」

と拒否した。瞬時、不気味な沈黙が漂ったが、銃声が鳴るのと同時に、目かくしを拒否した眼がかっと見開き、天を仰いで絶命した。

死を前にして、「毛主席万歳！」と叫んだ男の声と、天を仰いで見開かれた眼が、忘れられなかった。

家へ帰ると、陸徳志の方が先に帰宅していた。

「どうした、遅いので心配していたところだよ」

一心は、公園で見て来たことを話し、

「毛主席って、どんな人？」

と聞いた。陸徳志は困惑した顔をしたが、淑琴は珍しくきつい口調で、

「二度と、その言葉を口にしてはいけませんよ、私たちもあらぬ疑いをかけられ、処刑されます、そんなことは忘れて食事にしましょう」

と云った。食事は高粱飯と豆腐の湯、野菜の煮つけだった。以前は、野菜に卵か豚肉が入った炒めもののおかずが出たが、この頃は、野菜だけの煮つけしか食べられなくなっていた。淑琴は、夫と一心に柔かい葉を取り分けながら、

「ところで、明日からどうするつもりですか、校長先生や教頭先生が、先に逃げてしまわれたのは、もし八路が入って来たら、国民党の教育に携っていた者は、処刑されるという身の危険があるからでしょう、その点はうちも同じでしょう」

「あの先生たちは以前、日本人街の小学校で教えていたから危いかもしれないが、私はずっと中国人街で、中国人の小学生しか教えていないのだから、心配することはあるまい」

「ですが、今の小学校も日本が支配していた時は、校長と教頭先生は日本人だったし、そのあと

は今日まで蔣介石の教育を教えていたのですから、どんないいがかりをつけられ、罪になるかわかりませんよ、この胡同でも、親戚縁者を頼って、大分、出て行きましたね」

「いざとなれば、范家屯の生家へ逃げられるから、もう少し様子をみてみよう、一心、学校がなくなっても勉強を続けるんだよ」

徳志は、翌日から硯に墨をすり、筆をもって、一心に習字を教えた。姿勢を正して書に心をそそぐ陸徳志のたたずまいを見ていると、一心は不思議と気持が落ちついた。

蠟燭も煤灯油も貴重品となり、夜になってもよほどのこと以外は使えないから、早々に寝ることになった。

一心は、養父母の隣りの布団にくるまりながら、不安でなかなか寝つけなかった。ここに居残って八路軍に捕えられたら、ソ連兵が自分を銃剣で刺しかけたように殺されるかもしれない。

八路軍の長春包囲網は、日ごとに縮まり、遂に五月二十三日、空港が占拠された。

その日を境にして、長春の情勢は一変した。〝農村をもって都市を包囲しろ〟という毛沢東の戦略によって、長春市の周辺の中小都市、農村はすべて八路軍の勝利によって解放区となり、長春は、最後に残された陸の孤島となった。その上、制空権を奪われ、鉄道も既に八路軍に押えられていたから、物資が搬入出来ず、近郊に頼っていた糧道が断たれ、長春市内にたて籠っている国府軍も、市民も兵糧攻めになった。

忽ち食糧不足が起り、陸一心の家でも、三度の食事が二度になり、やがて一日一個の玉蜀黍の饅頭が食べられればいいという逼迫した状態になった。

この頃から国府軍の兵隊たちは、夕食時になると、市民の家へ押し入り、銃を突きつけ、食卓の上の食物をかっ攫いはじめたから、市民たちは、夕食時に食事をせず、夜暗くなるのを待って、かすかな星あかりの中で、手早く少量の食物を口にした。初めのうちは裕福な家ばかりを狙ったが、次第に一般の民家へも押し入るようになり、或る夜、陸徳志たちの家も襲われた。

親子三人が、一日一個の玉蜀黍の饅頭を少しずつ、口にしていると、二、三人の兵隊が押し入って来た。ぼろぼろの垢じみた服に、素足に破れた布靴を履き、一見して正規軍と異る民兵たちと解ったが、

「われわれは、お前たちを赤匪の八路軍から守ってやっている国府軍の兵隊だ」

と云い、目ぼしいものを物色するように部屋の中をぐるりと見廻し、

「なぜ、蔣総統の肖像を掲げていないのだ、これはなんだ」

陸徳志が自らしたためた『志高清遠』の書を、銃剣で小突いた。

「何をする、それは私の大事な座右の銘で、政治とは何の関りもないものだ」

と云うと、兵隊たちは文盲らしく、ふんと鼻先で笑い、

「こんなものが大事か、それなら破り捨てるのは許してやる代り、われわれに食糧を上納しろ！」

一心と淑琴は、ずっと震えていたが、徳志は広い額の下の温和な眼ざしを変えず、

「ごらんの通り、饅頭一つずつが、わが家の食糧で、他には何もありません」

と答えると、布団の中に隠していないか、銃剣の先で布団をめくり上げ、竈の下までほじくり返したが、何一つ見当らない。

「ちぇっ、貧乏たれのしけた野郎奴！」

と罵り、三人の手から食べかけの玉蜀黍の饅頭をむしり取り、その場で貪り喰った。一心は、空っ腹で生唾を呑み、一日にたった一個の饅頭さえ奪い取る国府軍の兵隊を憎悪した。

町では一斤の玉蜀黍が百元、次の日は百五十元と暴騰し、貨幣は紙屑同様になり、金持が家財道具や金の指輪などを食糧と交換する市がたったが、陸徳志の家には売るものがなかった。

「今日から、もう食べるものがありません」

市場へ買出しに行った淑琴が、蒼白い瘦せた顔をして戻って来た。

「どうしたんだ？　わが家の貯えを全部はたいて、一万元を持って出たではないか」

陸徳志は詰った。長春市内は凄じいインフレで、市内が封鎖されるまで一元だったものが、今や百元の単位から千元単位を超して、あっという間に、万元単位になり、紙幣はもはや間に合わなくなり、スタンプで紙幣の数字を訂正する無秩序さだった。

「さっきまで五千元だったのが、今、行ったら一万元になっているのです」

「何だって！　あれから一時間もたっていないのに——、こんな無法がまかり通るとなると、もはや望みはないな」

国府軍の無力さを憤ると、淑琴は壁に耳ありと怖れ、夫の口をふさぎ、

「何とかして少しでも大豆を買っておかなくては、私たちは餓死してしまいます。女の私ではとても手に負えないので、あなたに買出しをお願いします」

と云った。陸徳志は暫く考えていたが、

「よし、行って来よう」

と出かけて行った。やがて生徒の親のつてで煙草の葉を持ち帰った。淑琴は、食物を待っていただけに驚いたが、徳志は、

「この煙草の葉を細かく刻んで、辞典の薄い紙で巻くと高く売れ、それで食糧を買った方が沢山買えるということだ」

と云い、煙草の葉を一心と淑琴に刻ませ、徳志自身は、本棚から『康熙字典』を下し、黙々と、紙煙草を作り、一心も手伝った。百本になると、

「ひとまず、これだけを永春路あたりへ売りに行って来るよ」

と云うので、一心も随いて行った。

町を歩いている人々は、誰もが無気力で、歩くだけがやっとという者もあり、道端の街路樹にもたれたままの死人もいた。そんな中で、たまに颯爽とジープを飛ばして行くのは、国民党の正規軍の将校たちであった。米軍の援助によってカーキ色のスマートな軍服に、GI帽を冠っていたが、民兵を寄せ集めた第六十軍は、紺色の粗末な服を着、裸足の兵隊もいた。

永春路の市場は、どこから物資が流れて来るのか、食べものの屋台が並び、豚肉や野菜をいためる油やニンニク、唐辛子の匂いが、一心の唾液をそそった。

陸徳志は、饅頭屋の横で煙草を売りはじめると、屋台で腹ごしらえした男たちが、十本ずつまとめて買ってくれた。

「一本——」

紺のよれよれの服を着た国府軍の兵隊が、ふらふらと煙草に吸い寄せられるように手を出した。

「百元」

陸徳志は同情して、さっきの客より安い値を云うと、兵隊はポケットから赤い袋をさし出した。その手は垢じみ、木の枝のように痩せ細っていた。陸徳志は哀れに思い、黙って一本渡すと、兵隊は長い間、煙草を喫っていないらしく、恍惚とした表情で一服喫い、ふうっと煙を吐き出した途端、ぱたんと地面に倒れた。

「兵隊さん、しっかり！」

陸徳志が慌てて抱きかかえ、肩を揺ったが、何の反応もなく、こときれていた。兵隊の死体は、一日一回、町の死体を集めて墓地へ捨てに行く警備兵が巡って来るまで道端へ寄せられた。

隣りの饅頭売りの親爺は、

「正規軍の兵隊ではないといっても、兵隊が空っ腹に、煙草一本で死ぬほど喰い詰めているとは、

「国府軍も先が知れているな」

小声で、陸徳志に囁いた。

一心は、兵隊の死体のそばに転っている赤い袋を拾い上げた。それは赤い金襴のお守袋であった。

「さあ、全部、売れたな、食糧を買って帰ろう」

陸徳志は帰りかけたが、一心は動けなかった。

「どうかしたのか？」

「これは、妹のお守袋だ！」

「妹のものだという確かなしるしでもあるのか」

陸徳志は驚いて聞いた。

「うん、この長い紐の結び目は、僕が結び直したんだ、間違いない」

一心は昂奮した声で、佐渡開拓団跡でのことを話した。

「そう云えば、結び目の両端に焦げめがあるな、他にも何か確かな覚えはないか」

「あるよ、七台屯にいる時、猟師のおじさんから聞いたことを覚えている」

と云い、あつ子を買った男が内戦で一稼ぎするからと、長春へ出て行ったと教えてくれたことを話した。

「なるほど、話が符合するな」

陸徳志は、そう云い、兵隊の所属部隊を知るために、まだ道端に放置されている兵隊のポケットを探ったが、何も残っていず、服の下は骨と皮で、腹部だけ膨らんでいた。

「ともかく、家へ帰ってごはんを食べよう」

陸徳志は、一心の肩を叩き、高粱を買って家路についた。

それから間もなく、兵糧攻めに遭っている国府軍に対して、瀋陽から飛行機で、食糧の投下がはじまった。ブーンという飛行音を聞きつけると、誰もが外へ出、機影を探した。青い空に銀色の編隊が見え、尾翼に国府軍の旗を記した飛行機が、低空飛行で兵舎の上へ飛来し、麻袋に詰めた米を投下した。民衆は、指をくわえて見ているだけだった。だが、長春市を包囲している八路軍から攻撃されはじめると、パラシュートによる投下に変った。

「あっ、飛行機だ！」

終日、家の中で体を動かさぬようにしている一心も、この時は、箒を持って外へ飛び出した。青い空に幾つかの白いパラシュートが開き、風に流されながら、うまく国府軍の上に落ちる場合もあるが、時々、民家の方にふわふわと流れ、胡同の屋根や道に落ちると、兵隊が駈けつける前に、わっと人が群り、一摑みでも多く取ろうと争った。一心はその間隙を縫って機敏にもぐり込み、箒でさっとはき寄せて、素早く家へ持ち帰った。欲を出して、うろうろしていると、駈けつけた兵隊たちに発砲されるのだった。陸徳志も、淑琴も、取りに出かけるが、殆んど素手で帰って来る場合が多い。その代り、夫婦は楡の葉や食べられる野草を探しに行き、高粱酒の搾り滓に楡の葉や野草を混ぜて、ふかし饅頭にして一家の命を永らえた。

　しかし、八路軍の空港占拠から二カ月半、八月に入ると、大半の市民が脱出し、空家は窓枠、扉、天井の張り板が次々と取り去られた。日干し煉瓦の壁だけが残った家が多くなり、荒涼とした死の町のようであった。

　空からの食糧投下のない日が多くなり、一日中、水だけの生活になった。炕の上で寝たきりで、三人が交互に声をかけ合って、起さないと、そのまま死んでしまいそうであった。

　胡同全体がしんと静まり、夏の太陽だけがじりじりと、土壁の家を焼いた。一心は、夏を呪った。七歳の時から、夏になると、なぜか死に瀕するようなことが起る。

ブーン……。

かすかな飛行機の音が聞えて来た。一心は、この時ばかりは弾かれたように起き、外へ出て空を仰いだ。飛行機は用心深く、国府軍の兵舎の上空でしか、パラシュートを落さない。飢えた眼で見ていると、パラシュートが数百にも見えた。

「一心、中へ入りなさい」

陸徳志の低い声がした。投下物資を諦め、家へ入って、また横になった。本棚には一冊の本もなく、焚きつけに消え、硯と筆もなくなっていた。がらんとした家の中で、これまで通り残っているのは、

志高清遠

陸徳志自身の筆になる座右の銘だけで、壁に貼りつけられたその四文字が、僅かに人間の住いらしい面影をとどめていた。

遠くで砲弾の飛び交う音も、夜になると止み、何事もなかったように星が瞬いた。一心は、養父母と炕に横たわり、いつものように金襴のお守袋を見詰めた。妹は無事、生きのび、まだこの長春にいるのだろうか、長春にいれば、いつか必ずあつ子に会えるような気がしてならない。

暗がりの中で、陸徳志が寝返りを打ち、

「私たちも、体力の残っているうちに、ここを脱出して范家屯へ行くことだな」

ぽつりと、云った。

「やっと、決めて下さいましたか」

淑琴が安堵するように云った。長春市の北、東大橋では、橋を隔てたすぐ向うに、八路軍が三角バリケードを築き、国府軍と目と鼻の近さで対峙していると聞いて以来、淑琴は早く脱出しようと急かしていたのだった。

「だが、問題は范家屯へ辿り着くまでの食糧だ」

徳志は、呻くように嘆息した。

「それなら、以前から準備してあります」

淑琴が云った。

「えっ？　このところ殆んどものを食べていないのに、どうしてそんな用意が……」

「この胡同の半数以上が逃げていますから、私たちの脱出の日に備えて、少しずつ蓄えていたのです」

「それは有難い、一心に少し食べさせよう、ずっとひもじかったろうから」

「いいえ、脱出する時まで我慢して下さい、卡子を出るまで何日かかるか解らないから」

「卡子って、何のこと？」

一心は聞きながら、胃袋がぎゅっと鳴った。

「孔子さまの時代から軍隊が守る重要な関所のことを卡子と云ったが、今は国府軍と八路軍と、それぞれ通行者を検問する関所のことだよ」

陸徳志はそう云い、

「食糧の準備ができているのなら、一日も早く出よう、町の噂では国府軍の卡子は割に簡単に出られるが、八路軍の方は受入れの数を調整して、なかなか門を開けず、両軍の間の真空地帯には人がたまっているらしい、だが、春節や、仲秋節には開くことが多いと聞いている」

「じゃあ、この八月十七日の仲秋節には――」

「そう信じて、ここは賭けてみよう、真空地帯で、五日間ほど待機して脱出の順番を待とう、そのためには明日、出発することだ」

ようやく、決心を固めた。

「だけど……僕は行かない、一人でここに残りたい――」

一心は躊躇いながらも、はっきり云った。養父母には思いがけない言葉であった。

「どうしてだ？　このままでは餓死してしまうぞ」

「でも、まだ胡同に残っている人がいるし……ここを出たら、もう妹と一生、離れ離れに……、妹と一緒に日本へ帰りたい……」

妹への思いが、堰を切った。陸徳志は凝然とした。駅前の人攫いから救い出し、一年近く寝食を共にし、もはやわが子と信じきっていた一心の言葉に暫し度を失ったが、

「そうか――お前、やはり日本へ……」

と云い、言葉を跡切らせた。

四章　爸々(パーパ)

夏の陽(ひ)ざしがぎらつく長春(ツァンツン)の町は、不気味なほど静まり返っていた。すべての街路樹は葉を毟(むし)り取られ、幹の汁まで吸い尽されたあと、薪(たきぎ)用に伐採され、舗装道路のアスファルトさえ掘り返されて、燃料と化し、穴だらけになっていた。

そんな荒涼とした町を、陸一心(ルーイーシン)は、陸徳志(ルートウチ)夫婦の後(うしろ)に随(つ)いて、南の方向へ力なく歩いていた。解放区の卡子(チャーツ)（関所）が開くかもしれない仲秋節を七日後に控えて、陸徳志夫婦は、長春脱出をこれ以上ひき延ばすことは出来なかった。

食糧、布団、毛布、茣蓙(ござ)を陸徳志が背負い、妻の淑琴(スウチン)は鍋釜類、冬の綿入れなどを背負っていた。栄養失調で痩せ細った体に、荷物が重くのしかかり、歩くだけで精一杯だが、夫婦は時々、一心を振り返り、

「どうしても、決心は変らないのか」

と聞いた。一心は眼で頷(うなず)き、夫婦が気落ちして歩き出すと、またその後を黙々と歩いた。卡子まで夫婦の荷物と飲み水を持って見送りに行くだけで、一緒に脱出する気はなかった。ここに居残っていれば、服の下にぶら下げている赤い金襴のお守りが、妹と引き合わせてくれそうなかす

かな望みがあった。

レールが錆びている電車通りを横切ると、元日本人の住宅地にさしかかった。陸徳志は再び足を止めた。

「一心、もし日本人が残っていたら、その人たちと一緒に残るか」

一心は、表情を動かした。

「日本人はまだいるの」

「もしかして、いるかもしれない」

「あなた……」

淑琴は止めたが、陸徳志は人の気配がする家を、ふらふらした足どりで探した。どの家も煉瓦塀をめぐらせた大きな構えで、一心たちが住んでいた二馬路の胡同の土壁の家とは比べものにならない立派さだが、窓枠やガラスは取り去られ、屋根瓦まで剝ぎ取られている。

空家ばかりで、七、八軒先の門から、男が顔を出したが、中国人であった。

「この辺に日本人が残っていませんか」

「日本人は、全部引揚げてしまい、残っているのは国府軍に留用されている技術者だけという噂だが、どこにいるかは知りませんよ、私らは空家に入って住んでるだけで、うちも今日、明日には出ようとしてるんですよ」

と云った。

陸徳志は、一心の傍に戻り、

「私たちに随いて来なさい、それ以外に生き延びられないよ」

「……」

「いいか、一心、中国では戦乱の度に民は逃げ惑わねばならんが、平時になればまた、元に戻って暮せるのだ、目先の物事に固執せず、長い目でものを見なくては、日本へ帰ることが出来なくなるぞ」

強く云い聞かせながら、淑琴を促し、卡子へ向って歩き出した。

市の南西のはずれ、洪熙街まで来ると、陸一家のように家財道具一式を天秤棒や背中に担いだ痩せ細った人の列が、陽炎のように揺れながら続いていた。瀋陽方向へ脱出するには、この道を歩いて出るしかない。西方に鉄道があるが、列車はとっくに不通になっている。やがて道の両側に高さ一メートルほどの鉄条網が張られ、その先に、カーキ色の軍服を着た国府軍の兵隊が、通行者を検問しているところに出た。そこが卡子であった。

検問のために長い列が出来ていた。陸徳志がその列に並び、汗を拭うと、一心が、水筒を差し出した。

「有難う、お前たちも飲みなさい」

一口、飲むと戻した。一心は、先に淑琴に渡した。

「有難う――」

淑琴は一口だけ飲んだ。

列が進み、前方の様子が見て取れた。三角形の道路遮断用鉄条網が左右に開かれ、兵隊が通行者を尋問し、持物を一々、検査している。時々、没収されるらしく、哀願や抗議の声が上り、引返そうとする者がいるが、結局はすごすご卡子を通過して行った。

やがて陸徳志の番が来た。銃を持った二人一組の兵隊が、

「身分証を示せ」

「荷物を開けろ」

と命じた。地面に荷物を広げると、二人の兵隊は金目のものを物色するような目付きで検査し

たが、めぼしい物がない。

「これだけか」

「そうです」

「長春市から出て行く理由を云え」

糧道が断たれた籠城部隊とはいえ、陸徳志たちのような市民とは格段の体軀であった。

「もう食べる物がなく、このままでは餓死してしまうからです」

「ここを出て、どこへ行くのだ」

「范家屯(ファンチアトン)の田舎へ行きます」

「そこに身寄りがいるのか」

「私の母、兄一家が百姓をしています」

「よし、で、そっちの二人は?」

陸徳志は、一心のことが気がかりで口が硬(こわ)ばったが、

「妻の王(ワン)淑琴です……」

と答え、汗を拭うと、

「こっちの小孩(シアオハイ)の名は?」

心なしか、鋭い視線を向けた。

「陸一心———」

一心自身が答えた。

「親子三人だな、ここを出ると、もう二度と長春市には戻れないぞ、いいか」

と念を押した。

「はい、承知の上です」

徳志は、一心が同行する喜びを噛みしめながら、答えた。

「よし、出ていい」

と許可され、陸夫婦たちは広げた荷物をまとめて背負い、卡子（チャーツ）へ足を踏み入れた。この先一キロは、国府軍も八路軍（パールー）も手出しをしない真空地帯であった。

もとは、長春市に一番近い田畑だったが、真空地帯になったため、農民は逃げ出し、今や畑の畝（うね）さえ見分けがつかぬ荒地になっている。国府軍の兵隊が、「ここを出ると二度と長春には戻れないぞ」と念押しした言葉が、重苦しく甦（よみがえ）った。

漠然とした不安感は、しばらく進んでから現実のものとなった。長春市を出たものの、行き場のない人々が力なく蹲（うずくま）り、想像以上の人々が長期間にわたって滞留している。陸徳志は不安をおし隠し、

「八路軍の卡子の近くまで行って、開門の様子を探って来る、私が戻るまでここを動かずに待っていてくれ」

と云い、薄（すすき）の陰に荷物を下し、淑琴と一心を坐らせた。

「早く戻って来て下さいよ、薄気味が悪いですから」

淑琴が、心細げに云った。

「向うの卡子までせいぜい二里（一キロ）ぐらいと聞いているから、じきに戻る、ほら、ここからでも向うの様子が見えるだろう」

と指した。真空地帯の向うは、緑の田畑が地平線まで続き、いかにも解放区らしい明るさが感じ取られた。

「あんな近くに解放区があるのに、なぜ、八路軍はすぐ通してくれないの」

一心は、不思議だった。

「だから、それを聞いて来る、一休みしていなさい」

長春から脱出して来る数十万の飢餓の難民をそのまま解放区へ受け入れれば、解放区の食糧事情が悪化するため、なかなか卡子(チャーツ)の門を開けないと聞いていたが、これでは酷すぎると思った。

徳志が二、三歩行きかけると、どこからともなく骨と皮ばかりの三、四人の男たちが、荷物にとびかかり、麻袋(マータイ)に入った食糧をひったくった。

「ドロボー！　返せ！」

一心の叫びに、陸徳志は飛んで来、男たちの肩をひっ摑むと、彼らはよろよろと倒れたが、すぐ別の男が棒切れを持って襲って来た。たちまち麻袋が裂かれ、玉蜀黍(とうもろこし)や大豆、粟、ニンニクなどが、骨張った手に奪い取られてしまった。

周囲の人々は、この食糧強奪の騒ぎなど無関心に、地面に蹲っている。淑琴が、うっと嗚咽(おえつ)した。乏しい食糧の中で、水だけで過ごす日があっても、この時のためにと、営々と蓄えた食糧が、一口も食べないうちに、強奪されてしまったのだった。

「泣くな、泣いたらその分、体力が衰えるぞ」

陸徳志は、妻の心を汲むように、慰めた。

「そこの人——」

か細い声がし、近くに二人の男がいたことに、はじめて気づいた。

「わしらはここへ入って五日になるが、やっぱりあんた達と同じように、入った早々食糧を奪われてしまった、そこでわしらも、新入りのあんたらをと狙っていたが、先手(せんて)をとられた」

陸徳志が驚くと、

「あんたらも人のものを奪わんと生きていけない、ちょうど今日入って来たばかりで体力のあるうちに、沢山、持っていそうな新入りを一緒に襲おうじゃないか」

と持ちかけた。

「とんでもない、私は教師だ、盗っ人の片棒など担げん」

と拒むと、相手は咳込みながら、

「ここで教師も、坊主もあるもんか、すぐに思い知るはずだ」

嘲るように云った。陸徳志は真空地帯へ入って早々の衝撃に打ちのめされ、八路軍の卡子の様子を調べに行く気力も萎えて、坐り込んだ。

生暖かい風が吹き、あたりが暗くなった。

やがて黒い雲が垂れ込めたかと思うと、突如、天を引き裂くような稲妻が奔り、雷鳴とともに大粒の雨が地面を叩きつけた。何一つよけるものがない真空地帯では、今にも雷が落ちて来そうであった。

バリバリッ、ピシャーン！　人々は莫蓙や布団をかぶり、地面に伏せた。

四、五十分もすると、雷雨はやみ、再び明るくなった空から、夏の太陽がもれて来た。

「早々に、ひどい目に遭うな、一心、服を脱いで乾かそう、淑琴もだ」

陸徳志が云い、一心が地面に伏した体を起しかけた時、ぬるりとしたものが手に触れた。見ると、眼を見開いた女の死体のくずれた顔に手をついていた。仰天し、うわっ！　と声を上げた。

「アイヤー！」

淑琴も悲鳴を上げた。雨に流された地面から男の全裸の死体が現れたのだった。

「淑琴、しっかりしろ！　一心、手を貸しなさい」

腰が抜けたように動けない淑琴を二人で引きずったが、陸徳志も蒼白になり、歯がカタカタと鳴った。

「一心、大丈夫か」

「怖いけど、大丈夫――」

ソ連軍に撃ち殺され、銃剣で止めを刺された日本人の血まみれの死体を何百と見ていたが、腐乱した死体に触れたのははじめてで、鳥肌だった。

雨に打たれた布団類を引きずり、場所を移動した。

その夜は、生乾きの布団を三人でかぶり、眠ろうとしたが、蚊がもの凄かった。栄養失調の皺んだ体からでも生血を吸い取ろうとする蚊の群を払い、叩き潰すのに疲れた。陸徳志と淑琴は、いつしか眠ってしまった。

一心は、服の下に首からぶら下げている金襴のお守りに手をやった。妹も長春の死の町から逃れ、無事、安全なところへ逃げていますように、もし真空地帯へ逃げて来ているなら、会えますようにと祈りながら、陸夫婦のあたたかい体の間でようやく眠りに落ちた。

翌朝、眼を醒ますと、夏というのに、うっすらと朝霜がおり、体が震えるほど、寒かった。周囲の人々はどこから採って来たのか、野草の泥を払い、そのまま食べている。

「私たちも、採って来ましょう」

昨日の衝撃からようやくたち直った淑琴が、云った。三人で食べられそうな草を探したが、田畑だったところの草は採り尽され、遠くまで行かなければならなかった。長春市内を円形に包囲した幅二キロの環状の真空地帯を行くと、相当遠くまで行ける。ようやく食べられそうな柔かい草があり、鍋で煮て食べた。

体が少し温まると、草探しの時には気付かなかった異様な悪臭を放つ小山に、気付いた。塵埃の山かと、視線を凝らすと、丸太棒のように腐乱死体が積まれ、蠅が真っ黒にたかっている。解放区のバリケードの近くに死体の山があるのは、卡子が開くのを待ちながら死んで行った死体を、八路軍の兵隊が整理しているように思われた。これほどの、餓死者を知りながら、八路軍はなぜ卡子を開けないのか、バリケードを隔てた向う側に広がっている収穫前の畑を遠く望みながら、一心は、学校が閉鎖になった日、家へ帰る途中、公園で見た八路軍の十七、八歳の兵士のことを思い出した。

国府軍の兵隊に捕えられ、自白すれば助けてやると云われても拒絶し、「毛主席万歳！」と叫んで、銃口で処刑されたのだった。解放区には、若い兵士があのように敬い、信じて死んで行った毛沢東という偉い人がおり、今や八路軍と云わず、人民解放軍と称しているのに、どうして解放区の卡子を開いて、自分たち多くの人民を救ってくれないのか――、一心は不思議で、理解できなかった。

二日後の朝、陸一心たちがまだ半ば眠っている前方を、何千人もの痩せさらばえた骸骨のような群が、声にならない声を発し、よろめきながら歩いて行った。

「何が起ったんですか」

もしや開門かと、陸徳志は近くの地面にうつ伏せている一組に聞いた。

「デマに惑わされてるんだろう」

その中の一人が、云った。どうやら吉林方面への卡子が開くらしいという噂がたち、瀋陽方面に脱出する人も、この際、真空地帯から出られるなら、どこでもいいと動き始めたらしかった。だが、こうした噂はこれまでもしばしばあり、その度に何千人の群が揺れ動き、とどのつまりはデマに振り廻され体力を消耗して、自滅していくのだという。

二、三時間すると、その話が証明されるかのようにばたばたと行き倒れの死体が増え、幼児の死体は早々と持ち去られた。陸夫婦はその理由を、一心に気づかせまいと、草採りに出たが、草はもうなかった。空腹で眼がかすみ、ますます皮膚がたるんで、十歳の一心の顔にまで皺ができた。

その夜、大きな月が出た。気温が下って蚊の苛立たしい羽音もせず静まりかえり、月の光だけが神々しく輝いている。

「お前にすまないことをした」

老人のような顔になった陸徳志がしんみりと云った。

「どうして……」

「長春市に留まるというお前を無理に連れて来て、こんな目に遭わせてしまって――」

「いいよ、どうせ同じだから」

「ともかく、明日は食糧を手に入れることを考えよう」

「どうやって――、僕も手伝うよ」

「いや、お前はいい」

「あなた、まさか……」

淑琴は、怖しそうにあとの言葉を呑んだ。子供の死体が食べられていることを、聞いていたからだった。

「そんなことじゃないよ」

陸徳志は、淑琴の想像を打ち消した。三人はそれっきり黙って眠った。夜中、一心はソ連兵に銃剣で心臓に止めを刺されるいつもの悪夢にうなされ、眼を醒ました。月光は一段と蒼味を帯び、あの世というものがあるなら、こういう光景なのだろうかとぼんやり考えていると、近くの枯木にぶら下っている黒い影が目についた。よく見ると首吊り死体であった。一眠りしているうちに、誰かが自殺したらしかった。一心は無表情に眼を閉じ、そのまま朝まで眠った。

陸徳志が食糧を手に入れる方策というのは、自分たちがやられたように、新入りから食糧を奪うことだった。

真空地帯の極限状態を知らぬ人々が、次々に入って来た。腕っ節の強そうな一団はやり過ごし、女、子供連れは皆が狙うから、なかなか機会がなかったが、辛抱強く待ち受けていると、七人の男女の一行が入って来た。

「よし、あれだ、食糧袋を奪ったらすぐお前に投げるから、淑琴のところへ逃げるんだよ」

「解った、早く！」

陸徳志が、棒切れをふりあげ、とび出した。一行は驚き、女たちは悲鳴をあげた。その中の男は、

「何だ、お前は！」

「ぐずぐず云わず食糧を出せ！　ぶちのめすぞ！」

陸徳志の脅し(おど)の言葉より、骸骨のように痩せさらばえた異様な姿に後退り(あとずさ)し、

「これで助けてくれ」

男は、布袋をさし出した。

陸徳志はかっさらい、一心に手渡した途端、他の二、三組が襲いかかった。その間を縫って陸徳志も、一心も、淑琴の元へ戻って来た。袋の中味は炒り豆だった。

「さあ、食べよう、一心、急いで食べてはいかんぞ、よく嚙んで食べろよ」

一握りの豆を与えた。

「うん――」

大豆の炒り豆は、栄養価が高く、貴重品であった。よく嚙むと豆の甘味が口の中に広がった。

「どうだ、うまいだろう、もう少し食べるか」

「うん――」

三人は、真空地帯へ入って、はじめて食べものらしいものを口にした。

しかし、その日襲うことが出来たのは偶然の幸運で、翌日も翌々日も入口で待っていたが、強奪に割り込むことが出来ず、指をくわえて見ているだけに終った。

月はいよいよ丸く大きくなり、仲秋節も間近だというのに、卡子が開くという確たる情報は流れて来なかった。

日中は強い陽に焼かれ、まっ黒に陽焼けしたが、朝夕は一段と気温が下った。担いで来た綿入れ服は、あちこちへ移動する度になくなっていたから、死人から綿入れを剝ぎ取り、重ね着した。

死人の衣服にくるまって、ひたすら生きのびることを考えている一心たちの目前で、凄じい弱肉強食の光景が繰りひろげられた。餓死直前の人々の中にも、たまには色艶のいい者がいる。匪賊であった。

一心たちの近くに倒れるように横になったまま、動かない二十五、六歳の男が、匪賊に目星をつけられた。じろりと相手を見るだけで、人を震え上らせる悪霊のような眼光だった。

「あ、あっちへ行け……」

若い男は、本能的に身の危険を感じ、追い払おうとするが、蛇に睨まれた蛙のように自分の方からは逃げられない様子だった。そのまま睨み続けられ、数時間ほど経つと、まるで悪霊に生命を吸い取られる寸前のように、

「た、助けて……」

悲鳴をあげ、命乞いした。その途端、匪賊の青龍刀が振り下され、斬られた生首が一心の方に転がり、膝の前で止まった。生首の両眼から、涙がぽろりとこぼれた。

「ぎゃーっ！」

七歳から地獄を見て来た一心ではあるが、胆が冷え、徳志にしがみついた。徳志も淑琴も顔から血の気を失い、一心を抱いて後退った。

匪賊たちは円陣を組んで、首を斬った死体を丸裸にし、手足を切断し、大鍋に人肉を入れた。白い湯気がたち、人肉の煮える臭いは、周囲の人々の空っぽの胃袋から、げぇ、げぇと胃液を吐き出させた。

いよいよ明日が仲秋節で、満月が皓々と冴え渡った。その日、一心は朝から、自分をじぃっと見つめている髭ぼうぼうの男に気付いた。もう食べる草とて一草もなく、食べられるものは一つしかない。匪賊でなくても、互いが互いを窺い合う背筋が凍る気配が漂う月夜だった。

男の眼は青くらんらんと光り、月が中天にかかる時刻になると、一層、青味を増した。

「あの人、気持が悪い――」

耐えかねて、一心が云うと、徳志は、

「確かにあいつはお前を狙っている、私の傍にいて、眼をそらすんじゃないぞ、眼をそらしたら、取って喰われるぞ」

と云った。一心は徳志に身を寄せ、必死にその男を睨み返したが、ともすればその男の眼に吸い寄せられ、喰いつかれそうになる。そのたびに、陸徳志が、一心を庇った。

森閑とした夜の闇の中で、男の眼だけがさらに、らんらんと光り、徳志の心臓の鼓動が一心の耳に伝った。昨日、匪賊に首を斬られ、生首の両眼からこぼれ落ちた涙が眼に浮かび、体中から汗が噴き出した。死の寸前の恐怖に体が震えた。

夜明け頃、男は、がくりと首を垂れ、倒れた。徳志と一心は口もきけず、放心して、男の死体を見詰めた。

不意に、人のざわめきがし、

「卡子が開くぞ」

という声が、あちこちで起った。今日は仲秋節だった。

「さあ、私についてくるのだ、どんなことがあっても、三人で卡子を出るんだ！」

陸徳志は、どこにそんな力が残っていたのかと思われるほど、しっかりした声で云った。

凄じい人の群にもまれながら、前へ前へと進むうちに、土手のような小高いところにぼろぼろの服を着た兵隊がたち並んでいるのが見えた。そこが八路軍の卡子であった。

「はぐれるな」

陸徳志はもう一度、声をかけ、ようやく兵隊の前に辿り着いた。十七、八歳の若い兵隊たちであった。

「身分証を示せ」

陸徳志は経国小学校の身分証をさし示した。

「小学校の教師か——」

「そうです」

「日本人の小学校だった学校か」

「いいえ、ずっと中国人の小学校の教師です」

「よし、通れ！」

遂に生きのびることが出来たのだった。卡子の外へ一歩、足を踏み出した。淑琴はぴたりと随いていたが、一心の姿がない。振り返ると、一心は、徳志たちとはぐれ、柵門のところで兵隊に止められている。

「お前の中国語はおかしい、日本人か！」

「中国人、陸徳志の子供です」

「父の職業を云ってみろ」

「経国小学校の教師です」

陸徳志は、人の流れに逆って柵門へ駈け寄った。

「その子は、私の子供です、一緒に出して下さい」

「お前の子供が、どうして中国語がおかしいのだ」

「それは……それは子供の時、吃だったのを、無理に矯正したからです」

「ふうむ、ほんとか、朝鮮人の日本語のできる兵隊を呼んで調べさせるぞ」

徳志は、蒼ざめた。

「私の子供です、さあ、一心、早く出るんだ」

荷物を放り出し、両手で一心の手を摑もうとすると、兵隊の銃剣が、徳志と一心とを阻んだ。

「親子三人で、命がけで脱出して来たのですから、どうか一緒に出して下さい」

手を伸ばして、柵門の中へ入りかけると、

「この卡子を通すのは、われわれ軍が定めることだ、お前の意志で、出たり入ったりすることは出来ん、行け！　うしろから出て来るものの邪魔だ！」

先を争って出て来る人の流れの中を、徳志は地面を這って、柵門の下をくぐろうとすると、兵隊が銃口を突きつけた。背後で淑琴の悲鳴が上った時、上級者らしい男が来た。

「どうした、何か問題が起ったのか」

と云い、兵隊から事情を聞くと、

「あんたの実の子か、日本人の子か、正直に答えないと、ためにならん、どっちだ」

厳しい視線を向けた。徳志は一瞬、ごくりと唾を呑んだが、覚悟をきめ、

「あの子は、私のたった一人の息子です、十歳の子供が、あの地獄の中を生き抜いたのです、どうか生かしてやって下さい、その代りに私が卡子の中へ戻ります」

と云った。上級者らしい男は、柵の中で呆然とたち竦んでいる少年と、陸徳志を見比べ、銃を

構えている兵隊に、

「同志（トンチ）、あの柵の中へ戻れば餓死することが解っていて、なお且つ、子供だけを助けようとすることは、われわれ共産党と解放軍の基本精神だ、受け入れよう」

と命じると、徳志と一心を阻んでいる銃剣が解（と）かれ、一心の体が柵の外へ押し出された。その瞬間、一心は狂ったように声を上げた。

「爸々（パーパ）！　爸々！」

徳志の首にしがみつき、体をよじって泣いた。これまでどんなに懐（なつ）き、どのような情況の中でも口にしなかった「爸々」という言葉が、はじめて一心の口をついて出たのだった。

范家屯の駅から北の丘陵地帯にある集落に辿り着いた陸徳志たちは、徳志の母と兄がいる生家に身を寄せた。

父は十年前に亡くなり、兄の陸徳明（ルートウミン）は、十八歳を頭に三人の男の子と、七歳の女の子を持ち、一家族総出で、馬を追い、畑を耕す生活をしていたから、何の前ぶれもなく、弟の家族三人が帰って来たことに当惑の色を見せた。しかも一心が、日本人の子と知っていやな顔をした。

親戚もまじえて十数軒ずつが、土塀を築いての集落生活であったから、徳志が、日本人の子供を連れて帰って来たことは、その日のうちに知れ渡り、人々は物珍しげに覗きに来、ひそひそと囁き合った。

兄の徳明は、生来、無口であったが、気性の強い母は、

「日本の開拓団が、中国人が耕した畑を取り上げて、自分のものにしたことを忘れたのか、その開拓団の子を育てるのかい、農民にとって土地がどんなに大事なものか――、それをあこぎにむ

しり取ったのを、私はこの眼でみたんだよ。牡丹江の田舎の親戚へ行った時、赤ん坊を産んで、まだ臍の緒も切れてない産婦を布団ぐるみ、家の外へ放り出し、今日一日だけ待ってくれと哀願する百姓を叩き出した……」

声を震わせて怒り、日本人の子を養子にした徳志たちは、物置を改造して、炕を作って住むように云った。親子三人が並んで寝る一部屋と、竈があるだけの粗末な家であったが、親子三人が飢えさらばえた体を休めることが出来た。徳志たちが脱出してから二カ月目に、長春の国府軍は降伏し、長春は解放された。

凍土の冬が過ぎ、一九四九年の春になると、徳志たちも、兄から割当てられた畑を耕した。一心は、第一の養父、丁財福のところで酷使された経験を生かし、馬に犂杖（すき）をつけて、高畝を作り、高粱や大豆、玉蜀黍の種を手早く播いた。養父はもちろん、伯父の徳明も驚き、三人の男の子たちに、お前たちは一心以上に働けと云った。

十八歳を頭に、十五歳、十一歳の男の子たちは、一心が畑仕事が出来ることが解ると、陰に陽に苛めにかかった。そんな時、一心の心を慰めたのは従妹の秀蘭だった。くるりとした円い眼が、七台屯で別れた妹のあつ子に似、齢もあつ子と同い齢であった。一心を、徳明の三人の息子たちは、畑の中で、

「日本語たあ、どげん妙ちくりんな言葉だ、ちと喋ってみろ」

と囃した。固く口を噤んでいると、兄弟で一心を取り囲んで、小突き廻したり、馬糞を投げつけて、小日本鬼子！　と唾を吐きかけた。秀蘭はそれを見ると、

「哥々（兄ちゃん）の馬鹿！」

小さな両手を広げて一心を庇い、そのあと、必ず、陸徳志に云いつけた。

日頃、温厚な陸徳志も、この時ばかりは、兄の徳明の家まで乗り込み、

「今後、小日本鬼子などと云ったら、ただですまんぞ！」

三人の男の子を叱りつけると、兄は黙っていたが、老母は、

「私の可愛い孫、大林(ターリン)、中林(ツオンリン)、小林(シアオリン)に文句をつける気かい、日本人の子など育てて、将来、何の甲斐があるんだい」

と云い返し、嫂(あによめ)は、

「養子が欲しいのなら、うちに三人の男の子がいるから、一人ぐらい出すのに、よりにもよって――」

忌々(いまいま)しげに罵(ののし)った。徳志は、

「一心は、気持が優しくて、頭もよくてね」

庇うと、嫂はわっとたち上り、

「じゃあ、うちの子は、どれも出来が悪いとでもいうのかい！　頭が悪くて使いものにならないのなら、ならないとはっきり云って貰おうじゃないか！」

大声で喚(わめ)きたて、親戚や近所の人たちが、もの見高く寄って来た。人の輪が出来ると、嫂はさらに昂奮し、喚きたてたが、遠縁にあたる年寄りが見かね、

「まあ、徳志さんのことだ、悪い料簡(りょうけん)はあるはずがないよ、ともかく、互いに子供の喧嘩に親が出るのは、みっともないことだよ」

と割って入り、その場をおさめた。そんなことがあった日の夜、一心が、

「爸々(バーバ)までどうして苛(いじ)められるの、爸々は、僕を長春において来た方がよかった――」

と云うと、徳志は、

「何を云うんだ、お前は、爸々の大事な一人息子だよ」

と肩を抱き、淑琴も針仕事をしながら、

「お前が利口すぎるから、嫉んでいるだけだよ、内戦が終って、また長春へ帰るまでの辛抱だよ」

と両親で、一心をいたわった。

この年の秋、一九四九年十月一日、北京の天安門で、毛沢東が新中国成立を宣言した。

陸徳志は早速、妻と一心を伴って長春の小学校へ戻るため連絡を取ると、既に長春師範学校出の若い教師で定員が埋まり、一方、范家屯の人民政府から、村にも小学校を開設することになったから、是非、残って指導してほしいという懇請を受けた。

一心は、長春のもとの経国小学校の友達と会えなくなるのかと、がっかりしたが、養父は、新中国の成立に伴い、こんな田舎にも小学校が設けられ、農民の子供たちも平等に教育が受けられることを喜び、承諾した。

だが、范家屯の校舎は長春の小学校とは全く異り、お寺を改造した瓦葺きの建物で、教師二人、教室二つで、生徒数は一年から四年まで全員で八十名であった。

陸徳志は、一つの教室に一年と二年を縦にならべ、まず二年に宿題をさせて、一年から教え、隣りの教室ではもう一人の老師が三年と四年の授業を行った。

教科書が変ったせいか、夜遅くまで新しい教科書を前にして、教え方を工夫している養父の姿を見る日が多くなった。

「爸々は、老師なのに、どうしてそんなに遅くまで勉強するの？」

一心が聞くと、ゆっくり振り返り、

「新中国の教科書は、爸々も、生徒と同じように学ばなければならないんだよ、共産主義の遠大な理想を子供たちに培う、それも早く、りっぱに、むだなく達成しなければならないから、爸々も大へんなんだよ」

と答えた。

やがて学校が始まり、二年生の語文（国語）の授業になった。

養父は、教壇にたつと、

「皆さん、今日は『永远跟着毛泽东（永遠に毛沢東に従おう）』を学習しましょう、まず私が先に読み、それに随いて皆さんも読んで下さい」

毛泽东、毛泽东（毛沢東、毛沢東）
挿秧的雨（田植えの雨）
三伏的风（真夏の風）
不落的紅太阳（沈まぬ赤い太陽）
行船的顺帆风（舟を進める順風）
共产主义无限好（共産主義は無限に素晴しい）
永远跟着毛泽东（永遠に毛沢東に従おう）

陸徳志が一行ずつ読むと、生徒はそのあとに随いて、一行ずつ声を張り上げ、読んだ。

「そう、よく読めました、あとで皆に暗誦して貰いますが、暗誦しやすいように、まず文章の意味から入りましょう、皆さんのお父さん、お母さんは毎日仕事をしていますね」

「はい」

一斉に答えた。

「では、田植えの時、一番ほしいものは何ですか」

「雨です」

「では、真夏には何が一番ほしいですか」

「涼しい風です」

「海で舟を漕ぐ時に何があったら、一番いいのですか」

「風、順風です」

「そう、これでこの課文の意味は解ったでしょう、皆さんのお父さん、お母さんが苦しい時、誰が救ってくれましたか、毛主席が田植えの水、真夏の涼しい風、舟が海を行く時の順風のように指導して下さったのです、毛主席は沈まぬ太陽のように偉大で、共産主義は限りなく素晴しい、それを実現するために、永遠に毛主席に従いましょう」

と云うと、一人の生徒が手を挙げた。

「老師、太陽は必ず夕方に沈むのに、どうして沈まぬ太陽というのですか」

「それは、毛主席は皆さんの心の中の太陽だからです、文章の意味が解ったら、暗誦しやすいでしょう、十分間、各自、暗誦しなさい」

と云うと、各自の席で暗誦する声が上った。一心も、呟くように暗誦した。十分が過ぎると、

「さあ、暗誦できた人は手を挙げて」

一心は真っ先に手を挙げ、他にも四、五人の手が挙がった。陸徳志は、他の生徒をあてた。いつもよく出来る少年だった。さっとたち上って、すらすらと淀みなく暗誦した。

「よく出来ました、今度は、皆でもっと韻に気をつけ、抑揚をつけて、暗誦しましょう」

先生が云うと、生徒たちは一斉に歌のように抑揚をつけ、手拍子を入れて暗誦した。教室に生気が満ち、生徒たちは革命兵士のように顔を紅潮させた。

一心は、毎日毎日が新しく輝かしい思いで、胸を躍らせて学校へ通った。

学期が始まって一カ月目の授業の始まる前に、新入生の紹介があった。陸徳志が、

「今日は、皆に新しい友人を紹介する、途中から級に入るが、同学として助け合って勉強するように」

という言葉と同時に、入って来たのは、一心が牡丹江から哈爾濱に向って逃げる貨車の中で出会い、食べものを貰い、一枚の薄い布団にくるまった袁力本であった。

「袁力本！」

思わず、うしろの席から声を上げると、大きな図体をして殊勝げにたっている袁力本も驚くように一心を見た。

授業は算数で、乗法（掛け算）を暗誦する時間であったが、一心は袁との再会で気もそぞろであった。袁は殆んど、九九は出来ず、きょとんとしている間に、四十五分の授業が終った。

放課後、袁と一心は、校庭へ出て、夢中になって話した。袁は、

「俺は、お前と別れてから卡子など出来ない前に、范家屯へ帰って来たが、俺んちは子だくさんの小作人だから、口減らしにまた奉公に出されたんだ」

「そうだったのか、でも学校へ来られてよかったね」

「党のおかげで、俺もやっとこさ学校へ入れたってわけさ」

「そうか、会えてよかった、あの時、小袁とはかならず、また会えると思ったが、ほんとうに実現した、夢のようだな」

翌日から勉強は一心が袁を助け、袁は餓鬼大将の陸小林に苛められる一心を庇った。

或る日、授業が終ると、小林が中心になって、皆で学校の裏の原っぱで遊ぼうと云い出し、袁力本は家の畑仕事があるからと帰ったが、一心と他の五、六人は小林と共に原っぱへ出かけた。

いつもは解放軍と国民党軍に分れて、戦争ごっこをする小林が、何を思いついたのか、

「今日は、日本軍との戦争ごっこをやろう、俺は日本の将校、お前らは日本の兵隊をやり、一心は中国の農民の役をしろ」

腰に棒切れを挟み、一心の襟がみを摑んだ。

「こら！　お前ら百姓は、日本軍のためにもっと沢山、食糧を出せ、隠して出さん奴はひどい目に遭うぞ！」

腰に挟んだ棒の刀を、一心の胸に突きつけたが、一心は黙って答えなかった。

「なんで黙ってる！　日本軍に刀を突きつけられたら、どうか命ばかりはお助けを――と這いつくばるのが、百姓の役だ、さあ云え！　哀れっぽく、お助けを――と云え」

一心が首を振ると、小林は目を吊り上げ、

「おい、皆、こいつを野壺に放り込め！」

と云うと、兵隊役をしている四、五人が、一心の手を縄で縛って、近くの野壺へ入れた。一心の胸あたりぐらいの深さであった。小林は棒切れを振り廻し、

「おい、この穴を埋めてしまえ」

「え、埋める？」

兵隊役の四、五人が顔を見合わせると、

「そうだ、やるんだ！」

小林は昂奮し、野壺の周囲の土を穴へ放り込み、他の者にも生き埋めにするように命じた。一心は土埃にむせび、

「小林、何をするんだ、冗談は止せ！」

と怒鳴ると、小林は日頃の一心に対する鬱憤を晴すように、

「冗談じゃねぇ、お前ら日本人が昔、おれらにやった通りにやるだけだ、もっと土を入れろ」

土砂が胸のあたりまで来ると、一心は苦しげに首を左右にねじった。チビ劉(リュウ)は、

「こんなことをしたら、死んじまうよ」

怯えるように云うと、

「臆病者！　お前も一緒に埋めてしまうぞ」

小林が脅かすと、皆はまた土砂を放り込み、首まで埋まると、全員に引揚げを命じた。

一心は、自力で這い出そうと体を左右に動かし、少しずつ這い上ろうとしたが、脱け出せない。日が暮れかけると、野っ原に風が吹きつけた。このまま、夜になると、野犬か狼に襲われてしまう。爸々(パーパ)！　媽々(マーマ)！　今頃、帰りの遅い自分を案じている両親の名を呼んだが、風に吹き消されてしまった。

どこからか自分の名を呼ぶ音がした。袁であった。駈け寄るなり、

「チビ劉が青くなって、さっき報(しら)せに来たんだ」

大きな板切れで、必死になって土砂をかい出した。ようやく野壺から救い出された一心は、体中、土砂にまみれ、ぜいぜい肩で息をしていた。

「あいつら、何てひどいことをするんだ」

「仕方がない、小日本鬼子(シアオリーベンクイツ)なんだから――」

一心が呟くと、袁は、

「何をいうか、お前はもう俺たちの仲間、中国人だ」

土まみれの一心の服をはたき、両腕を持って、たち上らせた。

五章　洋槐(アカシア)

一九六六年十二月——、北京(ペイチン)から陸一心(ルーイーシン)たちを乗せた囚人列車は、黄土高原を何日も西へ向って走り続けていた。窓ガラスは黒く塗りつぶされ、外界は定かでないが、塗料のはげ落ちた隙間から、烈風によって帯状に削り取られた無人の黄土高原が果てしなく続き、時折、黄河(ホワンホ)の支流が鈍く光っているのが見える。

列車の中は、囚人たちの体温で蒸れ、饐(す)えたような悪臭が充満していた。囚人たちはぎっしり詰め込まれながらも、体の位置を変えることは出来たが、手錠がかかっている陸一心だけは、身動き出来ず、車が大きく揺れる度に、手首に手錠が喰い込んだ。

「おい、日本のスパイよ、膏薬旗(ガオヤオチー)の髪がちょいとのびて、赤い日の丸がはっきりせんじゃねえか」

「怪(け)しからん、婦女暴行罪より劣る小日本鬼子(シアオリーベンクイツ)の頭に日の丸印(じるし)をつけてやる、誰か赤い塗料を持っている者はいねえか」

向い側で賭け象棋(しょうぎ)を指している刑事犯の囚人たちが、一服しがてらに陸一心をからかったが、一心はもはや反応する気力もなく、光を失った眼を、虚(うつ)ろに見開いていた。服の肩先が破れ、垢じみ、囚人そのものの姿であった。

食糧も配給が乏しくなり、囚人たちは些細なことで荒れ出した。警備兵に対する反抗が高まり、兵隊たちは囚人の暴動を怖れて、便所へ行く扉さえ閉ざしてしまった。車内で排便する汚物の臭いがし、あと何日かすれば、警備兵が銃を向けても、騒ぎを起しそうな険悪さだった。

突然、列車が停った。駅名は解らなかったが、また新たな囚人たちの群であった。銃口を突きつけられながら、一人、一人がトラックから下りて来た。駅にものものしい警備兵がたち、囚人を乗せたトラック数台が、横付けになっていた。

「李梁平！　李梁平！」

「哥々（兄さん）！　呉永福！」

「爹（とっちゃん）！　馬永！」

夫や兄弟の名を呼ぶ声が聞え、食べ物や衣類の包みのようなものを手にして、囚人たちに近寄ろうとしている。兵隊は直ちに銃床で、囚人と家族たちの間を阻んだ。名前を呼ばれた囚人たちは、

「おおい、ここだ！」

「心配するな、元気だぞ！」

「孩子（息子）を頼むぞ！」

口々に答え、足を止めて振り返った。その度に兵隊は、後部に増結した車輛に、囚人たちを追い込んだ。家族たちは、なおも追い縋るように、父や夫、兄弟の名を呼び続けている。

囚人たちの移動は極秘の事項であるのに、家族たちはどうして知ることが出来たのだろうか——。家族の強い絆以外の何ものでもないのだろう。

不意に、一心の眼に涙が光った。自分はこのまま死にたくない、生きたい！　人間らしい生活

がしたい！　心の底から激しい執着が突き上げて来た。北京を発って二日目の小さな駅で、象棋の駒の裏に養父宛に通信を書き、有金全部を添えて託した物売りの小孩の姿が、涙の中に浮かんだ。薄暗がりの中で、はっきりした年齢は解らなかったが、十歳そこそこの小孩に託した通信は、運よく養父母のもとに届いているだろうか。

一心はあの小孩と同じ少年期、養父母に育てられ、人間らしい生活をしていた頃を、まざまざと思い返した。

長春の田舎の范家屯は、五月になると、柳の枝々から白い綿のような柳絮が舞いはじめる。その頃になると、一心は父と、近くの川へ魚釣りに出かけた。

釣糸に、魚は全くかからず、柳絮が川面にひらひらと舞い落ちる一日だった。父は竿をしまいかけたが、一心は川上の方に仕掛けがあり、魚がたくさんかかっているのを知って、一匹掬って、戻って来た。

「どうしたんだね」

「仕掛けの中にたくさんいたから、一匹だけ貰って来た」

十五、六センチの鱗の黒い魚を見せた。尾鰭が一心の網を破りそうなほど勢いよく打った。

「他人の仕掛けから、黙って取って来てはいかん、返して来なさい」

「でも……誰も見ていないから、一匹くらいならいいでしょう」

夕餉に、釣って来る魚をあてにしている母の淑琴もがっかりするにちがいない。たくさんの魚がぴちぴち撥ねている仕掛けに返す気になれなかった。

「ともかく返して来なさい、人が見ている、いないの問題ではない」

厳しい語調で窘めた。一心はすごすごと返しに行き、父とともに家路についた。

父は生徒に対しても厳しかったが、一度たりとも手を上げたことがなかった。生徒を叩くのは、その教師が無能だからと常々、云った。手のつけられない悪童には、他の先生が手を出すことがあっても、父はその子の家を野良仕事の終った夜、訪ねて、「この子をよくするためにどうすればいいか、両親も力をかして下さい、子供は国家の大切な苗です」と根気よく頼んだ。疲れきって夜遅く帰って来る父の姿は、言行一致そのもので、父に対する敬慕の念を強くした。

一心が小学校を終えると、父は当然の如く、初級中学校へ進学する手続きをした。范家屯に中学はなかったが、二駅、長春寄りの孟家屯に、党の農村建設の政策の一環として中学校が創設されたばかりであった。長春郊外の中学校とはいえ、党の指令により創設された模範学校であるから、教師は長春市内の有名中学からのみでなく、遠く上海市、湖南省からも派遣され、一心たち田舎育ちの生徒は、背広姿の教師を見て驚くと同時に、誇らしく思った。

しかし授業料、教科書代はさほどのことはないが、寮費を含めると、月二十元が必要だった。養父の給料は月三十九元であったから、その中から二十元を捻出することはたいへんな負担で、淑琴も近所の縫物に精を出し、家計をやりくりした。

そんな父母の慈しみが身にしみ、一心は教室ではもちろん、夜は寮の蠟燭の灯りが消えるまで勉強に打ち込んだ。そして土曜日の午後の授業が終ると、近道して三時間の道程を徒歩で范家屯の家へ帰り、一泊し、日曜日の午後、寮へ帰ることにして、両親の心を和ませた。

一心が家へ帰ると、きまって伯父の末っ子の秀蘭が、少年先鋒隊の赤いネッカチーフを翻してやって来、一心の中学の上海から来た先生のことや、勉強の話をせがんだ。伯父の三人の息子は揃って勉強嫌いで、一心を目の仇にしていた小林も、小学校を卒業すると、肥料工場の工人になったが、秀蘭は勉強好きで、一心兄ちゃんのように必ず中学へ行くのだと云い、陸徳志に、

「叔父さん、もしうちの爸々が反対したら、説き伏せてね」

と繰り返した。丸い黒目がちの眼を輝かせて話す秀蘭に、一心はきまって、別れたままの妹のあつ子の姿を重ね合せた。

「お兄ちゃん、どうかしたの」

秀蘭は、一心の顔を見返した。

「いや、お前の利発さに感心しているんだよ」

さりげなく応えた。一心は妹のことや金襴のお守袋のことは、養父母以外の誰にも話さなかった。

中学二年の後期になると、一心の顔に齢に似合わぬ翳りが漂いはじめた。歴史の時間で抗日運動の章に入ったからだった。初級中学では一心が日本人であることを口にする生徒は無かった。同じ小学校から親友の袁力本はじめ八名が進学したが、生徒の中で政治学習に抜きんでて、小隊長をつとめている袁がそういう問題に触れさせぬよう、心を配ってくれていた。

重苦しい気持で授業の時間になると、歴史の担任教師は、

「今日は、九・一八事変の続きである、前列左の席から、三行ずつ読みたまえ」

と、教科書の記述を読ませた。

日本侵略軍は一九三一年に遼寧、吉林、黒龍江省を占拠した。中国人民が日本侵略反対を要求する九・一八事変後、中国共産党はただちに「大衆を組織し、遊撃隊を組織して、積極的に日本侵略に反対しよう」と呼びかけた。九月下旬、上海の民衆はまっ先に立ち上って応え、十万の学生や三万の運搬労働者がストライキを行い、商業界は日貨排斥を始めた……。

区切りまで読み終ると、教師は、先週の復習をさせるために、生徒に九・一八事変の歴史的背景を説明させた。

「第一次世界大戦後、日本帝国主義は野心満々、中国を日本一国で独占し、植民地に変えようとしたのです、一九二九年に、資本主義国には経済恐慌が起り、アメリカ、イギリスなどが何も出来ないのに乗じて、一九三一年九月十八日、中国東北境内に駐屯した日本侵略軍は瀋陽を攻撃したのです」

生徒は、教科書の文章をそのまま諳んじて、答えた。教科書もしくは教師の解釈を一言一句、たがえぬ答えが優秀とされる教育方針であるから、教師は満足そうに頷き、

「よく出来た、ところでより一層、教科書の理解を深めるために、日本侵略軍はこの東北においてどのように中国人民を弾圧し、辱めたか、君らの家族や親戚が体験したことがあれば報告しなさい」

と促すと、四十名中、半数以上の手が挙がった。

「では、姚君から話してごらん」

一心と机を並べている姚を指名した。

「僕の父は、右腕が使えません、それは一九四四年に、長春を占領していた日本人に袋叩きにあったからです。父は長春市内で腕のいい大工として暮していたのですが、祖父の危篤の知らせを聞いて、中国人は乗車禁止の電車に乗ったからです、当時、長春市内の路面電車は日本人用は黄と緑の二色、中国人用は濃緑色で『工人車』と記されていたそうですが、祖父の死目に会いたい一心で、日本人用の電車に乗ったところ、引きずり下され、大事な腕をへし折られ、以来、父の右腕は、鍬さえ握れず……」

姚が言葉を跡切らせると、教室はしんとした。

「僕の祖父は、白米を食べたのを日本兵に見つかり、銃殺されたのです」

斜め前方の生徒が、たち上った。

「祖父は普段、粟や稗しか食べられない貧乏な小作人だったのですが、村の祭で何年ぶりかで白ごはんを振るまわれ、長春市へ出かけた時、日本の軍用トラックのガソリンの臭いに気持が悪くなり、道端で吐いてしまったのです。それを日本兵に見咎められ、中国人のくせに白米を食べるとは怪しからんと、広場へ引ったてられ、大勢の同胞の前で、見せしめのために銃殺されました、他人の国へ侵略して来て、こんな横暴をほしいままにしていた日本人を許すことは出来ない」

唇を噛みしめ、着席した。

「私は両親を殺されました、日本侵略軍への憎しみは生涯、忘れません――」

女生徒が、口を開いた。

「私はその時、六歳でした。この孟家屯に駐屯していた侵略軍が、私の家へ何度も食糧を徴発しに来、私たちの食べものさえなくなり、父がもう何もないと云うと、父の二人の弟を苦力として徴発すると引ったてました。父が庇うと、その場で銃剣で殺しました。母は咄嗟に私を甕の中へ入れて蓋をしましたが、母は日本兵たちに穢され、あげくの果てに下半身へ銃剣を突き刺され、殺されました。母が兵隊たちにつぎつぎに穢され、悲鳴をあげ、呻く声が甕の中まで聞え、今も聞えて来ます……私は一生懸命、毛主席の教えを学び、両親の恨みを……晴したい！」

と号泣した。もらい泣きする声が女子生徒の中から起ると、男子生徒も各々の家族と民族の恨みを思い出し、拳を握りしめ、いつしか全員、泣いていた。

一心は顔を伏せ、いたたまれぬ思いに苛まれた。日本人の自分も、日本軍に見棄てられた棄民であるが、民族の恨みを次々と話す教室の中では、身のおきどころがなかった。

その授業があってから、一心に白い眼が向けられるようになった。隣席の姚は一言も口をきかず、寮でも十一人の同室者がよそよそしくなり、腹を膨らませて殺した蛙や、使い古した剃刀(かみそり)が布団の中に入れてあり、小学校時代のように小日本鬼子(シアオリーベンクイツ)と囃(はや)したてない代りに、陰湿ないじめ方をした。

土、日曜日に家へ戻っている時だけ、心が憩(やす)まり、このまま父母の元にいたいと、弱気になることがあった。

「一心、このところ、お前の成績は下る一方だが、家が遠くて、勉強にさしつかえるのではないかね」

父は二年生からの経緯を見て、聞いた。試験の成績が芳しくないのは、抗日運動の授業の前からで、熱心に勉強しているつもりだが、授業内容が難しくなる一方、週末に三時間かけて家へ帰って来るので、その分、勉強時間が少くなり、遅れているのは確かだった。

「これからは陽(ひ)が長くなるから、もっと一生懸命、頑張ります」

十二人一室の寮には、電灯がなく、蠟燭しかないから、夜遅くまでは勉強出来なかった。

一心が学校へ戻って行ったその夜、陸徳志は淑琴に、一心の勉強のために、家を引っ越そうと切り出した。

「じゃあ、かねて転職願いを出しておられた口が見つかったのですね」

「いや、口はまだ見つからない、昔の中学校中退の学歴しかない私だから、町の学校への転職はなかなかだ——」

学識、人柄においては遜色のない陸徳志であるが、これというコネを持っていなかった。周りの者がそれとなく、校長先生へ酒か煙草、豚の半頭なりとも袖の下を利かせてはと勧めたが、教育者たる者がと拒み、四年生までの複式教室が、六年制の小学校に昇格しても、相変らず低学年を担当していた。

「学校の口が見つからないのに、どうするのですか」

「孟家屯の一心の中学校の近くに引っ越して、私は月曜から土曜日まで、今まで通りここの小学校の授業をし、土、日曜日にお前たちのもとへ戻る、つまり一心と私と反対の立場になることだよ」

「そんなこと、私は同意出来ません、父親が何故、子供に譲らねばならないのですか、成績が上らなければそれまでと思い、諦めるほかないでしょう」

「いや、私自身が学歴で苦い目に遭っているから、あの子に同じ思いをさせたくない。それにあの子は優れた素質を持っているから、中学校でやめさせるのは惜しい、お前にばかり苦労をかけるが、一つ、私の望みを叶えてくれ」

そう云われると、淑琴は黙った。長年の苦しい家計のやりくりで三十八歳の淑琴は十歳近くも老けて見えた。

翌年、一心が三年の新学期を迎える直前に、一家は孟家屯の町へ引っ越し、一心に代って父親の徳志が、范家屯と孟家屯との間を往復した。たちまち一心の成績は上ったが、町では野菜の自給もできず、物価高で家計はすぐ破綻し、半年後には、やむなく元の生活に戻らざるを得なかった。だが、この時のことは、一心の胸に深く刻みつけられた。

〝孟母三遷〟の教えという言葉があるが、自分の成績を上げるために、范家屯の田舎から孟家屯の町へ移り、自分に代って三時間の道を往復した父の行為は、孟母三遷と同じ心に他ならない。一心は今さらの如く父の恩愛が身にしみ、優れた成績で高級中学へ進学した。

高級中学三年になり、一心を悩ませたのは、共産主義青年団にいまだに入団できないことだった。

十五歳以上になると、入団資格が出来る。最初こそ、団員に選ばれるのは本人の政治思想が高く、且つ、出身家庭も貧農、労働者、革命烈士などに限られていたが、二年の後半になると、身体健康、学業良好、政治思想堅固の〝三好〟学生はほとんど入団できた。一心は、三好のいずれの資格も備えていながら、何度、申請しても、入団出来なかった。

今日も校庭では、国慶節のパレードに備えて、団員たちがドラや太鼓を叩き、隊列を組み、行進の練習をしているが、団員になる資格がない一心たちは参加出来ず、教室で自習をさせられていた。

「俺たち、みじめだなあ」

李が、鉛筆を放り出し、やけっぱちな声を出した。李が〝三好〟学生であるのに共青団に入団出来ないのは、父親が旧満洲国時代の法院の裁判官補をたった一年ではあるが務めたという家庭の出身の悪さにあった。教室に残されている生徒の大半は、両親のいずれかが、旧社会の地主、富農、知識階級などの出身で、貧農、労働者、革命烈士の子らの家庭の出身のいい生徒とは、あらゆる面で厳しく一線を画され、将来が閉ざされていた。

隊列が窓の真下に行進して来、ドラや太鼓の音が一際、華々しく聞えて来、勇ましい歓呼が上ると、そっと窓により、団員たちの行進練習を見詰め、羨しさで溜息がでた。行進の女子部には、従妹の秀蘭もいた。この九月から高級中学に進学し、早々と団員に選ばれていた。小柄なだけに、上級生の隊列に伍して、きびきびと行進している秀蘭は健気であった。

その夕方、袁力本が一心を寮の庭に誘った。

「お前の入団のために、団員たちを各個撃破して、説得に廻ったが、お前が日本の宗教を秘かに信仰しているという噂を耳にした、ほんとうか」

と聞いた。一心は頭から否定すると、

「やはりそうか、念のため秀蘭にも聞くと、一笑に付したので安心していたが、噂に出ていることだから、直接、確めておきたかったんだ。ともかく、今度が最後のチャンスだから、きちんと申請書を書いて、提出しておいてくれ」

と云った。袁は、初級中学校の推薦で高級中学へ進学し、三年になると、共青団の団支部書記として、統率力を発揮していた。

一心は、寮の机に向い、四度目の入団申請書を書いた。本人及び両親、祖父母、両親の兄弟、その子供たちの経歴、職歴、共青団に入団したい理由、入団後の活動方針などを記入し、団支部の組織委員に提出した。今度こそ、何としても共青団に入り、将来性のある人間になって、〝孟母三遷〟と同じ心で慈しんでくれた両親に報いたかった。

一カ月後、団員と入団申請者の会議に召集された。部屋の中央に団支部書記の袁と組織委員、学習委員の三人が坐り、五十人程の参加者が着席していた。

一心は、申請書に記入した項目順に、熱意を籠め、入団志望を述べた。

「陸一心は、理論と実践が伴っていない、社会主義建設のために己を犠牲にするという口の裏で、日本の宗教を信仰している点を、どう釈明するのだ」

学習委員の李晶が、舌鋒鋭く攻撃した。革命烈士の遺児で、優秀な女子学生だが、言動も男子生徒のようで、皆から一目置かれていた。

「事実無根です、何を根拠にそんな云いがかりをつけられるのか、心外だ」

一心は、きっぱり切り返した。

「お前の寮の同室者の証言がある、呂、見たままを報告しろ」

組織委員が云うと、呂がたち上った。

「僕は、時々、陸一心が服の下に赤い小さな袋をぶら下げているのが不思議だったので、聞いたところ、ひどく狼狽し、そんなものはしていないと白ばっくれた。それで何かの秘密だと思い、入浴の時を見計らって、一心がはずして服のポケットに隠した赤い布袋を、規律班の委員立合いで調べると、日本の宗教に関するものらしいことが解ったんだ」

日頃、仲のいい呂の暴露に、一心は激しく動揺した。以前は范家屯の家に置いていたが、日本人なるが故に、惨めな思いをすることが度重なると、誰に苦衷を打ち明けることも出来ず、妹の分身のような金襴のお守袋を身につけるようになり、運悪く今日も持っていたのだった。

「一心、その布袋を出せ」

組織委員が、声高に促した。一心は首からはずし、一同に示した。

「それは、ほんとうに日本の宗教の袋なのか」

袁は、信じられぬように聞いた。

「いや、この袋は決して宗教と関わるものじゃない、日本の敗戦時、生き別れになった妹が持っていたお守袋で、これを持っていると、いつか会えるような気がして、大事に持っているだけだ」

妹のことを一同の前で告白すると、心を動かしかけた団員もいたが、李晶は、

「そんな布袋が、兄妹をひき逢わせそうだということ自体、迷信思想だ、毛主席は〝迷信思想を打ち破って、思想を解放せよ〟と指導しておられる、それにもかかわらず、日本の迷信を信仰しているなど許せない！」

と糾弾した。

「云いがかりだ、私は天地良心に誓って日本の迷信思想に囚われていない」

一心が強く主張すると、李晶は、

「天地良心とは何か、天地良心に誓うこと自体が、迷信思想ではないか」

ときめつけ、

「立証せよ、その袋を自分の手で引き裂き、足で踏みにじって、思想の解放を立証せよ」

と云い放った。団員たちはぐるりと取り囲んで、一心の行動を見守った。一心は暫し、躊躇った。お守袋を引き裂き、足で踏みにじれば共青団員になれるのだという目前の欲求と、今日まで大切にして来たものを一方的な誤解によって、捨てねばならぬ無念とに押しひしがれた。

「どうした、やはり破り捨てられないのか」

李晶が罵ると、煽られるように他の団員の声が飛び、手がのびて、お守袋を奪おうとした。一心はその手を振り払い、自分でお守袋を引き裂こうとしたが、力が入らず、紐の結び目が解けた。

「そいつを踏みつけろ！」

一心は、布靴で踏んだ。踏みつけながら、こうまでしなければ、入団出来ないのか——。惨めな悔しさが、こみあげて来た。

「もっとしっかり踏みつけろ！」

「ぼろぼろになるまで踏みつけるのだ！」

李晶も、団員たちも眼を血走らせた。一心は追い詰められ、靴底に力を入れかけた時、

「やめろ！　団員らしい理性をわきまえろ！」

部屋中に、袁の太い声が響き渡り、リンチになりかけた場を抑えた。一同がようやく席につくと、袁はつかつかと、一心の傍へ歩み寄り、踏みつけたお守袋を拾い、

「これは一心が自己批判した証しとして、団が預る」

と云い、自分のポケットに入れた。

その三カ月後、卒業直前に共青団入団の許可がおり、一心はようやく一人前の中国人民として認められて晴れ晴れとした感慨にひたった。

やがて袁は解放軍へ入り、一心は大連工業大学への入学がきまった。

別れの日、二人は校庭の楊柳の下に佇んだ。

「袁、君が解放軍に入ればもう自由に会えないな、君という親友がいなければ、僕は大学進学もできなかったかもしれない」

共青団員でなければ、どんな高い点数をとっても、政治科目でいい点はとれないのだった。

「俺たちは牡丹江(ムウタンチアン)の貨車に偶然、乗り合せた時からの仲じゃないか、お前は日本人の血が流れているということで、これからも辛苦が続くだろうが、くたばるなよ、また、会えるさ」

からりと笑い、ポケットから汚れたお守袋を一心の掌にのせると、

「再見(ツァイチエン)!」

力強い足音をたてて、去って行った。


東北の田舎に育って来た一心にとって、大連の街はさながら異国のような土地であった。三面海に囲まれた港町の大連は、さざなみだつ海、澄み切った明るい空、そして曾て東洋の小パリと云われたヨーロッパ風の豪華な建物、街の中心のロータリーから放射線状に広がる斯大林路(スターリンルー)、中山路(ツオンサンルー)などの広い道路、洋槐(アカシア)の並木——、すべてが異国情緒に溢れていた。

大連工業大学は、街の西南にあり、四階建ての校舎が、緑に囲まれていた。教室も寮も、はじめて見る広さと清潔さで、最初の頃は、見るもの、聞くものすべてが驚きであった。

三カ月ほどすると、ようやく落ち着いて勉強に打ち込めるようになった。

授業はすべてソ連式で、ソ連から五人の専門家が招かれ、教科書もすべてソ連版の翻訳であった。教科書の前書きには必ず、「すべてのものはソ連が発明した、蒸気機関車、飛行機、数学、物理の定理なども」と記されていて、学生たちの反感をかった。万有引力の原理が、ニュートン

の定理であることぐらいは、高級中学で学んでいた。

教授たちは、内心、異論を持っていても、党中央の指導がソ連一辺倒であったから、外国語はロシア語のみで、講義も理数工学の基礎知識を広汎に時間をかけて教えるより、現場ですぐ役立つ教授法がとられていた。

それでも二年の後半から電気工学や材料力学など専門分野の講義に入ると、一心は早くから教室に入り、前列に席をとって、待ち受けた。計算尺、コンパス、三角定規などを使う機械製図の授業には、心がときめいた。それは鉛筆や万年筆しか使ったことがない人間が、未知の世界に分け入るような昂奮を覚えた。

一クラス四十人の中に、四人の女子学生がいた。最初のうち、なぜ女性が機械工学を勉強するのか不思議に思ったが、四人の女子学生の中で、一番目だつ存在である趙丹青（ツアオタンチン）が「解放後は男女平等だから、今、国家が一番力を入れている重工業に貢献するために選んだのよ」と云った言葉が、強く耳に残った。

一心が、大連工業大学を選んだのは、初級中学、高級中学を通して、理数系がよく出来たことと、自分の出身から考えて、文科系は政治とのかかわりが深く、不適当だと判断したからであった。父は、一心の選択に賛成したが、問題は学費で、授業料と寮の部屋代は国費だが、教科書、参考書、寮の食費は自費であるため、母はこれ以上の経済的負担に困惑した。高級中学を卒業して、中学の教師になれば充分ではないかと云ったが、父は「私は、一心に優れた人材を認めている、人材は一つの民族、一つの国家のためだけでなく、エジソンのように世界の人類に貢献しなければならない」と云い、大学進学に同意し、合格すると、学費の工面をしてくれたのだった。

そのことを思うと、いつも胸が熱くなる。

今日の講義は張（ツアン）教授の『歯車の稼動について』であった。まず歯車の種類、次いで歯車を使って機械を動かす原理の説明をし、モーターを動かす減速箱の製図に入った。

「皆さん、製図は〝技師の言葉〟です。製図が正確であれば一目で解り、説明の必要はない、今は入門編だから、白墨のほかに赤線で要注意の線、黄色で見落しやすい線を示すから、しっかり頭に叩き込んでほしい。将来は白い製図用紙に烏口の黒い線だけで、平面図はもとより、投影図も要求される」

と云い、黒板に向った。

一心は計算尺と三角定規を使って、手早く、正確な線をひいた。隣りの席の趙丹青は、緻密な製図は苦手らしく、消しゴムで何度も描き直し、図面が黒く汚れている。

一心は大きな三角定規を机の下に落した。製図器具は学校から貸与されたものであるから手で拾いかけると、丹青のすらりと伸びた足先が動き、靴の先で、ついと定規の真ん中をひっかけて渡した。その大胆さに驚くと、大きく見開いた眼に悪戯っぽい笑いを漂わせた。

授業が終り、教室を出ると、土曜日の午後、丹青を映画に誘おうとする学生たちが寄って来た。一心は、いつものように級友の王鋼と図書館へ向いかけると、

「一心、今日ぐらい私とつき合ってもいいでしょう、定規を拾ってあげたじゃないの」

人前も憚らず丹青は云い、一心の腕をぐいと取った。王鋼は、まあ行けよと、眼で合図した。背後ではやしたてる声がし、一心は顔を紅らめたが、丹青は平然と胸を張っていた。

街中の友好広場の映画館には、ロシア映画の『復活』が上映されていた。土、日曜日ともなれば、多くの学生たちは映画を観るのが唯一の楽しみであり、特に西洋の香りがするロシア映画は人気の的であったが、一心は金銭の余裕がなく、学内で時々催される映画以外は、観たことがなかった。丹青は馴れた様子で、切符を二枚買った。

スクリーンには、主人公の若き公爵、ニェフリュードフと、美しい召使、カチューシャが霧の

深い夜、初めて結ばれるシーンが映し出されていた。迸るような情熱と哀愁が胸にしみ、目が眩むような未知の世界に惹き入れられた。だが、妊ったカチューシャが、公爵家を追われ、落魄の果て、窃盗罪の囚人として流刑されて行くところになると、女主人公の悲惨な運命に涙した。革命前のロシアの階級社会を批判するために上映されているのだったが、丹青も一心も、その哀しいロマンスに心を奪われていた。

映画が終ると、どちらからともなく、中山広場に向って歩いた。曾てパリの街を模してロシア人が造った中山広場は、広場を中心にして、斯大林路や中山路、魯迅広場などが拡がり、淡い光を放つ街灯が点き、洋槐の並木が続いている。洋槐の緑の葉の間に、白い房のような花が開き、甘い香りが漂っていた。丹青は、まだ映画の昂奮から醒めやらぬように、

「胸が締めつけられるロマンスねぇ、私たちには別世界の恋物語だわ」

溜息をつくように云い、一心の方へ肩を寄せたが、はじめて男女の激しいラヴシーンを観た一心は、逆に体を硬ばらせた。

この年の末、中国の粗鋼生産の倍増計画が提唱された。

一心たちのクラスは、鞍山鋼鉄公司の労働に参加した。

〝中国の母なる製鉄所〟と呼ばれている鞍山は、町全体が鉄の都市のようであった。高炉、平炉など、大小さまざまの煙突や、幾つもの工場群、工場と工場との間を走る巨大なパイプと、構内をめぐる貨車の長い線路など、一心は、はじめて目にする大鋼鉄公司の偉容に圧倒され、またその母体が日本の製鉄所であったことも知った。学生たちは、工人たちと一緒の宿舎に入り、午前八時就業、午後六時退勤、休みは一カ月に二度、生産倍増のために、時には残業した。

女子学生も、男子学生に混って働き、一心たちのクラスは、圧延工場に配属された。真っ赤な鋼の塊が圧延され、四角い棒状の鋼材に形成されていく過程は壮観で、圧延機には、CCPと

白ペンキで大きく記されていた。長い鋼材を一定の長さに切り揃える実技を教えてくれたのは、ソ連から技術援助に派遣されている技師であった。

「タワリッシ（同志）、解ったか！」

身ぶりと、ロシア語の筆談で、若い技師は熱心に教えた。

学生たちは〝一〇七〇万トンを目指して奮闘〟というスローガンに鼓舞されて、不眠不休で働き、食堂で箸を握りながら居眠る者もいたが、原材料不足で長続きせず、次は機械整備の手伝いや、肉体労働に駈り出された。

冬になると、戸外労働が一番、困難であった。

雪の降る日、石炭を積んだ貨車が構内に入って来ると、学生たちが動員された。綿入れの服を着、厚い手袋をはめて凍てついた石炭を鶴嘴で砕く重労働だった。幼い時の酷使で鍛えられている一心は、人の二倍の作業ができた。石炭の粉が眼に入り、綿入れの袖でぐいと拭った時、貨車の側面の板がはずれそうになっているのに気づいた。そのすぐ横に、丹青が鶴嘴を振るっている。その瞬間、一心の体が、丹青の体に体当りした。丹青の体がふっ飛び、一心の脚に石炭の塊が落下しかけたのを、避けそこねた。

親友たちが一心を背負い、医務室へ急いだ。右脚首捻挫で副木をあて、十日間の治療を云い渡された。クラスの政治補導員である王鋼は診察に立ち合い、

「一心、君の犠牲的な精神に心から感謝する、君はいつもは寡黙で、控え目だが、いざという時には人のできない犠牲的精神を発揮する男だ。今回、われわれの班から事故死者を一名でも出せば、今日までの成果はすべて失ってしまうところだった、有難う」

肩幅の広い体軀を屈めて、一心の手をしっかり、握った。

「十日間も休養か――、長過ぎるな」

一心が溜息をつくと、

「生産現場で負傷し、十日間休養の指示は、上の命令だよ。こういう時代で、われわれは講義を受けられないが、ここで教えられていることは将来、すぐ現場で役にたつ。僕はこの体験を生かし、卒業後、軍需工場への配属を希望しているんだ」

軍需工場は、新疆（シンチアン）ウイグル自治区などの辺境の地にあり、王鋼のように学業、出身、政治思想共に優れた者でなければ望めず、一心には望むべくもないことであった。

夜になると、毎晩のように丹青が見舞いに来た。

「君だって疲れているから、そんなに来て貰わなくてもいい、休んでいろよ」

「あなたは、私を助けるために、こんな怪我をしたのだから、来るのは当然よ」

「いや、君でなくても、傍に人がいたら助けるさ」

「あなたは、どうしてそんな風な云い方をするの、私だから、身を挺して助けたんだと云って！」

丹青の大きな眼が潤んだ。一心は、丹青の愛情を感じたが、固く口を噤（つぐ）んだ。大学では、学生同士の恋愛は法度（はっと）であった。一心は話題を変えた。

「高価な固定剤を届けてくれて有難う、おかげで回復が早いけど、君の爸々（バーバ）に手配して貰ったりして、かえって迷惑をかけた」

副木にかわって、最新治療法のギプスで、膝下から固定されている右脚を示した。

「いいのよ、父は哈爾濱（ハルビン）の東北重工業局の幹部だから、ここの総指揮や書記と始終、連絡があって、娘を救ってくれた大事な恩人に、最新の治療をしてほしいって、頼んで来たの」

一心は、丹青の父が、重工業部門の高級幹部とは知らなかった。

ドアがノックされ、クラスの庶務班員が布の郵便袋を抱えて、顔を覗かせた。

「おや、丹青はここにいたの、手紙だよ」

一心に一通、丹青に三通渡した。大学の寮宛に届いた手紙類は月に二度、鞍山鋼鉄公司に泊り込みの学生へ配達されて来るのだった。

「有難う、君も遅くまでたいへんだな」

「一心の犠牲的な負傷に比べたら、大したことはないよ、第一、皆に喜ばれる任務だからな」

と云い、忙しげにたち去った。

一心は、差出人を見るまでもなく、筆跡で解放軍の袁力本からの手紙であることが解った。孟家屯の高級中学を卒業後、進む道は異っても、文通を続け、無二の親友であった。

一心同志

元気でやっているか、僕も元気でいる。

秋に手紙を貰ったまま、軍務多忙につき、失礼。鉄鋼生産倍増計画の下、君たち学生も大煉鋼鉄運動に携り、心強い限りだ、六億の人民が一致団結して国家の礎となる気概を持って邁進すれば、毛主席の提唱される如く、わが国は〝十五年でイギリスの水準を追い抜き、三十年でアメリカに追いつく〟と確信する。互いに頑張ろう。

近々、秀蘭が面会に来てくれることになりそうだ。

一心は思わず、口元を綻ばせ、袁からの手紙をもう一度、読み返した。多くを記していないが、党と国家に対する忠誠心は鋼の如く強く、頼もしい。袁が解放軍へ入隊する日、袁の両親、兄姉、親類はもちろん、一心たち同学の共青団全員がドラや太鼓を打ち鳴らして、軍の招待所からトラックで出発する袁を見送った。解放軍入隊の名誉のしるしである赤い造花を胸に飾り、頰を紅潮させていた。その袁と秀蘭がと思うと、ほほえましかった。

「しげしげと見つめているけれど、誰からの手紙なのよ」

丹青が、やや嫉ましげに云った。

「僕の小学校から高級中学まで、ずっと一緒だった親友からなんだ」

と答えると、丹青は封筒に眼を走らせ、遼寧一三九二六という発信地を見ると、

「まあ、栄誉ある解放軍に親友がいるなど、はじめて知ったわ、一心はあまり自分のことを話さないから、時々、思いがけないことで驚かされるわ」

さらに愛情を深め、信頼を寄せるように、一心の手に、自分の手を重ね合せた。

一九五九年の末、党中央は大躍進の中止命令を出した。学生たちは大学へ戻ったが、自然災害による大飢餓に加えて政策のまずさのために、学生一人当りの一カ月の食糧は、十七キロから十五キロに減らされ、学業よりも山へ木の実や野草をとりに行き、食堂で満たされぬ空腹感をいやした。一心は子供の時から飢餓の体験を幾度もしていたから驚かなかった。だが、燃料不足からスチームが入らず、この年の冬休みは十二月から繰り上げ休暇に入り、せっかく学校へ戻っても、授業を受ける機会は少かった。

大躍進から大飢餓にかけての約三年ほどは大学の授業が滞ったが、再び教室に戻ると、久しく学問から遠ざかっていた学生たちは、貪るように勉強し、日曜日も休日とせず、七曜日として、教室や図書館は終日、学生で埋まっていた。

やがて卒業論文の作成にかかった。一心のテーマは『熱鋸機の設計』であった。四人一組で、担当教授の指導を受ける一方、工場の技術者とデータの交換をして、試作に取り組んだ。

丹青は別のグループで『螺子廻しの螺旋について』のテーマに取り組んだが、誰しも満足のいく論文は書けなかった。一昨年、突如、中ソ間が不仲になり、大学のソ連の専門家は資料を携え

て総引揚げしてしまっていた。一心たちの大学生活は、国内外の政治の波に、翻弄(ほんろう)され続けていた。

論文が仕上り、担当教授に提出した日、一心と丹青は、重苦しい緊張から解放され、星海(シンハイ)公園へ出かけた。

大学からバスで七分ほどの星海公園は弓形を描いた長い海岸線であった。夏ともなれば、海岸には各地方から海水浴客が集り、ボートや釣船も出て賑やかであったが、六月初めはまだ水が冷たく、海岸には人影が疎(まば)らで、樹陰にある亭や楼も閑散としていた。

波打ち際を歩くと、砂浜に貝殻や小石が散り、海星(ひとで)や黒い棘(とげ)をつけた海胆(うに)が打ち上げられている。

「あとは、卒業生が集る送別会だけね」

丹青は、桜貝の貝殻を二つ拾って、掌にのせ、体をより添わせたが、一心は黙っていた。

「あなたは首席クラスだから、学校に残るのかしら」

多分、そうなると思っていたが、配属は国家が決めることだったから、最終的にはどうなるか解らなかった。

「丹青はどうするの」

「実はそのことだけど、あなたが大学に残ることになれば、私も大連のどこかの機関に入り、もしあなたがどこか他の都市の配属になれば、私も同じところへ行けるようにするわ、爸々(パーパ)のコネで――」

こともなげに云った。高級幹部のコネは噂には聞いていたが、まさかそれが現実となって自分の前で語られるとは、夢想だにしなかった。

「いや、僕は学校の指示に従うよ」

「あなたって、馬鹿正直ね、あなたはすぐれた才能を持ち、将来が大きく開けていることが解らないの、それとも、私があなたのことを想っているほど、あなたは私を……」

言葉を跡切らせ、一心の胸に顔を埋めた。柔かな肢体と息づかいが伝って来、一心は思わず抱きしめた。これまで自分の出自を考え、何事も用心深く自己を規制して来た一心であったが、丹青の激情に揺さぶられた。丹青は唇を求めるように白い顔を仰向けたが、一心は衝動を抑え、

「僕たちは、まだ学生だ――」

辛うじて、体を離した。

やがて卒業式が終り、配属が発表された。一心は、大学の研究室ではなく、北京鋼鉄公司であった。王鋼は念願通り軍需工場に、丹青は哈爾濱の鋼鉄設計院へ配属された。

一心は、すぐ范家屯の両親に手紙を書いた。田舎の小学校教師の給料から大学教育を受けさせて貰った恩愛に心から謝し、北京最大の鋼鉄公司へ配属されたことを報告し、今後は自分が親孝行をさせて戴く番ですと、書き記した。

翌日、一心は自分から丹青を誘い、老虎灘から棒棰島海岸の方へぬける海沿いの小高い山道を歩いた。人家も人影もない台地の樹陰まで来ると、丹青は樹に体をもたせかけ、間近に一心を見上げた。大きな眼と蠱惑的な唇は、これから一心が口にする言葉を、自信と喜びをもって迎えている。一心は濃い眉と眼で、ひたと丹青の顔を見、

「以前から、君を深く愛していた――」

心の真底にあった言葉をはじめて口にした。

「やっと、云ってくれたのね」

「だが、僕は、まだ君に話していないことがある、それを話したくて誘ったんだ」

「これ以上、何を云いたいの、どこまで人をじらせば気がすむの」

と云うなり、丹青は胸にすがり、一心も激情に溺れ込むように、唇を重ね、抱擁した。

「一心、私たちもう誰の眼も気にすることはないわ、近々、爸々（パーパ）が哈爾濱からこっちへ出張して来るの、会ってね」

歓びに潤んだ眼を向けた。一心は甘美な一時（いっとき）から、我に返った。

「丹青、僕はまだ云うべきことが――」

「私たちに、もう言葉は無用よ」

丹青はそう云うと、初夏のきらめく空を眩しげに見上げたが、一心は青い静かな海を見下した。丹青の父が来るのなら、いつまでも逡巡していられない。哈爾濱の東北重工業局の高級幹部である以上、抗日戦争を闘って来た勇士であり、日本人の子として生れた自分と、娘との結婚は、許さないだろう。丹青の性格を思えば、親の云いなりにはならず、自分に対する愛を貫くはずだ。彼女の愛を信じて、すべてを話そう――。

だが、もしや、丹青の愛を失うかもしれないという一抹の怖れがあった。生れてはじめて異性の美しさに心奪われ、愛し合い、将来を誓い合う唇を交した丹青を、失うことは耐えられない。

眼下に広がる海の向うには、日本という国がある。大学へ入り、はじめて大連港に佇んで、出航して行く船の霧笛を耳にした時、望郷の念に似た想いが胸を掠（かす）めたが、中国人、陸徳志の息子、陸一心として生きる決心はいささかも揺がなかった。それでもなお且つ、日本人である出自を告げねばならぬのだろうか。はじめて芽生えた愛の門をくぐろうとする時、日本人であることを告げるべきか、告げざるべきか、一心はなお迷った。

六章　労働改造所

囚人列車は、駅舎もなく、駅名の表示もない地点に停った。

警備兵の号令で、囚人たちは檻から放たれる獣(けもの)のように、列車から飛び降りた。

見渡す限り黄土のひび割れた地面に、雪が薄く斑(まだ)らに積り、遠くに連なる山々の頂きは、雪を冠(かぶ)っている。辺り一面人家も見えず、草木もなく荒涼たる不毛の大地であった。

「おい、全員、早くトラックに乗れ！」

待ち構えていた警備兵が、ぐるりと囚人たちを取り囲んだ。

一週間、ぎっしり詰め込まれ、揺られ続けの列車から降り、充分、新鮮な大気を吸い、足腰を伸ばそうとしたのも束(つか)の間、囚人たちは、ずらりと並んだトラックの荷台へ追い上げられた。

手錠をかけられている陸一心(ルーイーシン)だけは、一番最後から、警備兵にひきたてられて降りた。

「こいつは、途中で騒ぎを起した小日本(シアオリーベン)だ」

手荒らに待ち受けていた警備兵に渡された。

一心は、トラックの荷台の止め金に繋(つな)がれた。手錠の鎖が短く、坐ることが出来ず、肌を切るような寒風に、まともに曝(さら)された。

トラックの列は、タイヤと荷馬車の轍の跡だけが残っている黄土の地を突っ走った。荷台の囚人たちは、収容される場所に近付いていく怖れと肌を刺す寒さに声もなく、無言で折り重なっていた。

白いものが吹きつけて来た。風に煽られた粉のような雪であった。トラックの運転手たちは、クラクションを鳴らし合い、時々、停っては降りてフロントガラスを拭き、速度を落して運転した。

やがて、トラックが停った。寒さに震え上っていた囚人たちは、ほっと生き返ったように体を起したが、周囲には何一つ、見えない。

「降りろ！　ここからは徒歩だ！」

囚人たちは次々に降され、警備兵の号令で、各自の肩に布団や毛布を担ぎ、四列縦隊にならんだ。

「囚人たちに告ぐ！　一、今から労働改造所までの道を行進する。二、行進中の会話は一切、禁じる。三、行進中に列からはみ出したり、隊列を乱すことを禁じる。列を乱した者は、逃亡を図った者として、警告なしに発砲銃殺する！」

警備兵は、囚人の列の前後左右を固め、トラックで走って来た道から横へそれた幅の狭い道を進んだ。

ようやく、雪は降り止んだ。囚人たちは、肩に大きな布団を背負った者、薄い布団、衣服だけ背負った者など、まちまちであった。大きな布団を背負った者は、途中の駅から、家族たちに見送られ、差し入れを手にした恵まれた囚人であったが、一心と同じく北京駅近くから移送された者は、殆んど布団も衣服も持たず、着たきりであった。手錠をかけられている陸一心は、最後尾に随きながら、囚人の中にある持つ者と、持たざる者との差を、奇妙な思いで見詰めた。

隊列の中から騒めきが起った。斑ら雪の黄土の丘陵を越えても、眼前に広がるのは、同じ荒漠とした光景であった。囚人たちは、ここが内蒙古に隣接している寧夏回族自治区で、海抜千二百メートル、西に連なる山々の向う側は、死の砂漠と怖れられているゴビ砂漠であるとは知る由もなかった。

延々と行進し、ようやく畑らしい区画、用水路、電柱などが見えはじめ、ほっとしたのも束の間、隊列の中から再び騒めきが起った。鉛色の空の下に、高い望楼が見え、一心も思わず、たち竦んだ。

「止るな！　早く歩け！」

背後から銃床で小突かれ、倒れそうになったが、辛うじて踏んばった。

近づくにつれ、囚人の列は羊の群のように従順になった。労働改造所は、高い灰色の煉瓦塀で囲まれている。四隅に聳える望楼には、銃を構えた兵隊が銃口を一人は煉瓦塀の内側に向け、一人は囚人の列に向けている。まさに流刑地の収容所であった。

囚人たちは、要塞のような門をくぐり、広場に整列して、点呼を受けた。空腹と疲労で昏倒しそうな囚人たち囚人を前に、労働改造所の所長が壇の上にたった。

「お前たち囚人は、今日から労働を通して、思想を改造するのだ、態度のいい者は刑期を短縮し、態度の悪い者は刑期を延長する、そのつもりでしっかりやれ！　脱走者は即時射殺、脱走計画を企てた者、及びその計画を知りながら通報しなかった者には、厳罰が加えられる！　解ったか！」

囚人たちは力なく頷いたが、一心は自分のように罪名も、刑期も解らないまま収容された者は、刑期をどのように延長し、あるいは短縮するのかと思った。

訓示が終ると、所属小隊が云い渡され、それぞれに看守に引ったてられて、一棟五監房に仕切られている棟々へ配分された。

一心たちの隊は第四棟の前で停り、看守が大きな鍵で監房の扉を開けて行った。一心は他の五名とともに、一番端の監房へ入れられた。中央が幅二メートル弱の通路で、その両側に炕（オンドル）があり、先住の囚人たちが薄暗いランプの中で、通路側を頭にして、ずらりと寝転んでいた。看守は囚人たちの間隔を詰めさせ、両側に三人ずつ押し込むと、布団を持っていない一心に、ぼろ布団を支給し、出て行った。

「ちぇっ、また新入りかよ、狭っ苦しくて仕方がねえのに、その上、またぶち込んで来るなど、ひどすぎるぜ」

「全くだ、これ以上、糞と小便桶の中が増えちゃあ、臭くてならねぇや」

先住の囚人たちは、口々に不平をならした。規定は片側八人ずつ計十六人だったが、二十四人も詰め込み、さらに新入り六人を押し込んだのだった。片目の獰猛そうな男が、新入りを一人ずつ、じろりと、睨め廻し、

「お前ら、夜食の窩頭（玉蜀黍の饅頭）が来たらすぐ喰って、静かに寝ろよ、泣いたり、喚いたりして、作業でくたくたの俺たちの眠りの邪魔をしたら、ただじゃすまさないぞ、俺は殺人犯だ」

どすの利いた嗄れ声で、云った。片目の男は、監房のボスで、周囲の囚人たちは一目おいており、その男の寝場所だけは二人分ほどあった。

窩頭を食べ終ると、薄暗いランプはすぐ消された。一心が割り当てられた寝場所は、外壁側の炕の、出入口に一番近い端であった。

同房の中で知っているのは、囚人列車の中で賭け象棋をさしていた荒くれ男一人で、先住者たちがどんな罪名で、いつからここへ収監されているのか、見当もつかない。

囚人の饐えた悪臭には慣れていたが、棟の煉瓦壁が薄いせいか、足元がしんしんと冷え、吠えるような風音が、心身を凍らせた。

翌々日の午前七時半、まだ明けきらない薄明りの広場で、戸外作業の千人余の囚人は四列縦隊になり、四度目の点呼を受けていた。計算下手の看守兵のせいであった。

零下五、六度の寒気の中で、陸一心は足を踏みならし、四度目の同じ番号を叫んだ。一週間、囚人列車に揺られて来たのに、政治学習で一日、監房にいただけで、戸外作業へ駈り出されたのだった。

一（イー）　二（アル）　三（サン）　四（スー）、　一（イー）　二（アル）　三（サン）　四（スー）……

囚人たちの声が、広場にこだまし、望楼の上で暗緑色の軍用大衣（ターイ）を着た兵士が、銃口を囚人たちの列に向けている。

ようやく名簿の員数と合い、出発命令が出た。

望楼の下の門を出ると、耕作をやすんでいるらしい畑に沿って行進したが、その先は、一昨日トラックを降りて、徒歩で労働改造所まで来た時と同じような凍（い）てついた黄土の道を、何処へ、何の作業に行くか知らされず、歩いた。

耳掩（おお）いの帽子を冠っていても、標高千二百メートルの黄土高原を吹く風は、ナイフのように鋭く痛い。

四、五十分行進すると、思いがけず、前方に黄色くうねっている河が見えた。黄河（ホワンホ）かと目を凝らしたが、四、五百メートル程の河幅からして、支流のように思われた。だが、渇水期であるにもかかわらず、黄濁した水嵩（みずかさ）は高く、両岸の崖を嚙むように白い波がたっている。

やはり黄河なのかもしれないと思い直し、行進を続けると、眼下に灌漑用のダム建設現場が見えた。辺境の地に、これほど、大規模なダムが建設されているなど、夢想だにしなかった。しかも現場には解放軍の兵士が二千人ほど、既に働いている。これほどのダム建設となると、解放軍の基本建設部隊、もしくは水利電力部施行隊の技術力を必要とするが、水利電力部は、文革の影響で技術者が批判され、追放されているだろうから、解放軍がいなければ、続行できない工事であった。

三十人が、一小隊となり、三小隊が一中隊となる解放軍式の単位で整列させせられると、中隊長は、

「囚人に告げる、今日のお前たちの作業は解放軍班長の指導の下、土採り場からダム底への土運びだ、各自、ノルマを果さなければ、隊全体が帰れない、国家建設の栄誉ある労働に参加し、汗をかくことによって、お前たちの立ち遅れた思想の垢を流し落す機会を与えて下さった毛主席に感謝せよ！」

とぶった。

一心は、改めて建設現場を見渡した。後方の山腹の黄土が広範囲に削られ、ショベル・カーが唸りを発して地肌を削っていたが、僅かな台数で、そこにも解放軍の兵士が、鶴嘴やスコップを振るっていた。山の高さからすれば、まるで蟻の群のように小さく、黒い列に見える。視線を前方に転じれば、流れを仮排水のトンネルへ逸らせ、さらに河幅一杯に高さ十五メートルほどの土と石の仮締切を築いて完全に流れを塞いだ河底に、解放軍の兵士が働いている。機械力は皆無に近く、毛主席が提唱している自力更生を人海戦術によってなし遂げようとしているのだった。

土採り場まで行進させられると、網筐（もっこ）や独輪車（一輪車）が与えられた。

「おい、ぼやぼやするな！　お前は網筐だ」

一心は天秤棒に二つの網笸を押しつけられ、土入れの前にたった。新参の囚人は最初の一回だけ、量が手加減されるが、一心はその天秤棒を担ごうとして、たち上れなかった。

「いい若造が、たった六十キロの土が運べないというのか！　怠けるな！　次からのノルマは、八十キロだぞ！」

現場指揮が怒鳴りつけた。六十キロぐらいと思うが、長い列車の移送直後で、体力が弱っており、身にこたえた。

容赦のない叱声に、一心は歯を喰いしばり、天秤棒をもう一度担ぎ上げ、よろよろと歩きはじめた。新参の囚人の多くは、平衡のとれない危なげな足どりで歩き、途中、石に躓いてころび、網笸の土をひっくり返したり、二度とたち上れず、しゃがみ込みかけると、現場指揮がすっ飛んで来て、一刻たりとも足を停めることを許さなかった。

前後三十キロずつの土を担ぎ、一心はひたすら前の囚人に遅れをとらないように歩いた。土採り場から河岸は緩い下り坂だが、河岸から河のダム底までは四十メートルほどの切りたった崖で、そこにつづら折れの坂道がつけられ、一列に連なった囚人たちがそろそろと下りて行き、土をあけると、別の道を喘ぐように登り、土採り場の方へ戻って行く。きれ目なく続くその列は、北京鋼鉄公司で中国最新の製鋼技術に携っていた一心にとって、万里の長城を築く苦役に駈り出された奴隷の列を思わせた。

急な坂道を、体を後方に引くようにして、河底まで達すると、解放軍班長の指示する場所に、土をあけた。河底は、堆積していた土砂層を浚い、白い岩盤が露出するまで、深く掘削され、その上に、運ばれて来た粘土質の固い土を、解放軍兵士が入念に締め固めていた。ダム底の土固めに入ってまだ間もないらしく、土の間に白い岩盤がまばらに露出している。

土をあけると、息つく間もなく、別の崖道を登り、土採り場へ戻って行く列に続いた。囚人の脱走防止のために、行動範囲には、赤い布切れをつけた旗竿が等間隔にたてられ、銃を脇に抱え、胸に重い銃弾帯を巻いた警備兵が、鋭く眼を光らせて、監視している。

二度目からの土運びは、ノルマの八十キロに増やされた。天秤棒を担ぎ、たち上ると、肩の肉に裂けそうな痛みが奔り、一歩一歩、足を踏みしめ、下り坂を下りた。河底で土をあけると、兵士たちがすかさず土固めをしていき、人海戦術による作業は、一往復、一・五キロのルートを七、八回も往復する頃には、倒れそうであった。

ようやく、昼の休憩になった。囚人たちの昼食は、労働改造所の厨房から馬車で運ばれて来る。土手に整列して、窩頭二個と白菜の葉っぱが浮いた塩汁を貰い、のどに流し込むと、皆、そのまま地面に横たわった。

陸一心も綿入れにくるまり、睡魔に引き込まれるように寝入った。どれほど、経ったのか、寝返りを打った途端、肩の激痛で、目が覚めた。周囲の囚人は、苦しそうに顔を歪めながらも、寝息をたてている。

そろりと上半身を起しかけると、肩甲骨までひび割れていそうなほど、痛い。呻きそうになり、息を詰めた。どこからでも、四六時中、監視している警備兵の銃口が、ぴたりと一心に向けられた。一心は痛みを堪え、体をもと通り横たえた。

昼間の気温は四、五度上ったが、風は相変らず、ごうごうと吹き荒れ、細かな黄砂が囚人たちの綿入れの服の上に降り落ちて来る。

夜の政治学習は、一中隊を一単位として部屋に集め、労働改造所の政治委員が教官となって行われる。

赤いビニール表紙の『毛主席語録』は、こんな辺境の地にも大量に配布され、まず最初に、一頁目の薄い硫酸紙で保護された毛主席の顔写真、二頁目の林彪副主席の顔写真に恭しく一礼してから、本題に入るのだった。今夜の学習は、「二十七章　批判と自己批判」であった。

部屋には石炭ストーヴが一つ置かれていたが、薄い煉瓦壁と土の床から零下二十度近い寒気がしんしんと襲って来る。各人、持参した木の小椅子に坐り、『毛主席語録』を広げて教官の話に聞き入る風を装っていたが、内心、少しでも早く、終了することを願っていた。

「……この箇所は、一九四二年二月一日、〝党の作風を整えよう〟と題して、毛主席が講話された重要部分であるから、深く学習し、どんな場合にも、直ちに暗誦出来るようにしておかねばならない、今より時間を与える」

と云うと、政治委員は、警備兵を残して、席をはずした。一心の隣りに、坐っている同房の陳は、同じ齢のせいか、一心が入った直後から、親近感を示し、まめまめしく入所心得を説き、世話をやいてくれたが、学習は苦手で、

「俺、小学校も碌に行ってないから、字といえば、毛主席の名前と自分の名のほかは共産党、中華人民共和国、同志ぐらいしか読み書きできないんだ、暗誦しておけと云われたところ、もう一ぺん、読んでくれよ」

と一心に頼んだ。

我们反对主観主义、宗派主义、党八股、有両条宗旨是必須注意的第一是〝懲前毖后〟、第二是〝治病救人〟。……

（われわれが主観主義、セクト主義、党八股に反対するにあたって、注意すべき二つのたてまえは、第一に「前のあやまりを後のいましめとする」こと、第二に「病をなおして人を救う」ことである）

一心は、既に何度も学習しているから、『語録』を見なくても、暗誦できた。低い声でゆっくり諳んじる陳は、

「懲前毖后、治病救人」

と繰り返し暗誦し、

「あんたら知識人は、楽で羨しいよ、懲前毖后、治病救人——」

「——」

「それにしても、早いとこ、寝させてほしいよ、体が、がたがたになるまで働かせて、その上、夜の学習なんて、殺生だ、ええっと、次は何だったっけ」

「対以前的錯误一定要揭发、不讲情面、要以科学的态度来分析批判过去的坏东西……（前のあやまりにたいしては、情実にとらわれず、かならずこれを指摘し、科学的な態度で、過去のわるいものを分析し批判しなければならない）これが〝前のあやまりを後のいましめとする〟という意味だ」

棒読みに諳んじ、あとは黙り込むと、陳は口の中でもぐもぐと繰り返し、

「そんな難しいこと、覚えられんよ」

必死で暗誦している周囲の囚人たちに聞えないように毒づき、上眼遣いに一心を見、

「あんた、いつまでも塞ぎ込んでいては、駄目だよ、あんたも、あの反革命分子の大学教授のように、頭がいかれてしまうぜ」

三列前に坐っている同房者を、眼で指した。

「ほう、あの人は、大学教授なのか」

一心は、額の広い知的な顔に眼鏡のつるを壊して紐でかけている五十半ばの人のうしろ姿を、まじまじと見た。

「その横はご存知、わが房の片目のボスだ、懲役二十年の殺人犯がどういう手違いで、刑務所か

らこっちへまぎれ込んだか解らないんだけど、人喰い虎のような怖しい顔の割には、人情家だぜ」

陳は『毛主席語録』の暗誦そっちのけで、ボスの右隣りは詐欺師で改造所側の犬、その左は前科二犯の窃盗と、罪名をひそひそ喋った。同房者の八割がそうした類いの刑事犯のようであった。

「で、君の罪名は？」

「えっ、俺？　俺は……ふ、ふ、婦女暴行罪」

蚊のなくような声で云った。一心は気味悪かった。

「これには深い訳が……」

弁明しかけた時、政治委員の教官が入って来、数人を指名して、暗誦させ、出来ない者は前へひきずり出し、看守兵に鼻血が出るまで殴らせた。

恐怖の政治学習がようやく終ると、囚人たちは一目散にそれぞれの監房へ駈け戻り、炕（カン）の上に寝そべり、暖を取った。

「おい、婦女暴行の陳よ、〝病をなおして人を救う〟という毛主席の有難いお言葉だけど、お前のあの方の病いは不治なんだろうなぁ」

窃盗前科二犯の男が、お人よしの陳をからかった。陳は口を尖（とが）らせ、

「何度、話せば解るんだ、俺は確かに十七歳の生娘（きむすめ）を強姦したが、嫁を貰おうにもその金がなかったんだ、うちの貧乏人の親が童養媳（トンヤンシ）（将来、息子の嫁にするために幼時から買う娘）を貰うとけば、こんな罪にならんですんだのに、気がきかん親父さ」

「婦女暴行を親父のせいにするなよ」

向い側から、声が飛んで来た。陳はしゅんとし、

「けどよ、二十五歳を過ぎても女を知らず、嫁さんの来手もないんじゃあ、あんまりだと思わん

か」

　愚痴るように云った。

「なるほど、事情を聞けば、いささかの同情の余地はあるな、今でも、その女の味は忘れられねぇだろうなぁ」

　煽るように云うと、陳はすぐ乗せられ、

「そりゃあ、忘れられないよ、なんせ、最初で最後かもしれん女の味だからなあ、今でもあの時のあれを思い出すと、もう……」

　痺れるような声を出した。周囲が卑猥な笑い声をたてると、窃盗男は、

「おい、新入りの陸一心とやら、お前は、婦女暴行の陳と同い齢らしいが、嫁さんはあるのかい」

　とからかった。一心は、壁際に丸めていた布団を広げ、聞えぬ振りをすると、

「お前、妙にお高くとまってるじゃねえか、挨拶がわりに、返事をしな!」

　凄むように、声を荒げた。

「独身だ――」

「じゃあ、お前は、どじな陳と違って、しこたまうまい目を味わったくちだろうが」

　下卑た顔で云った。一心が黙殺すると、

「むっつり助平とは、お前のような奴のことじゃねえか、俺の睨んだところ、お前の方から、ちょっかい出さなくても、女の方が放っておかん面構えだ、女と乳繰り合うた話の一つや二つ、披露して貰いてえよ」

　一心は、怒り心頭に発しそうになるのを、辛うじて抑えた。窃盗男は黙殺されたと見て、黄色い歯を剝き出し、手を出しそうな気配になりかけたが、片目のボスが、ぎょろりと眼を光らせる

と、窃盗男は奥の炕の方へひき下った。

「どうも、ここの連中は女の話となると、さかりのついた犬みたいで、困ったもんだよ」

陳から、当局の犬と聞いている詐欺師が、そつのない笑いを浮かべて、一心に近付いて来た。

「どうです、ここの居ごこちは？　あんたのような政治犯は、政治犯棟へ割りふりされれば気が楽だろうに、よりにもよって刑事犯が八割がたの中では、暮しにくいだろう、配置替えを申請してはどうかね」

滑らかな口調で、同情をよせるように云った。

「いや、どこでも同じですよ、ここで『毛主席語録』をよく学習し、実践するよう心がけますよ」

「ほう、模範答案ですな」

拍子抜けした顔を取り繕うと、賭け象棋の王が口を挟んだ。

「こんな小日本鬼子の云うことなど、あてにならねぇ、こいつは移送中、俺の大事な象棋の駒札を盗んだ汚ねえ野郎だ、あれ以来、ツキが落ちて、負け込むばかりだ」

しつこく駒札の一件を持ち出して、一心をいびった。詐欺師は、

「ここじゃあ、中国人も日本人もない、力があって、作業が出来る者が偉いんだよ」

一心に恩を着せるように庇い、排尿の桶に向って用を足すと、さっさと寝てしまった。寝入ったのを確めると、斜め向いの農民らしい男が、ちぇっと舌打ちし、

「あの詐欺男を見る度に、俺んとこの村の人民公社の幹部を思い出して、へどが出るよ」

「またぞろ、その話か」

隣りの男が、合の手を入れた。

「何べんでも、云い足りん、俺は人民公社のでたらめさで、ひどい目に遭うた。俺らが汗水たら

して作った白菜を、手配したトラックが来ねぇからと、公社の庭に山積みしたまま腐らせた、作った農家は野菜不足で、たとえ腐りかけでも欲しいというのに絶対、許さず、たまりかねてこっそり三個、家へ持ち帰ったら、国家所有物を盗んだと逮捕された、公社の幹部連中は毎年、でたらめな豊作の報告を書いて上部機関から先進生産隊として表彰され出世することばかり考えているから、さらに生産向上を要求されて、苦しむのは俺たち勤勉な農民だ、三年続きの大飢餓にしたって自然災害に加えて、人民公社の幹部らのでたらめな指導が輪をかけた人災だ、人災だとも！」

愚痴っているうちに、怒りがこみ上げ、声高になった。

「お前、何を寝言云ってるんだ、寝言でも、お上を批判したら反革命罪だぜ、口に蓋をして、さっさと寝ろ！」

片目のボスが、ぎろりと眼を光らせ、当局が放っている犬の餌食になるぞと、警告した。その一声で、他の囚人たちも揃って布団をかぶった。

一心も、ぼろ布団を顎までひき上げた。あちこちで鼾がたち、一心も眠りかけると、隣りの大学教授が、

「君、『ヘーゲルの「美学」は天才の著作である』という言葉を知っているかい」

突然、耳もとで、話しかけて来た。殆んど誰とも口をきかず、陳の話では気がふれていると聞いていただけに、何の脈絡もない呟きかと、聞き流しかけると、

「私は、これでやられたんだよ、一九五七年からの反右派闘争では、右派分子として労働教養所送り三年、その後、釈放され、元の大学に戻ったが、文革がはじまるとすぐ、造反派の学生どもに吊し上げられた」

気がふれているとは思えない口調だった。

「ヘーゲルの美学云々など、西洋かぶれの教師だと批判闘争大会で、さんざん教え子にやられたよ、マルクス主義に反対する学閥だと弾劾(だんがい)された時、私ははじめて『ヘーゲルの「美学」は天才の著作である』と云ったのは、エンゲルスが、マルクスに送った手紙の中の言葉であると説明すると、造反派の連中は、自分たちの無学を恥じるどころか、今度は、我々を馬鹿にし、愚弄(ぐろう)したと怒り、死んでも悔い改めない反革命分子として、労改十年の刑になった、学問の真理を話すことが罪になるなら、学者に死ねというのと同じことだ、私は一体、この先、どうすればいいのか、どうすれば……」

今までの落ち着いた口ぶりから、一転して、涙声になり、おいおいと噎(むせ)び泣いた。一心がそっと背中をさすると、一心の胸にしがみついて来、

「ヘーゲルが会いに来てくれたら、無罪が証明できる。手紙を出してくれないか」

と云った。明らかに精神の正常を欠いている。一心は胸が裂けそうな痛ましさを覚えた。一人の学者が、ヘーゲルの美学云々のたった一事で、労改送りになり、自分もまた、冤罪(えんざい)で刑期もなく、囚人の群の中に投じられている。

文化大革命とは名ばかり、文明と知識を否定し、圧殺する運動によって中国はこの先、どうなるのだろうか、一心は暗澹(あんたん)たる気持になった。

それから半年後の一九六七年六月——、ダムの土盛りは、ようやく、仮締切(かり)の高さの半ばぐらいまで達していた。

雨期に入るまでに、少しでも高く土を盛り上げ、固めておかねばならない。そのために、このところ、日照時間一杯の工事が続いていた。

一心たちの小隊は、網筐(ワンクアン)（もっこ）や独輪車(トウルンチヨ)で土を運ぶ仕事から、河床へ運んで来た土を三人

一組になって土固めをする作業に廻されていた。

半年前、初めてダムの工事現場に来た時、まだところどころ、河床の白い岩盤が露出し、河幅は三十メートルぐらいであったが、人海戦術で、ひたすら土を運び、今では七、八十メートルの幅に広がっていた。土採り場から断崖を抉って作った細い崖道に、土を運ぶ人間の列が、延々と切れ目なく続き、土を空けて行く。その土を平に撒き、三本の柄がついた打夯（タコ）で、三人が息を合せて持ち上げ、ズシンと打ち下して締め固めて行く作業は、土運びよりさらに重労働であった。三人のうち、一人でも気を抜けば、直径約四十センチ、重さ六十キロ近い打夯は、平衡を崩し、うまく上らない。広い河床に、三人一組が、ずらりと横一列にならんで、次々に運ばれる土を叩く作業であった。

叩けども、叩けども、土は陸続として運び込まれ、ようやく、端まできたかと思うと、また上流側の前端に運ばれた土を叩き締めて行かねばならない。絶え間なく追い使われる苦しさに、一息ぬいて、遅れると、横一列の動きを監視している看守兵が、ぴいっと笛を鳴らして、警告する。

太陽は容赦なく照りつけ、丸刈りの坊主頭から首筋に汗が滴り、打夯を上げ下しする掛け声も出ない。一心の相棒は、婦女暴行罪の陳と、窃盗罪の孫であった。一心と孫は、汗まみれになり、からからに渇いた咽喉を唾で湿して打夯を打っていたが、陳の手から力がぬけていることが、打夯の重さで解っていた。

「もう続かん、ろくに喰わさず、こんな重労働が……」

と云うなり、打夯の柄を放して、その場に坐り込んだ。看守兵が、すっ飛んで来、

「起立！　作業中だ、休むな！」

と怒鳴ったが、陳は坐り込んだまま、

「こんな奴隷なみにこき使われるのなら、死んだ方がましだ。さあ、殺すなら、殺せ！」

小心な男が、気が狂ったように開き直った。他の囚人たちが手を止め、騒ぎかけると、

「皆、手を止めるな、作業続行だ！」

看守兵は銃を構えて、命令し、

「今から一、二、三を数える。その間にたち上らなければ、発砲する！」

銃口を向けると、

「ぶっ放してみろ！　大事な労働力だぜ！」

もはや、陳は動かなかった。

「よし、数えるぞ！　一……」

と云った時、一心は大声で叫んだ。

「陳、起立するんだ！　嫁さん貰うまで、死ねんと云ってただろう！」

と云うと、陳は日夜、夢みていたことだけにふらふらとたち上り、打夯の柄に縋りついた。横一列の土固めの列から、既に一メートル余り遅れている。一心と孫の二人が、陳をひきずるようにして、必死に遅れを取り戻した。

「小休止！」

看守兵の声と笛が鳴り、飲み水が与えられた。一心は、二口、水を口に含んだ。からからに乾いた咽喉が潤い、胃袋に水が沁みた。一日のうちに与えられるものの中で、この作業中の水が一番有難かった。陳は水を飲むなり、ぐったり横たわってしまった。

再び、作業開始の笛が鳴った。今度は一人槌に変った。相棒のいない一人槌は、勝手ができるように見えるが、三人一組のタコより苦しかった。自分に課せられた広い面積の土を一人で何時間も叩き続けることは、気が狂いそうなほど単純で、労力のいる作業であった。不意に、ぽつりと冷たいものが落ちた。大粒の雨が、空から降り落ちて来、忽ち、ダムの底がぬかるんだ。

作業中止の笛が鳴ると、囚人たちは崖道へ上って集合し、点呼を受けた。戸外作業中、突如として降る雨は、脱走を企てている者には好機到来であったが、最近、下流側の仮締切を越え、黄河の流れに飛び込んで逃亡しようとした囚人が、射殺されたばかりであった。

人員点呼のあと、鶴嘴（つるはし）、スコップ、打夯（ターハン）、独輪車（トゥルンチョ）の数を厳重に数え、数が合うと、四人縦列を組んで、労働改造所へ戻った。

思わぬ恵みの雨に、囚人たちは、疲れ果てた体を監房の炕（カン）の上に横たえた。

だが、雨は、翌日も、その翌々日も、黄土を叩きつけるように降り続いた。改造所のあちこちに黄濁した水溜りが出来、溝を掘っただけの厠（かわや）の汚物が流れ出し、監房に悪臭がたち籠（こ）めた。

屋根を叩きつける雨の音は、三日目の夜になっても弱まらず、房のそこここで雨洩りがひどくなり、洗面器や食器を持ち出して、雨水を受けた。

「ぴちゃ、ぴちゃと、うるせえじゃねえか、雨洩りぐらい、放っておきなよ、眼鏡の大先生」

窃盗犯の男が苛だたしげな声を発した。

「君のところはいいだろうが、私のところは、布団の上へ落ちるから仕方がないじゃないか」

眼鏡の大先生と呼ばれた例の大学教授が、むっとして云い返した。一心の枕もとにも、ポトッ、ポトッと、雨洩りがし、洗面器で受け、頭を逆にして寝転んだ。

やがて、雨の音に、囚人たちの鼾（いびき）が混ったが、一心は寝つけなかった。元旦、春節（旧正月）と国慶節、メーデーの他は、月二回の休みしか与えられない。明けても暮れても、苛烈な肉体労働に使役され、既に何人かの事故死、病死者を出している。この雨が止めば、また同じ労働が、いつ果てるともなく続く。一心は、寝返りを打った。痩せこけた体で、右肩の肉だけが盛り上っているのは、八十キロの土を盛った網筐（ワンクアン）を天秤棒で長く担いだからであって、体はもちろん、顔も黒く日灼けし、もう十年も前から囚人であったように、皮膚がかさかさに荒れ、心もすさんで来ていた。このまま使役され、ボロ屑のようになって死んでしまうぐらいなら、痩せ衰えているとはいえ、二十七歳の若さと運を天に任せて脱走をと、幾度、考えたことだろうか。

だが、厳しい監視体制をかいくぐって脱走し得るチャンスは、皆無に近い。たとえ、ここを囲んでいる高い煉瓦塀と有刺鉄線をくぐり脱けても、からからに亀裂した白いアルカリ性の土質で、一木一草とてない不毛の地が果てしなく続き、待っているものは餓死であった。それを考えると、養父母の懐に帰り着くまでは、何としても生きぬきたかった。北京を出発した囚人列車が、名も知れぬ小さな駅に停った時、象棋の駒札の裏に、養父の名と住所を走り書きし、『労改、冤枉（冤罪）、陸一心』と七文字だけを記して、有金全部をそえて、もの売りの小孩に託したあの駒札の行方は、どうなっているのだろうか——。

突然、泥のように眠りこけている囚人たちの眠りが破られた。

ウォ〜ン、ウォ〜ン！

緊急事態発生を告げるサイレンが、鳴り響いた。

全員、飛び起き、鉄格子のはまった窓の外を見たが、事態は解らない。扉は外から施錠されているから、確める術もない。

「脱走者が出たのか」

「誰が、やったんだ」

寝ぼけ眼をこすっていると、看守兵が慌しく、外から施錠をはずし、

「雨で黄河の水位が上って、ダムが危ない！　全員直ちに編隊を組んで、ダムへ行くんだ」

と云い、次の監房の扉を開けに走った。

「けっ！　黄河が氾濫するかもしれねえのなら、大洪水になって、俺らの命の方が危ねえじゃねえか」

「そうだ、俺たちに出動より、避難命令を出すべきだ」

「囚人の命より、ダムの方が大事なんだとよ」

口々に抗いながら、白い飛沫をはねて降っている雨あしを見上げ、急いで服を着、どぶ鼠のように濡れて、望楼の前の広場に集合した。一心たち早く集合した隊は、平常、乗せられたことのない幌付きの五台のトラックに押し込まれて、先発した。集合の遅い隊は、徒歩で後に続いた。

黄河に近づくにつれ、天地が雄叫びをあげるような音響が強まった。堤防につくと、支流とはいえ、あたかも一万頭の奔馬が疾走しているかのような轟きがし、松明やカンテラの灯りが河を照らしていた。渇水期の河しか見ていない一心は、水嵩の増した河が海のような大きさに見えた。風が吹く度に一心の頭上を越すほどの波濤がたち、暗闇の中で、白い無数の牙をむくように砕け散って行く。まさに荒れ狂う竜のようであった。

ダムの前の仮締切で堰き止められた濁流は、仮排水のトンネルだけでは、排水しきれず、まわり一面、水浸しとなり、濁流が仮締切を越して今にも、盛りたて中のダム本体に流れ込んで来そうであった。もし濁流が仮締切を越えて流れ込めば、せっかく築いて来たダムは、一たまりもなく、決壊してしまう。

「囚人に告ぐ！　ダムを死守するために、仮締切の上に、柳囲い、土嚢を積み上げる作業にかかれ！」

警備隊の大隊長が、絶叫するように号令したが、囚人たちは怯え、慄き、一ところにかたまったまま、動かない。一心の隊の屈強な片目のボスさえ、逆巻く濁流を前にして、たち竦んでいる。

大隊長は、再び命令した。

「直ちにダムを死守せよ、命令に服さず、後退、もしくは脱走する者は、容赦なく、即時射殺する！　党と国家のために献身する向い側の解放軍兵士を見習え！」

向い側を見ると、篠つく雨の中で、数千人の解放軍兵士が既に出動し、仮締切に柳囲い、土嚢を積み上げている姿が、松明の灯りに照らし出された。将も兵もなく、我先にと崖っぷちの道を下へ降り、死にもの狂いで、リレー式で土嚢を積み上げているが、土嚢が間に合わず、中央部分が越流しそうになった時、何百人かの兵士たちが、濁流の中にたった。水に浸かりながら腕を組み合い、人間の壁となって、激流を阻んでいる。それが任務であるとはいえ、生命の危険を顧みず、ダムを死守しようとしている解放軍兵士の姿は、一心の心を動かした。

一心の足が、一歩大きく前に出た。同時に片目のボスも動き出すと、他の囚人たちも続いた。大隊長は直ちに、第一隊は土採り場で、柳囲いに土砂を詰め、第二隊はそれを独輪車で運び、第三隊は解放軍のように仮締切の上に、リレー式に柳囲いを積む命令を出した。

解放軍と囚人部隊が、半分ずつ守っている仮締切であるが、囚人の方は出動が遅かった上、闇の中の濁流を怖れて、土嚢積みは、なかなか進まない。その間にも刻々と水位は上り、仮締切の一部を濁流が越え、白く光りながら、ダムへ流れ込みはじめた。

「第三隊、二班に分れて、流れを防げ！」

大隊長の声に、一心たちは、濁流が越えかかっている土嚢の上に、しっかり腕を組んで人垣になった。やや低い箇所であったから、濁流は人間の壁に挑みかかるように凄じい水圧で迫って来るが、肝腎な土嚢がなかなか運ばれて来ない。

膝までの水が、やがて太股のあたりまで来、背の低い囚人は腹まで水に浸かり、体が浮きそうになっている。

「駄目だ、流されそうだ！」

「援軍が来たぞ！　頑張れ！」

解放軍兵士が濁流の中へ入って来、押し流されそうになっている囚人たちを支えて、人垣を組んだ。

「土嚢を運べ！　もっと早くしろ、危険だ！」

胸もとまで濁流に浸かり、頭から飛沫を浴び、仁王だちになって、指揮している兵士がいる。肩幅の広いがっしりとした体軀と引き締った横顔から、袁力本(ユワンリーベン)に違いなかった。

「袁力本、袁！」

一心は冷えと疲労で朦朧となりながら、叫んだが、雨と濁流の音にかき消された。

「袁！　俺だ！　一心だ！」

なお声を限りに叫び続けたが、袁らしい兵士は振り向きもせず、多くの兵士たちを指揮し、仮締切の上を越えて来る濁流を阻むため人間の壁を築いている。

ようやく、独輪車の列が、崖道を伝って下りて来るのが、松明の灯りを通して見えた。四人の列に兵士も混っている。運んで来る千個、二千個の柳囲い、土嚢は、必死になって積み上げても、すぐ失(な)くなり、また途絶えた。

「ぎゃあ！」

凄じい悲鳴とともに、

「誰かが転落したぞ！　気をつけろ！」

という声がしたが、暗くて見通しがきかない。崖道の下り勾配(こうばい)を急いで、独輪車を押し、足を滑らせたらしいが、列は一時、停止しただけで、独輪車とともに転落した四人を助ける余裕はなかった。

一心たちが守っているところへ、やっと柳囲いと土嚢がリレーされて来、流れを阻んでいる低い土嚢の上に、三段、四段と、次々に積み上げられた。

一時間も経つと、水中で、人間の壁となっている一心たちは体が冷えきり、五体の感覚が麻痺しつつあったが、また次の土嚢積みを続けた。

やがて雨が小止(こや)みになり、明け方近くには土嚢の積み上げが高くなり、増水による仮締切の決壊は危機を脱した。

薄暗い夜明けの対岸から、解放軍の兵士たちが、松明やカンテラを振り、

「毛主席万歳！」

囚人たちの働きを讃える歓声が上った。囚人たちも、それに応じ、

「解放軍万歳！　人民万歳！」

と叫んだ。一心も叫びながら、あの濁流の中で兵士を指揮していた男は、袁力本だったのか、それとも幻影に過ぎなかったのか——、瀋陽軍区の袁力本が寧夏回族自治区にいるはずがないと思いながらも、見極められなかった落胆が大きかった。

今日は運よく守り通せたが、こうした危険は、明日も、また明後日も、そのまたあとも、囚人としてダム工事に駈り出されている限り、続くのだった。

七章　流刑

来る日も、来る日も、囚人たちは、ダム建設工事に使役されていた。

二カ月前の大雨で、決壊の危機に晒されながらも、ダムを守り抜いたことが、今では恨めしいほど、囚人たちは重い労働を強いられていた。

炎熱下、陸一心は、山を頂上から段々に切り崩した土採り場で、頭から黄色い砂塵にまみれ、二千人の解放軍兵士、千人の囚人とともに、人海戦術で粉質土の急斜面に向って、鶴嘴を振るっていた。ソ連製の中古のショベル・カーも導入されていたが、故障が多く、掘削しているより、修理している時間の方が長いと、囚人たちは毒づいていた。

山を崩す作業は、人間の心を滅入らせる。その上、その山を人力で河底へ移すに等しい原始的作業は、北京随一の鋼鉄公司で働いていた一心にとって、一層、単調で耐え難い労働であった。ともすれば、鶴嘴を投げ出したくなる。

「おい、そこのへなちょこ、手抜きをするな！」

背後から、現場監督の怒声が飛んだ。しまったと、体を退らせた途端、鞭がうなった。自分の背中に打ちおろされると思った鞭は、隣りで溜息ばかりついている婦女暴行男の陳を打ちすえた。

陳は一たまりもなく、地面に蹲（うずくま）った。

「女みたいに、なよなよせず、すぐたち上れ！　たって働け！」

現場監督が罵声（ばせい）を浴びせると、婦女暴行男の陳はよろよろとたち上り、

「す、すんませんでした」

鞭を逃れようとして、両手を合せ、許しを乞う姿が哀れで、一心は顔をそむけたが、周りの囚人たちは、ドジな野郎だと舌打ちした。土採り場の現場監督が傍で目を光らせていては、自分たちまで息が抜けないからだった。

懸命に鶴嘴を振るっていると、ゴロゴロと、小石ばかりが急斜面から大量に落下して来た。土採り場は、長大な斜面を十二、三メートルに階段状に段切（だんぎ）りし、各段で人が働く危険な上下掘削作業が行われているのだった。

ようやく現場監督が陳から離れ、周囲の囚人たちが、ほっと鶴嘴の速度をゆるめかけると、再び上の方から土砂がざざーっと流れて来た。しかし、空（から）の独輪車（トウルンチヨ）や天秤棒の網筐（ワンクアン）（もっこ）の列が次々に廻って来、考えている余裕がない。近くにいる殺人犯の片目のボスも、前科二犯の窃盗男も、黙々と鶴嘴を動かしている。

一心は、ふと、遠雷のようにかすかだが、肚（はら）にずしっとこたえる音を聞いたような気がした。その時、

「山が崩れるぞぉ！　退避せよ！」

現場監督が叫んだ。驚いて顔を上げると、数百メートル上から土煙がたち、山が動いた。囚人たちは鶴嘴を投げ出し、蜘蛛（くも）の子を散らすように逃げ出した。一心も駈け出したが、上から襲って来た土砂にさらわれるように押し倒され、流され、固いものにぶち当った。もがこうとしたが動けなかった。

それからどれくらい、時が経ったのか、混濁した意識の中で、ショベル・カーの唸る音、シャベルの音が聞えた。

やがて、胸から下は重く押し潰されているのに、頭が動くことに気付いた。山崩れで生埋めになったことが、ぼんやりと思い返されたが、ひどく息苦しく、再び意識が薄れた。

ザーッと重い粉質土が取り除かれ、体がふわりと軽くなったような気がし、

「このショベル・カーの下に、人がいるぞ！」

という声が聞えた。この時、自分がその人間であることに気付いた。息が少し楽になり、シャベルの音がすぐ傍でしているようだった。

助けてくれなくていい――、刑期も解らず、奴隷のように使役されて生き続けるのはもういい……。

「おっ、鉄野郎の陸(ルー)だ！　早いとこ引揚げろ！」

片目のボスのようだった。

いつの間にか、一心は、トラックの上にいることに気付いた。その前に誰かが馬乗りになり、人工呼吸を施されたような記憶がかすかにあった。トラックには、他にも大勢の負傷者が乗せられているらしく、車が揺れる度に、呻き声がした。

はっきり意識が回復したのは、監房の自分の炕(カン)（オンドル）の上だった。

労働改造所の医者が、自分の脈を診(み)ており、片目のボスをはじめ、同房者が神妙な顔付きで、医者と自分とを見守っている。

「気がついたようじゃな、脈はまだ不正常だが、紫紺(ツカン)（チアノーゼ）はほぼ消え、心配あるまい、とりあえず二日間の休養を許可する」

と云うと、聴診器をぶら下げ、次の監房へ出て行った。

「おい、助かったぜ！」

「顔に血の気がのぼって来たぜ！」

口々に、一心の生還を喜んだ。一心は唇を動かしたが、声にはならない。声を出そうと、息を吸い込むと、気管の先々までも痛んだ。

「礼などあとだ、お前は助かったんだ」

誰かがいたわるように云った。

「もう……放っておいてくれ——」

生を拒むように呟いた。

それから二日間、一心は同房者が作業に出た後、一人で天井を見詰めて過した。医務室は重症者で満床であった。三十人の同房者のうち、二人が生埋めの窒息死、一人が内臓破裂で半日後に死亡、他は幸運にも逃げおおせたり、すぐに救出されて大事に至らなかったらしい。

がちゃりと、外から錠がはずされ、看守兵が昼食を運んで来た。

乱暴に粥と漬物だけの食器を置くと、

「無傷で二日間の休養とは、うまくやったな、あの耄碌教授でさえ、作業に出ているというのに」

厭味たっぷりに、云った。

「明日から、平常通り働く」

ヘーゲルの哲学を語る大学教授が、作業に出ていることを思うと、なぜショベル・カーの下から引揚げ、蘇生させたのだと、捨鉢に恨んだことが恥しくなる。

粥を啜った後、一心は空になった食器を通路の突き当りの台に置きにたった。二十七歳の体力は、この二日間で回復し、痛みが消えないところといえば、八年前、捻挫した右脚首だけだった。台のすぐ上には、小窓があった。鉄格子がはまっていても、夏の間は塞がれない監房に一つだけある窓であった。

向いの監房の棟の屋根に、黄色い嘴を持った鳥が十羽ほど、一列に並んでいた。労働改造所の高い煉瓦塀も、四隅の望楼の兵士の銃口も怖れることなく、自由に飛翔できる生きものに見とれていると、人間の眼を察知した鳥たちは、ギャァーッと、容に似ぬ啼き声をたてて、一斉に飛びたったが、中の二羽はやや遠くの屋根瓦へ移っただけで、仲よく並んでいる。一羽がしきりに羽根をつくろいはじめたが、もう一羽はじっと動かない、番鳥だろうか——。一心は二羽の鳥に眺め入りながら、知らず知らずに、今もって忘れ得ない初恋の人、趙丹青のことを思い返していた。

丹青から愛情を示されながら、容易に愛していると云えなかった一心が、生れて初めて恋を告白したのは、大連工業大学の卒業式が終り、就職先の配属が発表された翌日であった。老虎灘から棒棰島海岸へぬける海沿いの小高い山道を歩き、視界に広がるのは青く燦く海だけであった。台地の樹陰まで来た時、心の底から丹青を愛していることを告げ、日本人である自分の出自を話しかけようとすると、丹青の炎のように燃えたった眼と、蠱惑的な唇が、それ以上の言葉を封じ、唇を求めた。大学二年の頃から愛を育み、唇を交した丹青には、もう何を話しても、二人の愛は変らない自信が強まったものの、いざ、体を離し、話し出そうとすると、言葉が棘のようにひっかかり、出て来ない。自分の出自を告げるべきか、告げざるべきか——、この期に及んで躊躇うことの方がおかしいと思いながら、その日、一心は遂に、告白できなかった自分が惨めで、将来を誓い合う口づけ以上のものを求めようとする丹青の激情に、辛うじて踏みとどまったのだった。

しかし、哈爾濱(ハルビン)の東北重工業局の高級幹部である丹青の父が、大連で開かれる会議に来、引き合される前までには、何としても話しておかなければならなかった。

その時は、予想外に早く来たのだった。卒業式の三日後、上海の研究機関や鋼鉄公司などに配属のきまった同窓生四人を、親しい仲間が大連港の埠頭(ふとう)まで見送りに行った。四人は四等船室に席を確保してから、桟橋へ上って来た。上海(シアンハイ)まで、青島(チンタオ)経由で四十八時間かかる船旅だが、誰もが故郷へ帰る喜びと、実社会へ巣だって行く希望で輝いていた。

「お互い、別れ別れになっても、大連工大出身の名誉にかけて、苦難を乗り越えよう、いつか海外の研修先で一緒になれるかもしれないし」

「上海へ来たら、必ず知らせてくれよ、中国で一番うまい料理を食べさせてやるからな」

口々に云うのを、一心や丹青たち見送る側は笑いながら、

「空頭支票(コントウゴーピャウ)（空手形）に終らないように頼むよ、ともかく、いつも連絡を緊密にし、困った時は互助精神で行こう」

「それに皆、いい結婚をしてね、あなた方がどんな女性(ひと)と結ばれるか、楽しみだわ」

クラスの華である丹青が云うと、上海行きも見送り人も一斉に、一心と丹青へ視線を集め、

「結婚なら君たちが一番早いだろう、もう決っているんだろう」

と聞いた。一心は答えようがなく視線をそらせると、さすがの丹青も頰を染めた。

出航のドラが鳴り、四人は船に乗り込んだ。

「元気で、再会(ツァイフィ)！」

「再会！　結婚したら知らせてくれよ」

甲板と桟橋で、互いに千切れるほど手を振り、別れを惜しんだ。船が白い波の曲線を残し、青い海の彼方に消えるまで見送ると、一同は、二人を残して、気を利かせるように去った。

夕陽が沈みかけ、潮風が快かった。そこから視線を巡らせると、海に向って櫛形に突き出た埠頭が何本も見え、貨物船に荷積みしているクレーンや、沖合に碇泊している大型船、その周りを走っている艀のシルエットが、夕陽の中にくっきり浮かび上っていた。

「もしかして……あら、やっぱり、爸々だわ」

一般の桟橋と異る埠頭から、一隻の船が出航して行き、見送り人たちが引揚げて行くところだった。

「爸々！　丹青よ！」

驚く一心を尻目に、大声を上げ、手を振ると、見送り人の一団の中から大柄な人がたち止り、待合室の建物の方へ来るように、合図した。

「爸々がもう来てるなんて、知らなかったわ、一心、紹介するから早く行きましょう」

と云うなり、駈け出したが、一心は気持の準備が出来ていず、その場に留まっていた。丹青は、待合室の前に駐車している車の前で、父親らしい人と話していた。父娘の周りを、部下らしい随行者がにこやかに取り囲んでいる。そして、そこに待機しているぴかぴかに拭き磨かれた車が、ソ連製の「伏尓加」（ボルガ）であることに気付いた。

丹青の父が高級幹部であることを眼のあたりにして、一心は自分の出自を今、告白しなければならないと思うと、動悸が搏ち、金縛りにあったように動けなかった。だが「伏尓加」は動き出し、丹青はスカートを翻して戻って来た。一心は全身の力が抜け、吐息をついた。

「ちょっと、散歩しようか——」

夕陽が翳り、潮風が涼しく吹き抜けていく人影の少い埠頭を、歩いた。丹青はしなやかな腕を巻きつけながら、

「まさか、爸々とここで会うとは思わなかったわ、会議の来賓として、招いた国務院の元副総理

が、青島の高級幹部保養所へ静養に行くのを、見送りに来たんですって――」

静養――、それも今までの一心にとっては、小説や映画で接するだけの現実味と遠い言葉であった。

突堤まで来ると、さっきまで夕陽に燦いていた海が、深い藍色に変り、鷗の群が船のマストや、ブイのあたりを舞っていた。

「せっかく爸々に、あなたを引き合せようとしたのに、どうして早く来なかったの？」

一心が応えず、黙したままでいると、

「爸々は急ぎの用があって今日は駄目だけど、あなたのことを話したら、明日、一緒に食事に来るようにと云ってくれたわ」

甘美な声で云い、丹青は口づけを求めるように体を寄り添わせた。

「丹青、話がある」

「――また？　話はこれから先、どれだけでも聞けるわ」

「いや、君のお父さんに会う前に、話しておかねばならない大事なことなんだ」

何を話しても、丹青を失うことはないと思いながらも、つい今しがた目前にした父娘の情愛の濃さを思うと、やはり口が硬ばった。だが、今、勇気を奮い起して告げねば、時を逸する。

「一心、どうしたの、体が震えているわ」

丹青が、訝しげに云った。一心は海へ視線を向け、

「丹青、よく聞いてくれ、僕は中国生れではないんだ」

と切り出した。

「というと、華僑なのね、驚いたわ、どこで生れたの」

黒い瞳を、大きく見開いた。

「華僑じゃない、僕は日本人なんだ」

丹青は、信じ難い表情で一心を見た。

「嘘！　そんなの冗談でしょ」

「嘘ではない、事実だ、私の話をよく聞いてくれ」

一心は、つとめて静かな口調で、日本の敗戦で逃避行中、家族と離散し、死別、八歳から現在の父、陸徳志に中国人として育てられたことを話した。

「僕には日本の記憶が全くない、こっちの開拓団で育ったと思うが、ソ連軍の大虐殺で生きのびたものの、その時のあまりの恐怖心で両親の名前すら、一切、思い出せない、僕は血は日本人だが、陸徳志という養父に一人息子として慈しまれ、立派な中国人として育てられたことを解ってほしい」

そう語り終えると、丹青は凍りつくような眼ざしを向けた。

「ひどい！　どうして、もっと早く話さなかったの」

「すまない、何度も話そうとしたが、その度に君を失うことが怖くて、云えなかった……」

「そんなの云い訳だわ！　三年間も付き合って来て、話そうと思えば、いつだって云えたはずよ！　面と向って云えなければ、手紙でだって告げられるわ！」

そう云われれば、弁明の余地がなかった。

「あなたがトップクラスの成績なのに、大学に残れず、北京鋼鉄公司へ配属になった時、あなたの档案に問題があるからだと気がついたけれど、こともあろうに日本人だからとは考えてもみなかったわ」

丹青の言葉が、ぐさりと胸を抉った。配属は国家計画委員会によって、割り振りされるとはいうものの、当然、大学の研究室に残る一人に選ばれると思い込み、父、陸徳志にも、そのような手紙を書いていただけに、北京鋼鉄公司への配属を聞いた時は落胆したのだった。

それでも一心は、丹青の気持の鎮まりを待ち、信頼が甦るのを待とうと思った。だが、丹青は、涙で濡れた頰を拭うと、

「私はあなたと結婚したいと父に話してしまったのよ、だから忙しいのに食事に招く時間をやりくりするよう、周囲の人に指示したのよ、何てこと——、あなたは私のみならず、爸々まで欺瞞したことになるのよ！」

欺瞞——、何と容赦のない非難だろうか。しかし一心は、抗弁する立場になかった。

「すまない、君のみならず、お父さんも傷つけてしまうなど……許して貰いたい」

人の心の痛みを慮り深く詫びたが、丹青は許せないという硬い表情でおし黙り、重い沈黙が二人を隔てた。やがて丹青は、

「あなたが日本人だと解っていたら、愛など抱かなかった、許せないわ」

そう云い放つと、くるりと背を向け、もと来た道へ向って、突堤を去って行った。一心は、丹青の姿を瞼に灼きつけるように見詰めたが、一度も振り返らなかった。はじめて育み、結ばれかけた愛でありながら、日本人なるが故に、失われてしまった。

昏れなずむ空には紫雲がたなびき、足もとに寄せては返し、また退いて行く波の音が、もの悲しく聞える。

この海の向うにある日本、日本人とはさほどにまで卑しく、罪業を負った民族なのだろうか——。一心は暗い渺茫たる海に、声を放って哭いた。

その夜、同房の者が、昼間の疲れでぐっすり眠りこけた頃、不意に、一心の耳もとで声がした。眼を醒ますと、左隣りの大学教授が、肩をせり出して、呻いている。土色の顔に、苦痛に堪え

る脂汗がふき出ている。

「どうしたんです、医務室の医者に――」

と云うと、首を振った。

「このままでよい……」

苦しげに大きな息を吐き、

「革命とは……革命という大義名分で無実の者を迫害することだった……。どんな重労働、飢えにも耐えられるが、人間の尊厳、人格を侵すことは許せない……」

ぜいぜい、息を切らせながら、枕もとの眼鏡をまさぐった。その眼鏡は右側のレンズがない。今日の作業現場で、弱った体がよろけて、蹲った途端、「知識人のおいぼれ野郎！」と、若い警備兵に殴られ、眼鏡がふっ飛び、レンズが割れてしまったのだった。学者である教授にとって、本を読む眼鏡を割られたことは、人格を踏みにじられたのと同じであるに違いなかった。教授の罪状は、「ヘーゲルの『美学』は天才の著作である」と云ったことで、マルクスに反対する学閥だとして、真っ先に批判闘争大会で吊し上げられ、徹底的に糾弾され、労改十年の刑に処されたのだった。正常の神経では、考えられぬことが罪状となり、一人の人間の生活と人格を破壊してしまったのだった。

暫くすると、また声がした。

「ヘーゲルが来た、ヘーゲルが会いに来た――」

むっくり頭を上げ、手を泳がした。寝言ではなく、眼を見開き、たち上りかけた。その気配で、右隣りの婦女暴行の陳と、向い側の片目のボスが、眼を醒ました。一心は、監房の外を巡回している看守兵を呼び、医務室へ運ばせようとしたが、片目のボスは、ぎろりと眼を光らせて、制した。こんな状態の教授を医務室へ運んでも、何の手当も受けられず、屍として放り出されるにきまっていることを、眼で報せていた。婦女暴行の陳は、気味悪げに、かたかた、歯を鳴らしていた。

教授の息切れは激しくなり、胸が波うつように動いた。監房の小さな窓が、かすかに白み、夜が明けかけた時、

「私は間違っていない、ヘーゲルが証明した……」

一言、そう叫ぶなり、がくりと首を落して、息絶えた。さすがに異様な気配に気付いて眼を醒ました同房の囚人たちは、寝ぼけ眼をこすった。

一心は、閉ざされている頑丈な扉を叩き、看守兵に教授の死を告げ、埋葬方を申し入れた。片目のボスと、婦女暴行の陳も、申し出た。看守兵は、看守長に報告した後、手押し車と鶴嘴を貸すから、三人でやれと、命じた。

遺体は、筵にくるんで手押し車に乗せた。ダム工事の苛酷な労働中、ただの一度も仮病を使って休まず、黙々と働き続けた体は枯木のように痩せ細り、その軽さが、一心の胸を衝いた。片目のボスが車の先棒を曳き、一心と陳が、うしろを押し、警備兵一人が随いて、労働改造所の門を出た。

ひび割れたアルカリ性の地面に、薄く霜が降り、朝靄の中を無言で車を押す姿は、影絵のようであった。一キロほど行った地点で、兵隊が停止を命じた。辺りは地面のところどころが、平たく盛り上り、粗末な土饅頭の墓ともいえぬぐらいの土盛りがあるだけで、死者の氏名を記した木片すらない。雨期以外は、一滴の水もない土漠の中では、浅く掘って埋めてさえおけば、干乾びて骨となってしまうのだろうか——。あまりに殺伐とした埋葬場所であり、手向けるべき一木一草とてない。警備兵は、顎でここへ下ろせと命じ、

「早く、やれ！」

と促した。鶴嘴で穴を掘ったが、霜が降りているひび割れた土は固く、容易に掘れない。忽ち、三人の背中に汗が溜ったが、三十分経っても、膝下までしか掘れない。警備兵は、もうそれでよいと云ったが、三人とも聞えぬ振りをして、必死に掘った。兵隊は、陽がのぼると、苛だち、足を踏み鳴らした。

さらに埋葬を急がせ、遂に手押し車の中から死体を下ろし、穴を掘っているすぐそばまで引きずって来、蹴り落そうとした途端、一心の鶴嘴が、それを止めた。呼応するように片目のボスの眼がぎろりと獰猛に光り、鶴嘴を振り上げた。警備兵は殺気を感じて、銃の引金に手をかけたが、片目のボスの鶴嘴は墓穴に向って大きく振り下ろされ、さらに深く掘った。すべてが、無言のうちに運ばれた。

ようやく、膝頭の辺りまで掘れた。片目のボスと一心で、遺体を筵にくるみかけると、警備兵は、筵は国有財産だと、剝ぎ取った。奪い返そうとしたが、銃口には勝てなかった。継ぎだらけのボロ屑のような服を着、既に靴を片足失くして、裸足のままの教授の遺体を、墓穴へおろした。あまりに小さく、人相の見分けがつかぬほど黒く陽灼けし、みすぼらしかった。一心は、遺体のポケットから、片方のレンズが割れ、つるの代りにしている紐も千切れているのを結び直して、眼鏡をかけてやった。眼鏡をかけると、生前の学者の顔になった。一心は、両手で土を掬い、一握りずつ、優しく、丁寧にかぶせた。それがせめて、今の三人にできる手向けであった。警備兵は銃床で、小突いて急がせたが、片目のボスは眼を光らせて、銃床を払いのけ、

「奥さんも子供もいるだろうに、報せようもないな――」

ぼそりと、呟くように云い、丁寧に土をかぶせた。婦女暴行の陳は、あまりにわびしい野辺の送りに、しゃくり上げていた。

一心にとって、一人の知識人の無惨な死は、自らの分身を失ったようで、今日からは、ただ肉

体を酷使して生きのびる囚人生活があるのみであった。

歳月は、囚人たちの上に無情に流れた。

一九六八年の春節（旧正月）が過ぎ、凍りついた大地が、再び緩みはじめ、囚人たちが、本格的に使役される季節が来た。

灌漑用ダムの建設は、昨年から遅々として進まず、三月初旬のダムの高さは、完成時の五十メートルの半ばまで築くよう義務づけられているのに、いまだに十五メートルの仮締切の高さにも達していなかった。文革の嵐が、解放軍部内にも及び、基本建設の技術隊長の多くが、その持てる知識故に、〝反革命分子〟として批判され、次々に姿を消し、総指揮までも更迭されてしまったからだった。

だが、囚人たちは、無知な指導者によって、積んでは崩し、崩しては積む無益な労働を強いられていた。

ここ数日、昼間十五、六度という異常高温の日が続いたかと思うと、今朝は、作業出発時に雷を伴った雹が降り出し、囚人たちは監房の中で、雹が止むまで待機させられていた。

「今日は、雹のおかげで、休みになりそうだな、有難てぇや」

皆、炕の上にごろりと寝転んだ。

「この辺りは、黄河の支流とはいえ、河が浅いのですね」

新入りの政治犯が云った。

「そうかな、長くここにいると、何でも慣れっこになってしまう」

一心は応えながら、そういえば、このところ、水嵩が低いように思えた。

「河が浅いの、深いのと云っても、ダムを築くことに変りない、俺たちと何のかかわりもねぇや。

それより雹が止むか、止まんかが、大事なことよ」

窃盗男が、鉄格子にしがみついて外の空を見上げていると、一旦、止みそうになった雹が、再び降り出した。

「しめた！　今日の休みはきまりだぜ！」

囚人たちは手を打ったが、屋根にごつごつと、異様な音が響きはじめた。

「雹が一日に二度も降るなんて、俺たちは何かに呪われているみてぃだぞ」

婦女暴行の陳が、今にも屋根の煉瓦が、頭上から崩れ落ちて来るような不安に駈られ、室内をぐるぐると、落ち着きなく、動き廻った。

「そんなに怖けりゃ、気休めに洗面器でも頭にかぶって、おとなしく坐ってろ！　目ざわりな野郎だ」

片目のボスが、叱りつけた。作業が休止とはいえ、鶏卵大や拳大の雹が、屋根や地面を叩き、雷が鳴り響くと、誰もが不安を覚え、苛だって来た。

片目のボスに怒鳴られた婦女暴行の陳は、縮み上って、陸一心の傍へ寄って来た。一心の寝場所は、教授の死や、新入りの加入で、戸口に近い端から、真ん中の方へ〝昇格〟していた。

「一心、怖くないのかい」

「怖いが、どうしようもないじゃないか」

両手を頭の下に組んで、仰向き、憮然として応えると、陳はさらに体をすり寄らせ、

「死ぬまえに、もう一ぺん、あれをしておきたい、なぁ、そう思わんか」

耳もとで、かきくどくように熱っぽく囁いた。

「長生きするよ、お前は――」

呆れて、突き放すと、

「けど、それでも考えてないと、土砂に生埋めになりかけたお前のように、俺もいつか、何かでやられるんじゃねぇかと……、ああ、あの娘があんなに抵抗せんかったら、もっとええ目ができたのに……」

天を揺がすような雷と雹の恐怖からとはいえ、朝から、そんなことを口にするのは、遂に欲求不満で頭がおかしくなったのではと懸念していると、突然、非常召集のサイレンが鳴り渡った。

看守兵たちが慌しく、作業出発を触れ廻った。扉が外から開けられると、俄かに薄陽が射しはじめ、雹はガラス玉のように、まばらに降っているだけだった。

「ちぇっ、雹の次は、ウーウーウー、喧しいサイレンだ」

変りやすい春の天候に思惑がはずれ、口々にぼやきながら、広場へ集合した。

「囚人に告ぐ、工事の遅れを取り戻すため、作業現場へ急行せよ！　急行せよ！」

いつも手間どる点呼も早々に、出発した。隊伍を組んで、建設現場へ行く途中、黄土の高原のあちこちに、氷の塊が転がり、さっきの雹の凄じさが思いやられた。

それにしても、作業現場への急行は工事の遅れを取り戻すためだけとは思えなかった。囚人たちが労働改造所の門を出た後も、非常サイレンは、けたたましく鳴り渡っていた。にもかかわらず、その理由は説明されなかった。

やがて建設現場へ到着し、そこで囚人たちは騒いだ。河の水嵩が不気味に膨れ上り、今にも、ダムを守っている前面の仮締切を越えそうで、一部は白い筋になって、既に仮締切を越えて、ダム壁の方へ流れている。

「静まれ！」

大隊長が命じても、囚人たちは、一夜のうちに、膨れ上っている水嵩に本能的な危険を感じ、後退りした。解放軍が移動してしまっていることも、囚人たちを不安にした。

バーン！　看守兵の威嚇発砲で、囚人たちは静まった。

「囚人に告ぐ、急遽、仮締切に柳囲い、土嚢を築け！　冬の間、上流域で凍結していた黄河が、異常高温で一気に解け、中流域へ流れて来ているんだ！」

現場は、重苦しい雰囲気に包まれた。堰き止められていた上流域の水が、一挙に流下して来れば、一たまりもない。

「上流の河川監視所からの通報によれば、上流域の結氷が長年にわたって浸蝕されていた山肌を削り取ったために、両岸が崩れ、流水はそこで堰き止められて、人工湖のようになった。ところがその堰が一部切れて増水して来た、流水と侮るな！　上流の堰が全部切れたら、大量の水が押し寄せ、ダムに襲いかかって来る！　解放軍はいないが、昨年六月、軍とともにダムを守り抜いた教訓を生かし、自力更生の毛主席の思想を実践するのだ！」

大隊長は、咽喉もつぶれんばかりに云い、すぐ土採り場から、柳囲いと土嚢を仮締切に運ぶように命じた。直ちに独輪車と網筐（もっこ）で運びはじめたが、その僅かの間にも、水流が勢を増し、ダムを守っている仮締切に押し寄せて来ている。

柳囲いや土嚢を積んだ独輪車と網筐の列が、河の崖を抉った坂道を伝って来たが、水流の勢に怯え、誰も進んで仮締切の上に土嚢を積み上げようとする者がいない。囚人たちの脳裡には、昨年の大洪水で濁流に呑まれて行った者の阿鼻叫喚が刻まれている。

大隊長たちは、銃で囚人の列を仮締切の上へ追いたてた。一心たち百人ほどの囚人が、仮締切の上にずらりと、一列に並ぶと、柳囲いや土嚢がリレーされて来、二段、三段と必死に積み上げて行った。刻々と水嵩は増え、水嵩と人間が築く土嚢の高さとの闘いであった。

リレーされて来る土嚢と柳囲いが跡切れた。寒風が吹きすさび、牙をむくような濁流が膝頭を叩き、水はズボンを通して、肌を刺し通すように冷たい。我慢して踏んばったが、冷たさで足が失われてしまいそうであった。

「もう、駄目だ！」

「凍え死ぬ！」

一心の左右で絶望の声が上り、土嚢積みから逃げ出しかけると、崖の上から警備兵が発砲した。だが、赤茶けた壁のように襲いかかって来る波濤を前にしては、もはや、銃声にも怯まなかった。囚人たちは先を争って、土嚢伝いに崖っぷちの方へ逃げ、崖にかかった足場丸太にしがみついた。先に丸太にしがみついて這い上ろうとする者の足に、次の者がしがみつき、さらに下の者がしがみつこうとすると、足で蹴った。蹴り落された者は、凄じい濁流の中に呑まれて行った。

一心は、片目のボスの素早い動きに追いつこうと、足場丸太に飛び移りかけ、手が滑った。濁流に攫われかけたが、崖っぷちに突き出ている岩に、爪を立てるように取り縋り、よじのぼった。

グワーン！　天地を劈くような雄叫びが耳を聾した。その瞬間、鉄砲水のような大波が、どっと仮締切を越えて来たかと思うと、自分より先に足場に届きかけていた片目のボスが茶褐色の水煙の中に呑み込まれて行った。ダムは、僅か両端だけを残して、一瞬のうちに鋭く抉り取られてしまったのだ。

崖っぷちの足場丸太にしがみつき、九死に一生を得た囚人も、崖の上にいる囚人も、大自然の雄叫びと脅威とには、声もなかった。解放軍のように規律も、組織もない囚人の身であったが、歳月を重ねて営々として築き、数えきれぬ人柱の上に築きつつあったダムが、瞬時にして決壊し、片目のボスをも押し流してしまったのだった。一心は打ちのめされ、無惨な残骸だけを曝しているダムを見下した。

その年の十二月、突然、ダム工事は中止され、移動命令が出た。

労働改造所の本部前に集合すると、大隊長は厳しい表情で、

「一、今から他の労働改造所へ移送する。二、移送手段は、列車と徒歩である。三、移送中、逃亡をはかる者は、警告なしに、即時、射殺する」

と云うと囚人たちは、あまりに突然な出発命令に驚いた。

「十五分後に出発だ！　急いで用意して、各中隊ごとに四列縦隊に列べ、食糧と水は当局が用意する」

大隊長の命令が終ると、囚人たちは、各棟の監房へ戻った。

「突然、どこへ移送するんだ？」

「まさか、ダムが決壊した懲罰で、俺たちをもっとひどい労改へ移し、死ぬまで酷き使うんじゃあるめぇな」

「馬鹿云え、俺さまたちは、国家の大事な労働力だよ、そうそう、簡単に殺しやしねぇよ」

口々に喚き合い、

「これ以上、酷使されるぐらいなら、あのダム決壊の時、おだぶつした方が、楽だったかもな」

と云いながらも、その時、死亡した片目のボスたちが残した布団と衣類を手早くくるんで、肩にする者もいた。婦女暴行の陳は、

「今度こそ、女囚が入っている労改へ連れて行って貰いてぇよ」

と溜息をついた。一心は、突然、出発命令を出し、直ちに移送が開始される限りは、労働改造所の数は、各地に想像以上にあることを感じ取った。そしてここより奥地へ送られてしまっては、万一にも養父母との連絡がと、一縷の望みを繋いでいたそれさえも、ぷつりと断たれる思いがした。

「ぐずぐずするな。早く用意しろ！」

警備兵が、怒鳴った。各自、自分の布団に、衣類、洗面器、食器をくるんで、肩に担ぎ、再び本部前の広場に整列した。

大隊長の号令で、正面の要塞のように堅固な門が押し開かれ、囚人の長い列が、続々と出て行った。釈放ではなく、辺境の地に点在している改造所列島のいずこかへの出発であった。囚人たちは九十人ずつ、一個中隊になり、前後、左右を銃で固められて、駅へ向った。

三年前に来た時の方角とは異っていたが、駅名の記されていない線路脇に、半日近く蹲ったままで、列車の到着を待った。

ようやく、列車が着いたかと思うと、客車の最後部に、五輛、鉄格子のはまった囚人列車を連結していた。警備隊長の号令で、蹲っていた囚人たちが乗り込もうとすると、客車の窓が一斉に開き、大きな声が上った。

「われわれは、河南省の青年紅衛軍の紅衛兵である、毛主席の新しい指示を受けて、祖国の僻地の農村へ行って、自らを鍛え、革命の大義を実践し、革命的栄光を達せんとしている！　お前ら反革命の囚人どもは、重労働を通して、徹底的に思想改造しろ！」

初級中学から高級中学の生徒と思われる少年が、昂奮しきった顔で、演説をぶった。また別の窓から、

「俺たちは、広州の紅旗兵団の紅衛兵だ、毛主席への新たなる忠誠の証を樹立するために行動しているのである、お前たち、ろくでなしの反革命分子は、骨になるまで働け、それがお前たちの自己批判であり、思想改造なのだ！」

次々と演説をぶち上げた。

十四、五歳の大事な勉学の時期に、冷静な政治認識もなく、狂気の如き乱暴な行為を恣にし、今また、毛主席の指示によって、僻地の農村へ行くことを革命的栄光と信じきっている。僻地の

実情と労働が、どのようなものであるかも知らずに狂喜し、一心たちを罵倒する少年たちの姿を眼前にし、暗澹とした。

囚人と紅衛兵を満載した列車は、どこへ向うのか、行方も解らぬまま、動き出した。

八章　さくら　さくら

草原の彼方には空が広がっていた。樹木が小さな模型に見えるほど、空は果てしなく大きく、雲がゆっくりと移動して行く。

陸一心（ルーイーシン）は、三百頭の羊を放牧して、黙々と歩き、羊が好物の草を食（は）みかけると、樹陰に坐り、ぼんやりと見守った。羊飼いになってから、一心は、一目で囚人と解る襟なし、ポケットなしの黒い囚人服を着せられていた。

一九七〇年六月――。黄河（ホワンホ）支流のダム建設に使役されていた寧夏回族自治区（ニンシアホイツウ）から、内蒙古（ネイモンクー）へ移送され一心は羊飼いの作業に廻されていたのだった。

一頭の羊が群から離れ、草を食（は）んでいると、五、六頭がその方向へはずれかけた。一心は、ヒューッと口笛を吹き、足もとの石を群から離れかけた羊の前方に投げると、すぐ群へ戻った。

三百頭の群の先頭に、一際（ひときわ）、体の大きい、見事な角（つの）を持ったボス羊がいた。体長約二メートル、体重百キロの三歳の牡（おす）で、遠目にも他を圧している。羊はボスに従順な動物であるから、羊飼いはボス羊をうまく手懐（てなず）けておけば、放牧の仕事そのものは、それほど気骨（きぼね）が折れない。だが、朝露の消える頃から夕方まで、草を求めて絶え間なく移動する羊の群について歩き廻る仕事は、一心のような知識人にとって、人間性を否定された空しさを伴うものであった。その上、一日中、野外の風にさらされるため、三十歳で関節炎を患いかけていた。

ふと、草原の彼方から砂埃が上るのに気付いた。眺めるともなく眺めていると、久しぶりに見るトラックだった。でこぼこの地道に激しく揺れながら、次第に近づいて来た。羊を連れて一歩、労働改造所を出れば、誰とも話す機会がなく、世の中の動きから隔離されている一心の世間への唯一の窓は、道を往来する驢馬やトラックに乗った人々であった。

トラックが近づいて来るにつれ、白地に赤十字の旗がくくりつけられているのが、眼に沁むように映った。こんな辺境の地に医療隊が来るのかと見とれていると、トラックは突然、停った。路肩の溝へ前輪を滑り込ましてしまった。助手席や荷台から十数人が下りて来、エンジンを一杯にふかした車体を十数人が押したが、なかなか上らない。

「おーい、そこの羊飼い、手伝ってくれ！」

大声で援けを求め、手を振った。羊は好物の馬藺草をはんでおり、少しぐらい目を離しても遠くへ行かないが、躊躇ったのは、自分が囚人であるからだった。

「おーい、早く来て、一緒に押してくれ」

中山帽を冠った別の男が頼んだ。止むなく、一心は駈けて行き、十数人の中に看護婦たちがいることに気付いた。

「ヨイショ！　ヨイショ！」

掛け声をかけ、全員で力をこめて押すが、車輪は空廻りするばかりだった。

「これでは路肩の土を削り取るよりほかない」

と云い、一心は、スコップで路肩の土を削り取り、タイヤの下に板をかまして、医療隊と一緒に渾身の力で押した。トラックのタイヤが廻りはじめ、ようやく路肩から抜け出た。

「有難い！　助かったよ」

「大事な急病人が待っているから、気が気じゃなかった、礼を云うよ」

運転手も、医者、看護婦たちも、口々に礼を云い、トラックに乗った。

たちまちトラックは、赤十字の旗をはためかせて走り去ってしまった。

一心は、羊の傍へ戻り、瞬時、夢を見たような気分であった。医者や看護婦たちは、言葉のアクセントからして、北京から派遣されて来た巡回医療隊のようだった。

もとの樹陰に戻り、一息つくと、羊の群に眼を配ってから、ごろりと横になった。こんな生活がこの先、いつまで続くのだろうか。近在には新農民という新しい住人がいると聞いている。一九五七年の反右派闘争以来、農村へ送られた知識人家族の中には、都市の原籍を失い、やむを得ず、労働改造所に近い田畑で、農民として戸籍を得、定住しはじめている者もいるらしい。刑期なき囚人である自分もそんな末路を辿るような気がしていた矢先だけに、今しがたの医者や看護婦のように、本来の職業で働ける人々は倖せであり、そういう人々とたとえ僅かな時間でも接した喜びを味った。

羊が移動しはじめ、再び三百頭の群の後からついて歩いた。直射日光が顔面に照りつけ、黒い囚人服の中の痩せさらばえた体にも、汗がにじんだ。

ようやく羊が休む時間になり、ボス羊が前脚を折って横たわると、他の羊もそれに倣い、一心も樹陰で休むことが出来た。

うとうとしかけていると、口笛が聞えて来た。現のようでもあり、夢の中のようでもあったが、一心はいつしか大きく目を見開き、口笛の聞える方向へ頭をめぐらせた。こんな草原の真ん中で口笛を吹くのは、羊飼いしかいないが、その人影が視野に入って来ない。

それにしても、何とやさしく、美しいメロディだろうか。草原を吹きわたる風にのって聞えて来る口笛に耳を澄ませているうちに、このメロディをどこかで聞いた覚えがあるような気がした。当然、労働改造所で聞かされる『東方紅（トンファンホン）』の類（たぐ）いの歌ではない。といって、学生時代に口ずさんだ歌でもない。

何だっただろう――。

草原でたまに他の羊飼いと行きあっても、自分の方から殆（ほと）んど声をかけなかったが、たち上って口笛の主を探した。なだらかな起伏をもった草原の下手に、一群の羊が休んでおり、樹陰に黒い囚人服の羊飼いが寝そべっている姿が見えた。

羊飼いは、そのやさしく、美しいメロディを繰り返し、吹いている。聞き入りながら、なぜか一心の胸は次第にドキッ、ドキッと鼓動を打ちはじめた。思い出そうにも記憶の定かでないメロディが、どうしてこれほどまで胸を締めつけるように切なく響（ひび）くのだろうか。

やがてボス羊の見事な角が、すっくとたつと、周りの牝（めす）羊たちも首を上げた。発情期に入り、落着きがなく、既に孕（はら）んでいる羊もいたが、三百頭中、牡は一割の三十頭前後に数を抑えているから、それほどの混乱は起らない。

先頭のボス羊と群に数頭入った牡羊がたつと、草を求めて、再び移動がはじまった。

一日中、羊の群のあとを追って、ある時は案山子（かかし）のように、たちん棒で見張り番をする。孤独で厳しい作業を終えて、四隅に望楼のある労働改造所へ帰って来ると、以前は警備兵がいちいち頭数を数えたが、今は手抜きで、数えずに通す。

羊小屋は、囚人たちの監房のある棟の後方に、石垣で周りを囲い、屋根を葺（ふ）き、床に藁（わら）を入れている。糞の掃除や藁の取り替えも羊飼いの仕事で、こまめにしなければ、皮膚病などの伝染病にかかるから常に囚人の監房以上の清潔さを要求された。

羊の世話を終え、監房に戻ると、食事当番が木桶に入れた夕食を運んで来たところだった。相も変らぬ窩頭（ウォトウ）（玉蜀黍の饅頭）に、白菜と豆腐の汁で、当番が二十八人分のアルミの食器に注ぐと、桶の底には一滴も残らない。

「あーあ、たまには肉が食いたいよ、一心、今度、子羊が生れたら、一頭ぐらい持って来てくれよ、うちの監房から炊事班へ出ている元料理人（もと）に、ばれないように料理させるからさ」

食事当番が、強要するように云った。

「そんなこと、出来るはずがないじゃないか」

「ちぇっ！　保身ばかり考える臆病者！　俺たちが畑仕事にこき使われている間、羊を追えばすむ楽な役廻りだから、ちっとは仲間のことを考えると思ったのに」

「楽な仕事と思うなら、替ってくれ、早速、本部へ申請してくる」

何かと云うと、羊飼いを楽な仕事と見る同房の者がいることに、一心は声を荒げた。

「ま、ま、ここはまずめしを食べてから」

寧夏（ニンシア）から一緒に来た婦女暴行罪の陳（ツェン）が、間に入った。楽だと厭味を云われる割にはなり手のないのが、羊飼いであった。

「こんな時、片目のボスがいると、うまく捌（さば）いてくれるのに」

汁をずずーっと啜（すす）りながら、陳が懐しがった。今のボスは、天津（ティエンチン）の絨毯工場の元職工長で、職人肌の睨みは利くが、修羅場をくぐって来た殺人犯の片目のボスのような凄みがなかった。羊飼いを一人出す時も、職人肌のボスの裁量では決らず、政治犯二十名、刑事犯八名の中から、一心に押しつけられたのは、日本人なるが故だった。日本人なら脱走しても、養父母のもと以外に係累がなく、逮捕しやすいというのが、結論のようだった。「日本人か、中国人かが問題じゃねえ、よく働くか、働かねえかが問題なんだ」と、片目のボスが目をかけてくれた寧夏での囚人生活が、一心には懐しかった。

夕食後は、週二回の政治学習の時間があった。百人収容出来る集会室へ、赤いビニール表紙の『毛主席語録』を手にして集合すると、当局の政治委員が、

「本日は特別学習を行う、お前たち四人は三食付き、屋根の下に寝ることが出来るのは、偉大な指導者、毛主席のおかげである！　今日からは、思想改革のための労働、『毛主席語録』の暗誦のみならず、〝忠字舞〟を踊って、毛主席へ一層の忠誠と感謝の気持を捧げるのだ！」

と演説した。四人たちははじめて耳にする〝忠字舞〟の意味を解しかねた。

「これからわれわれが踊って、お前たちに模範を示す、明日からは朝食前に『毛主席語録』の暗誦とともに、忠字舞を励行するから、そのつもりで真剣に学習するのだ」

看守たちが毛主席の大きな石膏の胸像を運び込み、〝忠〟と大きく書いた紙を壁にべたべたと貼りつけると、政治委員ら当局の幹部たちは、毛主席の胸像を中心にして円形にならび、恭しく一礼してから、『大海航行靠舵手』を歌い出した。

大海航行靠舵手（海を航行するには舵取りに頼る）
万物生长靠太阳（万物の生長は太陽に頼る）
雨露滋润禾苗壮（農作物は雨露に潤ってのびる）
干革命靠的是毛泽东思想（革命をするには毛沢東思想に頼る）

歌いながら、歌詞に合せて、船を漕いだり、農作物を穫り入れる身ぶり、手ぶりを使って踊った。

四人たちは唖然とした。まるで子供のような幼稚な踊りで、〝毛沢東思想は沈まぬ太陽〟とい

うくだりになると、大の男たちが両手を人民服の胸にあて、その手をぱっと太陽を仰ぎ見るように高々と広げ、そのままの恰好でぐるぐると廻る。日頃、尊大で横柄な政治委員たちが、珍妙な踊りを大真面目に踊る姿は滑稽で、囚人たちは吹き出しかけた。一心の隣りの婦女暴行罪の陳も、耳もとで、

「あんな馬鹿げたのを、ほんとに朝飯前に踊らされるのかよぉ」

くっくと、笑いを嚙み殺した。

一通り忠字舞が終ると、政治委員は、

「さあ、次はお前たちの番だ、各自の踊りぶりで忠誠の度合いがすぐ解るのだから、手抜きするな！」

と威した。囚人たちは大きな輪を作り、毛主席の胸像に一礼し、幹部たちの踊りに倣った。

　魚儿离不开水呀（魚は水を離れては生きられない）
　瓜几离不开秧（瓜はつるから離れては生きられない）
　革命群众离不开共产党（革命群衆は共産党を離れてはいけない）
　毛泽东思想是不落的太阳（毛沢東思想は永遠に沈まぬ太陽である）

囚人たちは声を張り上げて歌いながら、魚が水を得て泳ぎ廻る恰好を真似て、体をよじりながら小走りに走ったり、蔓がのびて絡まりあうように手をつなぎ、大きく振ったりしながら、隣同士ぶつかったり、前へつんのめったり、大騒ぎだった。

一心も手をつなぎ、左右から、足を踏まれたり、将棋倒しにあったりしながら、文化大革命がますます毛主席の個人崇拝の様相を強めていることを知るとともに、中国の人民が心の底で最も

敬愛している周総理は、どうしているのかが気になった。もし周総理までも、劉少奇のように走資派として批判され、粛清されているなら、この狂気の沙汰は止まることがないと、不安を抱いた。

一しきり、忠字舞の練習が繰り返され、解放されると、囚人たちは、一目散に監房へ帰り、炕（オンドル）の上にあぐらをかいたり、寝そべったりしながら、嚙み殺していた笑いを爆発させた。

「特別学習っていうから、どんな面倒なスローガンを覚えさせられるのかとびくついたよ、けど、ありゃあ、学習かい？」

「何でもいいじゃないか、『毛主席語録』の暗誦に詰ってぶん殴られずにすむなら、朝食前どころか三食ごとでも、有難いよ」

口々に云い合った。

「欲を云えば、歌舞団の美人の舞姫でも指導に来れば、さらに云うことなし、一晩中、忠字舞につき合っても文句は云わん」

「そうなりゃあ、多少の打ち身も苦にならん」

政治学習の後とは思えない冗談が、久しぶりに飛び交った。

「おい、煙草——」

ボスの声に、傍の腰巾着が、素早くさし出した。

「なんだ、〝双魚〟か、しけてるな」

一箱八銭の火の点きにくい安煙草だった。マッチは目方売りの簡易マッチで、布靴の裏で擦ると、炎がたった。

煙草の煙が、白い輪を描いてたちのぼると、

「歌舞団の舞姫といえば、私の妻はどうしていることか——」

天津の有名な歌舞団付き振付師が、長い嘆息をついた。

「へぇ、あんたの奥さんは舞姫なのか」

「歌も踊りもうまい芸達者だが、『白毛女(パイマオニュ)』ばかりやらされる不満をぼろっと、洩らしたのを聞き咎(とが)められ、密告され……」

気弱に、声を湿らせた。

「で、とどのつまりは労改送りか」

「それならいいんだが……」

「じゃあ、どうしたんだ」

三十五歳の神経質な振付師を、周りがじれったそうに、せっついた。

「歌舞団の革命委員会付き主任が、上司の機嫌を取るために、市の政治委員に献上したんだ、愛人(アイレン)（妻）の思想調査という名目でね」

「君の奥さんが、そう云ったのか」

「いや、妻が戻って来ないうちに、私が反党分子のレッテルを貼られて、労改送りになってしまったんで――」

「もしかして、あんたの別嬪(べっぴん)の奥さんは、亭主を売って、今頃、政治委員とよろしくやってるんじゃないのかい」

元国民党員の反革命罪の男が、野卑な笑いを無遠慮にぶっつけると、振付師は怒るどころか、

「あれにそんな欲があれば、いっそ安心だが、さんざん弄(もてあそ)ばれたあげくに、野鶏(イエチ)にでもなり果てていないか……」

と云うなり、両手で顔を掩(おお)って、泣いた。

「あのお、野鶏って、何のことだい？」

陳が、興味津々の顔で聞いた。

「お前、婦女暴行犯のくせに、野鶏のことを知らないのか」

ボスは煙草の煙をくゆらせ、呆れたように笑った。陳が真顔で頷くと、知識人の政治犯も、文盲の刑事犯も、猥褻な含み笑いをした。

「おい、何だよ、一心、教えてくれよ」

陳は、一心を振り返った。

「アレだよ」

誰かが云うと、

「アレって、その……つまり――」

ようやく勘付き、昂奮して、さらに聞きたがった。

「つまりも何も、淫売にきまってるじゃねぇか」

「淫売？　まさか！　新中国成立後、売春は禁止されたんだから、いるはずがないじゃないか」

陳は唇に唾をためて云うと、

「お前は不運な奴だ、淫売を知らずして婦女暴行罪なんて――、俺は、たった二元の野鶏で三回も高潮んだぜ」

張という炭鉱夫上りの工場書記が、自分の絶倫ぶりを誇示するように顔を突き出した。

「そ、そんなの信じられん、道で客引きすれば、すぐ逮捕されるぜ」

婦女暴行罪で捕まったわが身が悔しいのか、陳はむきになって反駁すると、扉に近い囚人が声が高いと注意し、石油ランプの灯りを消した。

しんとした暗がりの中で、ごくりと生唾を呑み込む気配がし、さっきの絶倫ぶりを誇示した張が低い声で話した。

「野鶏には、ごく普通の女工もいれば、田舎からの家出人、職につけない反革命のレッテルを捺された人妻、娘と、ありとあらゆる女が取り揃っているんだよ、公安に見つからないように顔はもちろん化粧っ気なし、服もだぶだぶの人民服だが、人の集る映画館や公園の入口で切符二枚をちらつかせて誘う女、解放前の売女が脇にハンカチを結んでいたのを真似て、ポケットから目だつ布切れを出している者など、それぞれ、気を引く仕種でうろついてるんだよ」

「ふうむ、で、どこでやるんだい」

「そいつの家が一番多いな、両親、兄弟、もしくは亭主、おまけに隣近所はたいてい働きに出ているから目だたない」

「けど、家によっては、纏足の婆さんや碌に学校に行かん餓鬼だって、いるじゃないか」

「そういう事情ありの女は、ちゃんと安全な知り合いに渡りをつけて、留守の家を借りてるよ、蛇の道はへび、馬列主義（マルクス・レーニン主義）とアレとが、相反しないのは、国家指導者がちゃんとお手本を示し済みじゃないか」

暗に、毛沢東の英雄色を好むを、揶揄すると、

「しっ――」

ボスが押し殺した声で、云った。戸外に二人一組の監視兵の足音がした。四人たちは亀のように頭をすくめ、やがて足音が遠ざかると、

「野鶏は所詮、野鶏、僕は哈爾濱の高級売春宿でロシア女を堪能したが、やっぱり白は素晴しい」

暗闇の中から、頭をもたげるように、別の声がした。哈爾濱の元ソ連領事館勤務で、ソ連の特務（スパイ）と槍玉に上げられた外交官であった。

「そりゃ、いつの話だい、一九六〇年に中ソ外交断絶したのに、何でロシア女がいるんだ」

「ロシア革命で亡命して来た白系ロシアの二世だよ、ガーターにハイヒールのあのエロチックな姿は堪らない」

思い出し、身震いするように云った。

「ガーターって、何だよ」

「知らないのか、ま、野鶏じゃあ、パンティも履いていないすっぽんぽんの丸出しだから、想像出来ないだろうな」

「ちえっ、気取りやがって！」

皆が鼻白むと、

「実はわしも哈爾濱の駅に近い淫売宿に通ってたことがある、わしの場合はむろん、中国の女じゃがな」

暗がりの中で胡座をかいている元鍼灸医の声であった。

「〝松葉杖の王婆さんの家〟といえば、好きものの間じゃ、ちっとは通っておった、一見は絶対、入れないから、安心して通えたもんじゃよ」

「まさか、婆さん相手じゃないだろうな」

陳は、起き上って聞いた。

「馬鹿、婆さんは事故で片足を失い、息子は工場の機械に巻き込まれて若死し、食うに困って、若い嫁に客を取らせたのが稼業の始まりらしい、はじめは嫁一人だったのが、業突張りのやり手で、十四歳から三十五、六までの玉を抱え、一部屋に二段ベッド二つ置いて、間にアンペラの仕切りをぶら下げ、同時に客が四人ということもあったわけで……」

「じゃあ、ピンは十二元からキリは二元まで、あこぎに稼いでいたよ」

陳が、また息をはずませた。

「そう、王婆さんのやり方は、女に声を出させんとこがみそで、悶えた声を布ぎれをくわえて耐えしのぶ風情たるや、上から横から、そりゃあたまらん、うっひっひっひっ」

卑猥な思い出し笑いをした。

「気色の悪い好色爺々奴！」

「嫉きなさんな、わしが労改送りになったのは、王婆さんに女を当てがわれて、骨抜きになっていた公安の幹部が頓死して、次のに鼻薬をきかす間もなく、踏み込まれたからじゃ、王婆さんと女たちは街を引き廻され、監獄で常連客の名前を全部、吐かされ、わしもご用になった、わしらは自業自得だが、女は可哀そうだ、十四の娘っ子も、子持ちのかみさんも、家族を養うための身過ぎ、世過ぎのためじゃのにな」

「そういえば、厳禁されていた売春が秘かに復活し出したのは一九五八年から三年にわたる大災害、大飢餓あたりからだ、食い詰めた女の行きつく先は、解放前も、解放後も変りないな」

暗闇の中で、誰かが云うと、

「今から考えると、一九四九年の建国から大躍進運動が始まるまでが一番懐しい時代だったな、それ以降は、上は権力闘争、下は相互監視で密告のし合い、その上、文化や学識が罪の時代になって」

政治犯の一人が、相槌を打った。

「そこまでだ、もう寝ろ」

ボスがそれ以上の政治談議を止めた。さすがに一日の労働で囚人たちは疲れ、眠りはじめた。殺伐とした夜が、また更けて行った。

六月末になると、一心は、少し遠い草原へ羊を追って行った。

途中、寧夏の黄土高原のアルカリ性の地面を思わせる乾いた地面が続いたが、僅かな水分ででも根を這っている植物もある。

どこからか、かすかな花の香りが漂って来た。芳香を放つ草花などないのにと思いながら進んで行くと、前方に傘のような形をした一本の小さな木がたっていた。近付くと、砂棗の木で、黄塵にまみれながらも、しっかりと根を下している。葉のふちには棘があるが、枝のつけ根に紫赤色の目だたぬ小花をつけ、酔いを覚えるほど強い香りを放っている。水も肥料もない干乾びた土に根をのばし、砂嵐に吹かれても屈することなく、夏の訪れとともに、遠くまで香りを届け、地元の人々の間で、百里（五十キロ）先まで香りがする〝百里香〟と呼ばれている木であった。

芳香に酔うように、進んで行くと、口笛が聞えて来た。別の方向から、やはり砂棗の香りに吸い寄せられるように、この間の羊飼いが、羊の群を率いて、近づいて来たのだった。真っ黒に陽灼けしているが、背筋がぴしっと伸び、破れかけた麦藁帽を目深にかぶった下から、この間と同じ口笛が流れていた。

芳香に酔っていた胸が、再び締めつけられるように切なくなり、周囲に全く人影がないのを確めてから、思い切って声をかけた。

「あなたの口笛、それは何という歌なんですか」

と聞くと、男は俄かに口笛を止め、用心深い表情で、一心の方を窺った。羊の群が接近しないように、一心は自分の方からその羊飼いの方へ歩み寄り、自分は四棟監房の囚人、陸一心であることを名乗った。

「私は、七棟監房の囚人だが、どうしてこのメロディが気になるんです？」

目に警戒の色を浮かべていた。

「どこかで聞いたことがあるような気がするので、つい……」

男は、まじまじと一心の顔を見詰めた。

「どこで聞いたのか、ほんとうに思い出せないのかい」

「ええ、思い出せない、けれど以前、耳にしたような記憶があるのです」

素直に云うと、男の表情が動いた。

「もしや、君は日本人社会で育ったのでは？」

一心は、応えなかった。

「じゃあ、親戚か、身近に日本にいたことのある華僑がいたのかい」

一心は再び応えなかったが、男の方は、何かを感じ取ったように、

「私は日本から帰国した華僑だ、このメロディは、日本の歌だよ」

と云うと、周囲を注意深く見渡してから、低い声で歌い出した。

さくら　さくら　弥生の空は
見渡す限り　霞か　雲か　匂ひぞいづる
いざや　いざや　見に行かん

日本語の歌詞は、一心に解ろうはずがなかったが、日本の歌を耳にして、暫し、言葉がなかった。七歳の時から日本人なるが故に、小日本鬼子と苛めぬかれ、青春時代の初恋にも破れ、今、冤罪で労働改造所の囚人となっている自分の前に、突如として〝日本〟が現れたのだった。

「もしや、君自身が日本人なのでは――」

一心は無言で、男を見詰めた。

「もし、君の両親が日本人なら、日本の民族の言葉、母国語を知らないことは、人間として不幸

なこと、恥だよ、私は日本で生れ育ち、日本の教育を受けたが、ずっと中国語を勉強し、母国語を忘れなかった、中国には五十余の少数民族がいるらしいが、モンゴル族、チベット族、ウイグル族など僅かな民族しか、自分たちの言葉を持っていないと聞く、君が望むなら、羊を追いながら、日本語を教えてあげよう」

と云ったが、これは、労改側が仕掛けた何かの罠かもしれない。一心は、用心深く身構えた。

「君は、よほど日本語を喋る人間を警戒しているね、まあ、気が向いたら、七棟監房へ訪ねてくれ、私の名は黄書海だが、監房ではもっぱら〝華僑さん〟と呼ばれている」

男はそう云うと、口笛を吹き、羊を追って去って行った。

その夜、一心は継ぎだらけでボロ屑のような布団にくるまり、昼間、出会った黄書海のことを思い返した。囚人服と見分けがつかぬほど、顔は真っ黒に陽灼けしていたが、涼しげな光を湛えた眼ざしで、民族の言葉、母国語を知らない人間は恥だと云った言葉が、胸に残っている。自分は中国人として中国語で育ち、高級中学三年の時、共産主義青年団に入団し、政治意識もはっきりと確立されている。しかも、これまでの学校教育によって、日本がいかに中国を侵略したか、いかに信用できぬ相手であるかを学んだのだった。だが、あの口笛の歌詞の意味は解らないが、メロディを聞く時の心のときめき、胸騒ぎは何だろうか――。

一心は容易に眠れず、何度も寝返りをうった。

翌日から一心は、日本の歌の口笛が聞えて来ると、気付かれぬように、その方向へ即かず、離れず、羊を追って行った。

何日か経った或る日、一心と黄書海は、昼時に出会い、羊を休ませ、腰に下げて来た水と窩頭を食べた。食べ終ると、どちらからともなく、ごろりと寝転び、大きな雲の流れの上に、真っ青に拡がる高い空を見上げた。

「この同じ空が、北京（ペイチン）、長春（ツァンツン）へもずっと続いているんだなあ」

いまだに連絡の取れない父母を案じ、郷愁を籠めるように云うと、黄書海は、

「哈爾濱（ハルビン）、大連（ターリエン）、遥か日本まで続いているが、この空の下の人間は、いろんな運命に区切られている、ロシアのゴーゴリは、〝運命は、人間を押し曲げることが出来るが、人間は、運命を押し曲げることは出来ない〟と云ったが、まさにその通りだな」

自ら諦観（ていかん）するように云い、ふと、一心の方を見た。

「君は、どうして、いつも即かず、離れず、私の口笛を追って来るのだ、私はちゃんと気付いているよ」

一心は、狼狽を押し隠すように顔をそむけた。

「君は、私を労改側の手先、いぬとでも思って、警戒しているんじゃないか、もしそうなら、全くのお門（かど）違いだよ、私の祖先も、私自身も、まぎれもない〝中華の子〟、祖国に忠誠を誓う中国人であるにもかかわらず、冤罪で労改送りになった人間だよ」

一心は、なおも固く口を噤（つぐ）んだ。労改の罠ではという怖れが、いまだに、拭えない。

黄書海は、射すような視線で、一心の顔を見詰めた。

「たった一杯の湯が、私を労改十年の刑に処したことを話そう、信じられぬかもしれないが、この文革では、たった茶碗一杯の湯が、一人の罪のない人間を迫害し、侮辱し、囚人にしてしまうことが出来るのだ――」

と云い、黄書海は、天に向って訴えるように話し始めた。

「私は、一九五三年、新中国建設の愛国心に燃えて、数百人の華僑と共に、祖国へ帰って来た

帰国第一陣の華僑だ。天津港の埠頭に船が着き、そこに翻っている紅旗を仰ぎ見た時、船上の華僑たちは抱擁し、声を放って感涙に咽び泣いた。

国家に忠誠を尽す〝愛国華僑〟として熱烈な歓迎を受けて、初めて祖国の土を踏んだ時の感動は生涯忘れられない。私の家は、祖父母の代から横浜で貿易商を営み、私も東京の大学を卒業し、研究室に残っていたから、両親は大陸へ帰ることに反対したが、二十七歳の春、結婚したばかりの新妻を伴って、新中国建設の夢に胸を膨らませて帰って来たのだ。祖国も私を、破格の扱いで、哈爾濱工科大学の三級教授に配属してくれ、機械工学を教えることになった。最初に直面したことは祖国の想像以上の貧しさで、日本へ喧伝されていた新中国とは、かけ離れた実情だった。工学系の授業に必要な研究設備は絶対的に不足し、私は日本から持ち帰った文献、資料をテキストにして教えたが、この頃はソ連一辺倒の時代でロシア語のテキストが主流を占めていた。時には、疎んじられることがあったが、若い情熱を傾けて、学生たちを教えた。

それから五年目、一九五七年頃から反右派闘争が始まり、俄かに帰国華僑は、右派分子として自己批判を迫られ、おかしな雰囲気に包まれたが、周総理の言葉を信じて、海外で学んだ先進的な知識を惜しみなく、学生に教え続けた。しかし、文革が起るや、哈爾濱軍事工程学院にいる毛沢東の甥の毛遠新が、いち早く、党中央と連絡を取り、哈爾濱に激烈な批判闘争大会がはじまった。私の大学の造反派の学生たちは、私を反動的学閥として真っ先に批判闘争大会にひきずり出し、吊し上げた。そのあと、日本のスパイ容疑で、公安局に逮捕された。容疑は、日本に永住している私の父から、孫のためにと自分が使ったお古の色鉛筆を送って来たことだ。新品の色鉛筆なら問題が起らなかったのだが、十六色も色があり、その長さが異っていたため、『なぜ、色も長さも違う鉛筆を送って来たのか、これは何かの暗号に違いない、云え、白状しろ！』と、厳しく尋問された。日本に永住している父が、孫への日本風の愛情表現で、あえて新品でなく、自分の使ったものを送って来たのだと、いくら説明しても通らず、公安の地下の未決監獄へぶち込まれてしまったのだ。

三平方メートルの房内に十八人詰め込まれ、両側の三段ベッドは、一人五十センチ幅の狭さで寝返りもうてず、時間をきめて『翻身(ファンシェン)！』と号令をかけては、一斉に左、または右へ寝返りを打った。火の気のない地下室の寒冷と粗食に耐えかね、たいていの者は取調べ官のいう罪名を認めた。私の場合、認めようにも、色鉛筆の暗号の話など考えがつかない。そのうち、私の妻が台湾出身であるところから、台湾のスパイ容疑で逮捕され、同じ地下の牢獄にぶち込まれることを、取調べ官から報(しら)された。おそらく、私に自白を強要するための脅かしだと思っていると、同房の男が、私の妻が素直に自白しないということと、台湾出身であることで、未決監房の三段ベッドの一番下に置かれ、コンクリート床の冷えから足をひきずり、這うように取調べ室へ行く姿を見たと教えてくれた。私は取調べ官に対して、妻は平凡な主婦に過ぎないことを訴え、高級中学一年を頭に三人の子供が、どうして暮しているかを聞いたが、答えてくれなかった。

その後、一年余り、一度も取調べがなく、地下室に放りっぱなしにされ、二年目を迎えた冬、突然、呼び出され、お前の娘からの手紙だと、封を切られた手紙が渡された。まぎれもなく、娘の字で一行読んだだけで落涙した。そこに記された短い手紙の文章は、今以て、一字一句、記憶している。

お父さん、私は今、佳木斯(チャムス)の農村に、四歳の弟を連れて下放されています。夜は寒さのため足が壁に凍りつき、四歳の弟も、凍(こご)えそうな寒さに泣きます。皆にいやがられ、怒られるので、温かい湯を一杯呑ませてやれば泣きやむのですが、日本のスパイのくせに罪を認めない歴史的反革命の子だとして、その湯すら貰えません、お父さん、どうか一日も早く自白し、刑に服して、弟に温かい湯を呑ませてやって下さい。

この手紙を読んだその日、私は無実の罪を認めた。これが、たった一杯の湯を四歳の子供に呑ませるために、脅迫と侮辱に屈して、労改十年の四人になった男の話だ――」

それ以上は、話すに耐えぬように言葉を切った。そして高級中学生の姉が、四歳の弟を連れて下放されている姿は、ソ連軍に追われ、開拓団から長い道程（みちのり）を飢えて泣く幼い妹の手をつないで歩いた逃避行を思い起させるようだった。一心の胸から、ふつふつと熱いものがこみ上げて来た。

「黄さん、日本語で〝妹（メイ）〟は何というのですか」

一心は、尋ねた。

翌日から、一心は羊を追いながら、黄書海から日本語を学んだ。二人はいつもの場所よりさらに遠い草原へ羊を追って行った。

真っ青の空に大きな雲が千切れ飛び、草原の果てが、空に吸い込まれている。黄書海は、羊を追う足を止めず、歩きながら、

「さあ、始めよう、君は全く日本語を覚えていないのか」

「ええ、この二十五年間、一度も日本人に会わなかったので、すっかり忘れています」

「じゃあ、君が日本人の両親と開拓団で一緒に暮していた頃のことを思い出してごらん」

だが一心には、何も思い浮かばない。

「では、家族と別れた時のことを思い出し、その時、覚えている日本語で云ってごらん」

「お、か、あ、さ、ん、去世了（チュシラ）」

と答えると、黄は、

「去世了は、日本語で、死にました」

「シ、ニ、マ、シ、タ」

「いや、発音がわるい、シは、中国語の書信の信の発音に似ている、もう一度——」

何度も発音させてから、

「さあ、その次を思い出すんだ」

「あ、つ、こ、活下来了（フォシアライラ）」

「活下来了は、日本語では、生きていた」

黄は、日本語の云い方を教え、

「あつこは、誰ですか」

と聞くと、

「我妹妹当時五歳（ウォメイメイタンシウースエイ）」

一心が中国語で答えると、黄はすぐ日本語に置きかえた。

「私の妹は、五歳でした」

黄は、動詞や助動詞などの文法をぬきにして、簡単な単語を繰り返し発音させ、地面にまず仮名で、ヘイタイ、次に兵隊と日本語を記し、一語、一語を覚えさせて行った。

人影も樹影一つもない果てしない草原の中で、一心の日本語を覚える声が谺（こだま）し、一語覚えるごとに、黄は地面に書いた字を消していく。

「最初のうちは難しいが、七歳までは日本語を使っていたのだから、そのうち勘を取り戻し、覚えが早くなる、そうなると、勉強家の君は、紙に書き取りたいだろうが、それは絶対、いけない、もし、看守兵に見つかれば刑罰を受けるから、あくまで耳と、私が地面に書く字を頭に叩き込むんだ」

黄は、厳しい口調で云い、地面に新しい字を書いては消し、消してはまた新しい一字を書き加えた。まさに一心にとっては褐色の大地が黒板であった。

羊を飼いながら、日本語を学ぶ日々は、一心の内面に生気を与えた。ともすれば、絶望し、すさみがちになる日々、日本語の勉強は、一つの確実な目標となった。

この日も、羊小屋を出て、黄書海と出会う遠い草原へ向いかけると、トラックの車輪が路肩の溝へ滑り込み、援(たす)けを求められて手伝った巡回医療隊の医師と看護婦たち十数人が、大草原に点在している包(パオ)を巡回するため、蒙古驢馬にまたがって行く姿が見えた。驢馬の鞍(くら)にかけた白地に赤十字のマークが、眼にしみ入るほど清潔で美しい。思わず、見とれていると、

「你好(ティハオ)！」

先頭の医師らしい男が手を振り、看護婦たちも手を振ったが、四人である一心は、手を振り、挨拶を交すことは許されていない。陽灼けした顔に、白い歯を見せて、会釈した。

巡回医療隊の姿が見えなくなると、草原には、白い綿のかたまりのような羊の群と、黒い点のような羊飼いの姿が、ぽつん、ぽつんと見えるだけであった。一心は、それぞれに、遠くから声をかけ、黄書海と出会う草原へ羊を追った。

黄書海は、羊を休ませ、休憩していた。

「どうしたんだ、少し遅かったじゃないか」

「見到巡回医療隊(チエンタオシユンクイイーリヤオタイ)」

「巡回医療隊と会ったのです」

黄は、すぐ日本語に直し、その字を地面に記し、

「これから短い会話は、できるだけ日本語で話すことにしよう」

「無理ですよ、とてもそんな工合には――」

一心が首を振ると、

「君、私たちがいつまでも同じ労改におれるか、どうか解らない、或る日、突然、移送命令が出れば、辺境の各地に散在している労働改造所へ送られて行くのだ、互いに限りある日時なんだ」

厳しい口調で云い、

「だが、失望するには及ばない、中国五千年の歴史を顧みよ、歴史は必ず、繰り返される、我々、知識人は、それを信じればこそ、いつの日かという望みを抱いて、苛酷な歳月にも耐え得るのだ、中国と日本も、将来、国交を回復する時が来るかもしれない、その時、君は母国語を失わずにいたことになる」

と云った。一心には、中国と日本の国交回復など、夢物語に過ぎぬように思えた。日本人でありながら、日本を全く知らない自分と、中国人であって、日本の教育を受け、日本で生活して来た黄書海との間に、日本に対する食い違った大きな距離があるのを感じ取った。

羊を屠る日が来た。生後三年ぐらいで、体重二十キロになった羊を春と夏に、解体処理し、食肉用として一頭四十元で売り、労働改造所の収入にあてるのだった。羊飼いの仕事の中で、一心の最も苦手な作業であった。最初のうちは、羊を殺した日は、水で固く絞った手拭いで、何度、体を拭いても、生ぐさい臭いが取れず、寝苦しかったが、今はやらねばならない強制労働と諦めていた。

屠る羊の数をきめ、羊のボスに気付かれぬように群から離して、解体処理場へ連れて行く。低い台の上にのせ、一人が後肢を固定し、一人が前肢と頭を膝の間に押え込んで、十五センチほどのナイフで、首の気管を切る。馴れないうちは、食道を切って、汚物が吐出し、羊が呻き苦しむ。

一心が後肢を相棒にしっかり固定させ、前肢と頭を膝下に押え込み、脱糞しないように鼻の穴をふさぐと、羊はメヤッ！　メヤッ！　殺されることを直感した声を放つ。ナイフを握って、一刺しで気管を切ると、どっと血が噴き出る。バケツをあてがって、白い皮を汚さぬように血を受け、体内の血を全部出してしまってから、首からすっと一直線に薄くナイフを入れ、内臓が飛び出さぬように腹を割って行った。体温があるうちに、肉に密着した薄い膜と皮を、素早く手で剝がして行く。体温が下ると、手で剝ぎにくく、ナイフを使うと、貴重品である皮を傷つけてしまう。皮を剝ぎ終えてから、本格的に腹部にナイフを入れ、内臓を取り出して水洗いし、肉とともに食用にする。バケツの血も煮沸し、冷やしてから固めて、薬用に供する。

一頭、平均、三、四十分で処理した。六頭目の牡羊の気管にナイフを刺しかけた時、羊が首を振り、ナイフが左手の肘をかすったが、膝を動かして押え込み、鼻の穴をふさいで、一気に気管を切った。

「ちょっと、手間どったな——」

一心はほっと息をつき、左手の肘に滲んだかすり傷に唾をつけ、また次の羊にかかった。

それから二週間経った日、いつものように羊を追い、昼の休憩を利用して、黄書海から日本語を習っていると、突然、雷を伴った大雨が降って来た。急いで羊を集めて、帰路についたが、樹一本とてない草原で、雨が横なぐりに叩きつけ、足もとの土砂が動くように流れた。その中で一頭の羊も失わず、羊小屋へ帰り着いた時は、黄書海も、一心も、濡れた服が体に貼りつき、肋骨が浮き出るほど、ずぶ濡れになっていた。

羊を小屋に入れ、監房に戻ると、急に寒気を催し、夜の学習を休んで寝たが、体ががたがた震えた。

隣りの陳は、一心の額に手を当て、

「まるで熱病のようで、ちょっとおかしいぜ、明日一番に、医務官に診て貰うことだよ」

と云うと、周りの者たちも一心を覗き込み、

「熱病って、まさか、伝染病――、うつるんじゃねえだろうな」

「心配するな、伝染病なら、真っ先に俺にうつるはずだぜ」

陳はそう云い、びっしょりの一心の体をまめまめしく拭った。

翌朝、看守兵に届け出て、医務室へ行くと、すぐ体温計を渡された。熱は三十八度七分であった。

「昨日の大雨にうたれての風邪だろう、熱さましを飲んで寝れば癒る、今日は休んでよい」

休みを許可し、熱さましを渡したが、昼を過ぎても熱は下らず、悪寒とともに手足がひき攣れるのを感じた。一心はもう一度、看守兵に、医務室へ行く許可を取った。

医務官は、不機嫌な顔で、体温を計らせた。熱は四十度に上っていた。

「手足だけでなく、体全体もひき攣れるようなんです」

と訴えると、医務官は、俄かに質問した。

「最近、転んで、怪我をしたことはないか」

「いいえ、羊を追う仕事と、羊小屋の掃除が仕事ですが、転んだことはありません」

「その他に変った仕事はしなかったか」

「二週間前に、羊を殺す作業をしました」

「その時、ナイフで手を切らなかったか」

「いいえ、別に――」

と云いかけ、一心は何頭目かの牡羊が暴れかけた時、ナイフの先で左手の肘をかすり、赤く血が滲んだが、たいしたことはなく、唾をつけておいたことを思い出した。医務官にそのことを告

げると、

「破傷風だ、なぜ、もっと早く云わんのだ、だが、今、血清がない」

医務官は慌てて云い、

「もしや、北京から来ている巡回医療隊が持っているかもしれない」

医療隊に連絡して、血清があるか、聞くよう看守兵に命じた。

一心は、体に痙攣(けいれん)が起り、背中がそり返りそうになる中で、破傷風なら、血清がなければ死ぬしか仕方がない、冤罪で内蒙古の労働改造所にいることを養父母に報せる術(すべ)もなく、死んで行くのか——と考えていた。

「血清はあったのか」

医務官の声が聞え、その傍らで、

「囚人に、血清が使えるか、どうか——」

看守長らしい声が聞える。やがて、体が毛布に包まれ、トラックのようなものに乗せられたようだ。寧夏の収容所で、荒地に墓穴を掘って埋めた教授の死顔が眼に浮かんだ。

「どこへ捨てに行くのか、私はまだ生きている——」

大声を出して叫ぼうとしても、口が硬直して動かない。

九章　百里香

襤褸（ぼろ）布団に包まれた陸一心（ルーイーシン）の体は、巡回医療隊の駐屯所へ運び込まれた。直ちに病室の窓が閉められ、黒い布が張りめぐらされ、室内は真っ暗になった。

一心は高熱と痙攣（けいれん）にもがきながら、――この黒い布は何だ、俺はまだ生きているんだ、早く血清をうってくれ！　声を上げようとしたが、両手両足はもちろん、背中がそり返るような激しい痙攣が起り、呻くだけで声にならない。黒い布で病室が真っ暗になると、人の気配が消え、一心の痙攣の発作の間隔がさらに短くなっても、医師も看護婦も現れず、放置されたままだった。

病室の隣りの治療室では、北京（ペイチン）から派遣された巡回医療隊の医師二人と看護婦八人が集り、労改の囚人である陸一心に貴重な血清を打つべきか、打たざるべきかを論議していた。

医療隊長の若い外科医は、

「血清は少いのだ、労改の囚人で、日本侵略者の種（たね）など助けることはない」

吐き捨てるように云った。副隊長の中年の内科医は、

「だが、破傷風菌に侵され、血清を打たなければ死に至ることが明白な患者を目前にして、その

患者の出身、階級で区別すべきではない、人道主義的見地から救ってやるべきだ」

治療を急がすと、外科医は、

「同志、あなたのいう人道主義は、ブルジョワ階級の人道主義だ、われわれプロレタリア階級の人道主義とは、人民を救うことで、敵に憐憫の情を持つことは許されない。曾て毛主席は『将革命進行到底(革命を最後までやり抜こう)』で、農民が蛇を救って、逆に蛇に咬みつかれて死んでしまったという寓話をもって、警告されたではないか」

と云い、看護婦たちに向って、

「看護にあたる同志たちの意見も聞きたい」

発言を促した。党歴の最も長い看護婦が、真っ先に口を切った。

「抗日戦争の時、日本軍に捕われた八路軍の負傷兵たちは、治療を受けるどころか、虐殺された、七三一細菌部隊に至っては、中国人民を生体実験に使った、その民族の恨みを忘れてはならない」

男まさりの口調で、云った。

「同意！　しかも現実問題として、血清はあと僅かしかない、明日にも貧下中牧(勤労階級の牧民)の患者が出た時、お手上げになる、それこそ、われわれは人民に罪を犯したことになる。この重大な責任は誰が取るのですか」

「貧農下層階級に貴重薬を使い、救うことは、国家の生産性を高めることになるが、農民が汗と脂で生産した食糧を喰いつぶすだけの社会の滓に、貴重薬を使うことは罪になると思う」

看護婦たちの発言は、激しさを増して来た。

「北京でも、隔離審査中、自殺を図った反革命分子に対して、最初の病院は入院を拒否し、次の病院は収容はしたものの、上部機関に治療の是非を請示しているうちに、死亡した例があったが、病院側は責任を追及されなかった、むしろ治療していたら、敵味方の区別を無視することになり、責任を取らされたかもしれない」

次々と発言したが、まだ一人だけ黙している看護婦がいた。

「江月梅同志、あなたの意見は？」

最初に発言した看護婦が云うと、髪をお下げに編み、清楚な顔だちの看護婦は、

「同志たちの主張は、毛主席の思想を守った正しい意見と思いますが、ただ一つだけ付け加えさせて戴きたい事実があります、それはあの囚人は決して人民に敵対する立場でないということです、私たちの医療隊のトラックが道路の溝へはまり込んで困っていた時、あの囚人は身を挺して、トラックを動かすことに力を貸しました、そのため、この内蒙古自治区の旗（県）の革命委員会副主任の生命を救うことが出来ました、旗の数万の人民の指導者の命を救ったことは、同数の人民を助けたことと同じです」

よく透るきれいな声で答えると、副隊長の内科医は頷いた。

「毛主席は、『為人民服務』（人民に奉仕する）が、われわれの出発点だと教えておられる、現にあの時、トラックが溝にはまったまま動かなかったら、旗の副主任の心臓は止っていた、あの囚人が力を貸したから間に合ったが、もし間に合わなかったら、わが医療隊は重大な責任を問われただろう」

と云うと、『為人民服務』という毛沢東思想の大原則の前に、異論を唱える者はなかった。

「では、われわれはあの囚人の肉体が消滅するままにするより、ここで命を救い、生かせて、徹底的に労改で思想改造を行うことの方が、党の方針に叶うという認識にたって、血清を打つことにしよう、論議を尽した上での結論であるから、責任は全員が持つことにする」

隊長の外科医は、言外に責任の分配を響かせて締め括った。

一心は、さらに五体の痙攣に呻き、呼吸困難に陥っていた。顔面にも痙攣が起り、牙のように歯をむき出し、死に瀕しかけていた。

真っ暗な病室に入って来た医師と看護婦は、破傷風の末期症状である牙関緊急が起っているのを診ると、急いで血清の小瓶の蓋を切り、注射器へ入れた。看護婦たちは、痙攣している体を押え、ズボンを脱がせ、大腿部を消毒した。

「血清を打つから、動くな」

外科医は、太い注射針を大腿部に突き刺した。血清の透明な液がようやく、一心の体内に注入された。

痙攣はすぐに止らないが、歯を剝き出していた牙関緊急の末期症状は和らぎ、一心は昏睡した。

深い眠りの中に、まっ青な草原が拡がり、羊の群が草をはんでいる。大空をゆったり動いていく雲を眺めていると、いつしか雲が薄紅色に変り、天から花びらのように舞い散って来た。さくらという花だろうかと見惚れているうちに、羊の群が恐怖に襲われたようにかたまり、音をたてて走り出した。何度、呼びかけ、小石を投げても止らない。もしも何百頭もの羊を失うことになってはと焦り、そのあとを追ったが、羊の群は散り散りになり、いつの間にか見えなくなった。見渡す限り荒涼とした世界が拡がり、不気味な暗闇の中に骸骨のような人間の群が、死界をさまようように、ふらふらと動き出し、幽鬼さながらに近づいて来た。

うっと呻き声をあげて、一心は眼を開いた。夢の中の死界のように、あたりは暗かった。

「どうかしましたか」

耳もとで人の声がし、額の汗をそっと拭ってくれた。看護婦らしかった。

「……いま……夜で……すか……」

硬ばった唇を動かして聞いた。

「いいえ、昼ですが、破傷風菌は光や物音の刺激に対して、痙攣を誘うので、部屋の中を暗くしているのです、安心して眠って下さい」

低いがよく透る声で、云った。黒い布が外光を遮るためのものと解り、一心は安堵して、再び深い眠りにおちた。

翌日、医師が状態を診に来た。扉がばたんと開くと同時に、外光と震動音の刺激を受けて、痙攣の発作が起ったが、医師は黙って二本目の血清を打って出て行った。何本、血清を打てば全快するのか、聞きたかったが、囚人の身とあっては、自分の方からは聞けなかった。

三日目も、血清が打たれた。痙攣の発作の間隔があき、顎の筋肉も緩み、二日間、絶食していた口に、温かい重湯が注ぎ込まれた。暗がりの中であったが、痙攣を起さぬようにそっと足音をしのばせる気配から、第一日目から看護してくれている看護婦であるらしい。額を冷やす布ぎれを取り替える時も、用便の時も、その看護婦は、極力、光と音の刺激を避けるよう、努力してくれている様子が感じ取られた。

扉が開き、別の看護婦が足音を荒だてて、体温を計りに来た。その震動音で、一心の体はびくっ、びくっと痙攣した。

「もっと静かに、足音をたてないで——」

暗がりの中で、看護婦が澄んだ声で注意すると、入って来た看護婦は、

「じゃあ、あなたがずっと看護すればいいでしょ」

突慳貪に答え、ばたんと扉が閉ざされた。

ようやく六日目を迎えた。医師が六本目の血清を打ち終ってから、一心の枕もとで手を叩いた。

かすかな痙攣がびくっと走った。次に、窓の黒い布をほんの少し取りはずさせた。やはりかすかな痙攣が走ったが、すぐ止った。

「よし、血清はもうそろそろ打たなくてよくなる、あと三、四日経って、外光と音に対して反応しなければ、退院だ」

一心の胸に深い感謝の思いがこみ上げて来た。

「先生、命拾いをしました、有難うございます」

礼を云うと、

「いや、お前を救ったのは、私ではない、江月梅同志だよ」

自分の立場を明白にするように云い、素っ気なく、部屋を出て行った。

看護婦の江月梅は、暗い病室から出ると、治療室へ戻った。

廊下には、数十人の患者が待っていた。八人の看護婦のうち、五人は内科医とともに、蒙古族の遊牧民の包(パオ)の巡回医療に出かけている。外科医は、外傷の手当にあたり、看護婦たちは、トラコーマの患者に目薬をさしたり、計画生育（計画出産）のための避妊法の指導にあたっている。江月梅は主婦たちに、沢山産んで沢山死なしてしまうより、数少く産んで、よい状態に育てる方が、母子ともに健康であることを話し、避妊リングの挿入の仕方を説明した。

「一年ごとに入れ替えねばなりませんが、毎年、医療隊が来た時、忘れぬようにすればいいのです」

と云っても、殆んどの主婦は、避妊の観念がないから、返事をしない。避妊リングを入れ替えずにいると、リングが子宮の肉に食い込んで、骨盤神経を圧迫したり、ひどい時は腐蝕して子宮穿孔(せんこう)を起す場合があるのだった。

四月半ばに、北京を出発して、延安の農村を巡回し、計画生育と避妊法を指導したが、いまだに多くの迷信が根深く残り、僻地での計画生育の啓蒙は、遅々として進まなかった。チベット自治区では、例年通り、トラコーマの患者が多く、内蒙古のソ連国境に近い地域には、原因不明の皮膚伝染病が広がり、治療が困難であった。だが、間もなく、この寧夏寄りの内蒙古の僻地から、首都の呼和浩特へ出て、二十六時間、列車に揺られて北京へ帰り着くのだった。

陸一心は、暗い病室で八日目を迎えた。

医師は、いつものように病室へ入って来、一言も言葉を発さず、八本目の血清を打つと、江月梅に、窓の黒い布を全部、取りはずしてもよい許可を出して歩み去った。

「さあ、今日から黒い布を取り除きますよ、光の刺激にも、音の刺激にも、痙攣の発作は起らなくなったのですが、まだ光に慣れていないから、瞼を閉じていて下さい」

と云い、黒い布を徐々に取りはずして行った。瞼を閉じていても、眩さを感じるほど明るい陽光が射し込んで来るのが解る。一心はゆっくり眼を開いた。明るい光の中に、髪をお下げに編んだ清楚な顔だちの看護婦が微笑んでいた。一心は、まじまじと見詰めた。昼となく、夜となく、献身的に自分を看護してくれた人の姿は、優しく澄んだその声にたがわなかった。

「有難う、あなたが、ずっと親切に看護して下さったのですね」

心から礼を云うと、

「たまたま、私があなたの看護に当る日が多かっただけです。発作や高熱がひどい時、爸々、媽々と何度も呼んでいました、それに解らない言葉も、口走って――」

一心は、はっと戸惑った。おそらく黄書海から習った日本語に違いなかった。

「爸々、魚が釣れたとか、爸々、試験に合格したとか、爸々のことを一番、よく云ってましたよ、手紙の往来はないのですか」

「ええ、三年半、音信不通です」

「まあ、三年半も――」

江月梅の澄んだ瞳が、翳(かげ)った。

「北京から囚人列車で護送される途中、象棋の駒札の裏に、冤罪で労改へ送られることを記し、駅の物売りの小孩(シアオハイ)に有金(ありがね)を添えて託したのですが、おそらく届いていないでしょう。もし届いていたら、私が生きているということだけで、安心して貰えるのですが」

「お父さんは、どちらに住んでおられるのですか」

「吉林省長春(チーリンセンツアンツン)の田舎の范家屯(ファンチアトン)、小学校の教師をしています」

「そうですか、よかったらご両親のことを話して下さいませんか」

一心は、囚人である自分の命を救い、献身的に看護してくれた江月梅を信じた。

七歳の夏、日本の敗戦で孤児になって以後、現在の養父、陸徳志(ルートウチ)に出遭い、養母ともども実子同様に育てられ、貧しい中から高等教育を受けさせてくれた深い恩愛を語った。

「冤罪で、労改送りとなり、囚人としてありとあらゆる辛酸と屈辱を舐(な)め尽しました。無実であるのに、それを主張できず、いまだに刑期さえ聞かされていないのです、この三年半、私の心を辛うじて支えているのは、養父母の恩愛です、養父母の恩に報いるまでは、何としても生き抜かねばという一念で、生きて来ました」

と云い、一心は言葉を跡切(とぎ)らせた。江月梅は、ひたと、一心の顔を見詰めた。

「慈愛深い養父母に育てられたあなたの心は、善良な中国人以外の何ものでもありませんわ、間もなく労働へ戻されるでしょうが、どんな目に遭っても、最後まで生きのびて下さい」

一心は、応えるべき言葉がなかった。この三年半、このような人間らしい温かみを持った言葉を耳にしたことはなかった。

巡回医療隊の駐屯所から労働改造所へ帰って、三日休養してから、一心は再び、羊飼いの作業に出た。医療隊の病室で十日間、労改の医務室で三日、合せて十三日間のことであったが、一心にとっては、ひどく遠く、長い時間の出来事であったように思えた。

三百頭の羊は、一心のオオッ！　という声と共に動き、行く方角に小石を投げると、ボス羊が先にたって方向を示した。一心は久しぶりに黄書海に会える草原の方へ向った。習い覚えた『さくら　さくら』のメロディを口笛に吹きながら行くと、羊の群の中から、黄書海が、すっくとたち上った。

「おお、無事だったか、助かってよかった――」

感慨を籠めた面持で云った。一心は、黄書海だけには、巡回医療隊の中での入院生活を話した。

「そうか、看護婦の職務とはいえ、この時代にそのような女性(ひと)に出会えたのか、稀有(けう)なことだ」

黄書海は、感じ入るように云った。再び会うことはあり得ないだろうが、一心の胸に、江月梅という名が、命の恩人の名として刻まれた。

「さあ、また日本語を始めよう」

黄書海は羊を休ませ、日本語で話しかけた。

「巡回医療隊は、どこにありましたか」

「駐在蒙古族以前的地主的大院子里(ツウツアイモンクーツウイチエンタテイツウタユアンツリ)」

中国語で答えると、黄書海は、

「以前的地主は、元地主(もと)、大院子は、庭のある大きな邸宅、つまり蒙古族の元地主の大きな邸宅の中にありました」

と教え、続いて日本語で質問した。

「医療隊は、医者が何人、看護婦が何人いましたか」

「医者は二人、看護婦は八人いました」

一心は、日本語で答えた。

「そう、上出来だ、次に、労働改造所の広さは、どれぐらいですか」

「一万五千平方米ぐらいと思います」

「日本語では、土地の面積は坪で表現する、一坪は三・三平方米だから、坪に換算すると？」

一心は、地面に割り算をした。

「約四千五百坪です」

「四人の数は、どれくらいですか」

「今は一千五百八十人ぐらいです」

日本語の発音で難しいのは濁音だが、数字の聞き取り、発音も難しいから、黄書海は、何度も繰り返して教えた。

羊の休み時間が終ると、他の羊飼いに怪しまれぬように、二人は別々の方向へ羊を追った。

突然、車の警笛が聞えた。振り向くと、赤十字の旗をつけたトラックが、草原の中の一本道を走って来、そこにいる羊の群に、警笛を鳴らしている。羊の群は驚く様子もなく、ボス羊のうしろに随いて、ゆるゆると横切っている。

「オーイ、羊をどけてくれ！」

運転手が、大声で云った。一心は、足もとの砂を掬って、別の方向に投げると、羊の群は一本道からそれた。

「有難う、再見、われわれは北京へ帰るんだよ！」

トラックの上には、巡回医療隊の医師と看護婦、地元の単位の人たちが乗っており、その中に、髪をお下げに編んだ江月梅の清楚な姿もあった。内蒙古の僻地の巡回を終り、北京へ帰って行くのだった。

「さようなら、元気で、再見！」

よく透るきれいな声で、江月梅が別れを告げた。一心はトラックに近付き、江月梅に礼と別れの言葉を告げたかったが、囚人を見張っている看守兵に気付いた。一心は羊の群の中にたたずんで、目礼した。トラックは砂塵を巻き上げて、通り過ぎて行った。一心は、赤十字の旗が見えなくなるまで見送った。

旗が草原の果てに消えた途端、打ちのめされるような寂寥感と哀しみが、黒い囚人服を着ている一心の胸を抉った。

九月の草原を、一心は羊を追いながら歩いていた。風が強く、大空に雲が飛んで行く。

一心は、羊の群に終始、注意深い眼を配っていた。出産時期に入り、予定日に近い羊は、小屋に残しているが、放牧中に思いがけぬ早産をする場合があるからだった。

空を飛ぶ雲が、頭上にさしかかると、雲の下の草原は影になり、雲が往くと、忽ち眩いばかりの黄金の光が降り注いで来る。

雲、太陽、明るい、暗い――、一心は、黄書海に教えられた日本語を口に出して発音し、羊を追う鞭で地面に字を書いた。漢字は困らないが、平仮名は、すぐ出て来ない。明るいのるの字が出て来ず、書いては消し、ついに、あいうえおから、順を追って、ようやく、『明るい』と解る始末だった。

秋の陽がやがて傾き、羊の群と一心の影が、長く草原にのびた。帰りの道程を思い、そろそろ帰途の方角に向わせるために、先頭を行くボス羊に合図した。だが群の向きが変りきらないうちに、ボス羊の肢が止った。一心は素早く、群の中へ眼を走らせると、茶色の斑点がある牝羊が、肢を突っ張らせたまま、動かない。

メェーメェー

痛々しげな啼き声を上げ、大きく膨らんだ腹部を波うたせている。陣痛が起ったらしい。その気配に、他の羊たちもぴたっと肢を止め、牝羊を見守った。

一心は、牝羊の耳につけた小さな番号札を見た。そこに記してある出産予定日より一週間早い。やがて下腹の間から羊水が滴り、牝羊は草の上に横たわった。出産が始まるのだった。妊娠五カ月半の大きな腹が上下し、羊水がどっと溢れ出たかと思うと、白いぬるりとした胎膜に包まれた仔羊の頭が見えはじめた。

七、八分すると、仔羊の体全部が出て来た。一心は臍の緒を切った。母羊は上体を起し、胎膜で濡れている仔羊を舐め廻し、きれいになると、仔羊はたち上ろうと、何度も小さな後肢を踏んばり、その度に転がるが、諦めない。何度も同じ動作を繰り返し、ようやく、四本の肢が、しっかりと大草原を踏みしめた。

「それでよし！」

一心は、顔を綻ばせた。来る日も、来る日も、羊を追って歩くだけの空しく退屈な仕事の中で、唯一、感動するのは、生れた仔羊が大地を踏みしめる瞬間であった。仔羊がよちよちと、おぼつかない足どりで、母羊の足にまつわりつき、少しでも離れかけると、母羊が顔をすり寄せて、仔羊をひき戻す。

一心は、心温まる家畜の母と子の姿を見守り、仔羊が、自分の母の体臭を充分に覚えた頃を見計らって、よちよち歩きの仔羊を皮袋の中に入れて、背負った。

陽はすっかり傾き、早く帰途につかねばならない。ボス羊に出発の合図をすると、群をなして動き出したが、母羊だけは、一心が背負った皮袋の中の仔羊のそばから離れず、ぴたりと、うしろに随いて歩いた。

羊小屋に帰ると、皮袋に入れて帰った仔羊と母羊のために新しい藁を敷き、一緒にさせた。仔羊は、早速、母の乳房をさぐり、吸いついた。

一心は、出産で体力を消耗した母羊に、大豆、玉蜀黍の特別飼料を与えた。仔羊が牡ではなく、牝であることも、一心の心を和ませた。牡の場合は、食肉用、毛皮用ともに牝より劣るため、将来、種羊として役だつ以外は、生後数カ月で処分されてしまうからだった。

九月に生れた仔羊は、他に十六頭いた。春の出産と比べて、秋は数がずっと少いのは、冬に向い、草が少く育ちにくいからであった。

報告書に、草原で生れた仔羊の性別、父、母羊の番号を記入して、その日の仕事が終った。

監房に戻って来ると、同房者たちの姿はなく、看守兵が囚人たちの所持品検査をしている最中であった。整理整頓をやかましく命じられているから、各自の布団や所持品は、きちんと炕（オンドル）の上の足もとに畳んで、まるめているが、看守兵たちは乱暴に広げ、ナイフ、釘、ガラス片などの凶器類や、反革命的な文書類を隠し持っている者はいないか、不意打ちで調べるのだった。中には囚人の煙草をポケットにねじ込む不埒な看守兵もいる。

入口近くで囚人の所持品を検査していた看守兵が、一心の姿に気付いた。

「なんだ、お前は！」

煙草をくすねかけたばつの悪さを胡魔化すように、頭ごなしに怒鳴りつけた。

「この監房の羊飼いです、今、羊小屋から戻ったところです」

「お前の場所は、どこだ！」

中ほどの、すでに乱暴にひっくり返されている布団類を指すと、

「ふん、羊飼いか、臭い匂いをさせやがって、さっさと洗って来い」

と追い出した。今日は、一カ月に一度、水浴びができる日であったから、一心は自分の洗面器と手拭いを持って、広場の洗い場へ急いだ。

水が乏しく、深く掘った井戸は、桶に綱を結びつけて、数人がかりで水を汲み上げ、一人、洗面器一杯の水で顔も体も洗わねばならない。

「こら、大事な俺の石鹼を使うな！」

「そのかわり、背中の垢こすりをやるよ」

「胡魔化すな！　驢肏的（ろばに犯されて産れた奴）！」

「なにを！　もう一ぺん云ってみろ！　肏你媽（お前のおっかさんを犯してやる）！」

互いに口汚く罵り合い、摑みかからんばかりになる。看守兵が、

「囚人ども、おとなしくしないと、中止させるぞ」

と脅かすと、すぐ騒ぎはおさまった。

一心は、婦女暴行犯の陳が、井戸端で空になった洗面器を手にして、ぼんやりしているのに気付いた。

「陳、どうかしたのか」

声をかけると、びくりと、飛び上らんばかりに驚いた。

「どうした？　何か心配事でもあるのかい」

「い、いや、別に……、あの草原の向うに、女囚の労働改造所が出来たとか、ほんとうかと思って……」

有刺鉄線の向うに拡がる果てしない平原を見たが、言葉と裏腹に、顔に落ち着きがない。

「誰がそんな馬鹿馬鹿しいことを、いい加減にしろ」

「けどな、一心、実は――」

思い詰めたような表情で、陳が口を開きかけると、二人の顔に、びしゃりと、汚水が飛んできた。

「あっ、すまんな、洗面器から手がすべってしまったんだ」

傷害罪の張が、いかにも炭鉱夫上りらしいいかつい顔に、薄ら笑いを浮かべて弁解した。こんな時、小心なくせにかっとなって怒鳴る陳が、文句をつけるどころか、下を向いたままでいると、

「お前たちは、羊飼いと、畑仕事に別れているが、仕事がすむと、いつもくっついて、男色じゃねえかと勘ぐりたくなるぜ、陳よ、お前、一心の男前に参ってるんじゃねぇか」

張は、毎夜、あきもせず、野鶏の話と、娑婆にいた時の精力絶倫ぶりを自慢して、顰蹙を買っているのも平気で、下卑たからかい方をした。

「二度と、そんなことを口にするな！　ただではすまさんぞ」

一心は拳を握って、張を睨み据えた。

「ほう、でかい口をきくじゃねぇか、お前、三十まで童貞など、自慢にならねえぜ、破傷風で巡回医療隊へ運び込まれた時は、看護婦といちゃついたんじゃねぇのか」

痩せてはいるが骨格のがっしりした体を拭きながら、さらに絡んで来た。周りの囚人たちは、傷害罪の張を怖れ、聞えぬ風を装っていた。一心は、これ以上、張の挑発にのって、看守兵に咎められるのが面倒であったから、無視した。

張が行ってしまうと、おとなしく体を拭いている陳を見た。

「全くいやな野郎だ、お前、あんなことを云われて、よく黙っていたな、何か弱みでも握られて

いるのか」

「まさか――、とんでもないよ」

口を尖らせて否定したが、何か気がそぞろの様子であった。一心は、洗面器一杯の水を大切に使って、手拭いを絞り、

「で、さっきの話ってのは、何だい」

話をもとに戻すと、

「ええと……何だったっけな、忘れっちまったよ、ここんとこ、やけに腹が減る、ほら、ぐーぐー、鳴ってるだろう」

出臍の腹をぽんと叩き、いつもの陳らしいおどけた表情で笑った。

その夜、狼の遠吠えで、一心は眼を覚まし、生れたばかりの仔羊のことが気になったが、四隅の望楼に警備兵がたっていることだしと思い、すぐ眠りかけた。

大丈夫……任せておきなって……なに……俺んちには……可愛い娘っ子が……いいってことよ……

誰かの寝言のようでもあり、ぼそぼそと囁き合う人声のようでもあり、夢うつつの中で聞いたが、昼間の疲れでそのまま寝入っていると、足もとにひやりとした感触がし、目が覚めた。隣りの陳の足であった。布団の中で体をがたがた震わせ、冷えきった足を厚かましく、一心の方へ入れて来たのだった。

「どうしたんだ、この夜中に――」

「えっ、起きていたのか」

陳は、息を殺すように聞いた。

「お前に起されたんじゃないか、こんなに足が冷えきるまで起きてて、誰かと話していたのか」

「い、いや、長便所で、糞桶のところでつい……、ああ、寒う、ブルブル……」

陳は、震えたが、一心は眠りを妨げられた腹だたしさで、くるりと寝返りをうち、陳に背を向けた。

その翌日は、いつになく雲が多く、草原と澄んだ青空がくっきりする地平線が、灰色にくすんでいた。

乾期で、雨の心配はないから、まだ草の残る奥の草原へ羊を追って行くと、途中のアルカリ性の地面が剝き出しになった荒地に、砂棗が見えた。小さな木だが、遠目にもしっかり大地に根を這わせ、生えているのが解る。

破傷風にかかる前、ここを通りかかった時は、どこからともなく、花の香りが漂って来、惹かれるようにその方へ羊を追って行くと、次第に香りが濃くなり、近寄ると、砂棗の枝に目だたぬ紫赤色の小花をつけていたのだった。ちょうど花が開きかけた頃で、酔うような強い芳香を放ち、百里の先まで香りがする〝百里香〟だった。

一心は、百里香の小枝を一本、手折った。花は、楕円形の小さな実となり、かすかな香りがした。苛烈な太陽や、砂嵐にも屈することなく、初夏になると、花を咲かせて自然の恵みの少い人々を和ませ、秋になると、つつましい実を結ぶ百里香は、囚人である一心を黙々と献身的に看護をしてくれた、江月梅その人のようであった。

北京から延安、チベット、そして内蒙古と、辺境の地を巡回する医療隊の仕事は、女の身にこたえるはずであった。医療の恩恵に浴することが出来ない人々が待っているという使命感でひたすら働いている江月梅が、医療隊と共に北京へ去って以来、一心の胸には、江月梅の無償の行為と清楚な俤が残っていた。

羊の群が突然、どっと動き、一心は我に返った。ボス羊が大きな角を神経質にたて、周囲をうかがっている。

狼がしのび寄っているのではないかと、群の周辺を一巡したが、羊を襲う動物の気配は感じられず、安堵した時、ボス羊が異様な啼き声を上げ、三百頭はさっとボス羊を中心にかたまった。

一心は、何かただならぬことがと身構えると、黒い影が、灌木の陰から陰へと、すっ飛んだ。

黒い影は、地面に身を伏せるようにして、さらにこちらへ向って来る。黒い囚人服を着た複数の人影であった。脱走者かと思うと、一心は恐怖に襲われた。厳しい監視をかいくぐり、脱走して来たからには、下手をすれば、口封じのために殺されかねない。一心は、羊の群の中に身を隠そうとすると、一つの影が、地面を這い、一心めがけて進んで来た。殺られる！　とたち竦んだ途端、

「見逃してくれ！」

哀願の声がした。陳だった。一心は、口がきけなかった。

「な、頼む」

と云うなり、陳は、身を翻しかけた。

「止めろ！　捕まるぞ！」

一心は、陳の上衣をひっ摑んだ。

「放してくれ、もう我慢できん、逃げるんだ！」

陳は、一心の手を振り払い、狂ったように走り出しかけると、ピーッ、ピーッ、鋭い呼子が鳴り渡り、騎馬の蹄の音が聞えて来た。別の脱走者の黒い影はもう見当らない。

「ちくしょう！　あいつ、一緒に逃げると云っておきながら、裏切りおった！」

陳は、狂人のように喚いた。

「逃げられん！　自首しろ、殺されるぞ！」

一心は、必死に止めた。看守兵が十数頭の馬にまたがり、土煙を上げて追って来た。陳は、度を失い、ひょろひょろと走り出した。

「あそこだ！　逃がすな！」

鞭を振って、追い上げて来る。

「向うの草原へも一人、逃げて行くぞ！」

追手が二手に分れた。陳を追う看守兵たちは、止れ！　と大声で命じても逃げる陳に向って発砲した。灌木以外、視野を阻むものがない荒地に、陳はつんのめって倒れた。看守兵たちは、馬から飛びおりた。

一心は、目をそむけた。

バーン、バーン！

荒地の向うに拡がる大草原に続けざまに銃声が轟いた。もう一人の脱走者は素早く草原に走り込み、追手をかわそうとしたらしかったが、逃げおおせず、激しい銃弾を浴びていた。

陳は、馬の鞍に荒縄でぐるぐる巻きにされ、呻いていた。下半身が血で染っていたが、生きている様子であった。後の馬に乗せられた脱走者は、銃弾で蜂の巣になり、即死していた。その血染めになった顔は、炭鉱夫の張だった。卑劣な張は、自分の逃走のために、陳を囮に使い、一人逃げおおすつもりであったに違いない。まんまと囮に使われ、しかも死に損った陳が哀れであった。

「おい、羊飼い、お前も連行する！」

警備隊長らしい屈強な兵が、強い口調で命じた。

「しかし、羊が――」

と云いかけると、

「看守兵を一人残し、代りの羊飼いをすぐ連れて来る、早く来るんだ！」

「どうしてですか、私は羊を連れて通りかかっただけですよ」

「この荒地に羊が食べる草などないではないか、脱走者は、お前と示し合せ、羊の群の中に隠れて逃亡しようとしたのだろう、脱走幇助の容疑者として取調べる」

容赦なく、連行された。

一心は、何の取調べもなく、労働改造所の懲罰牢にぶち込まれ、まる二日間が過ぎていた。懲罰牢は、人一人が坐って入るだけの空間しかない三角形の独房で、たつことも、横になることも出来ず、膝を組みかえることがやっとの厚い土牢で、口のあたりに、空気孔兼用の食糧差入れの穴があいているだけであった。

一心は、全身の血が鬱血し、手足が痺れ、穴から放り込まれる懲罰食の黒い饅頭を食べる食欲も失っていた。どんな凶悪犯でも、「懲罰牢に入れるぞ」と脅かされると、竦み上っておとなしくなり、ほんとうにぶち込まれた囚人は、気が狂れてしまう理由が、自分が入れられてみて、解った。動物の檻さながらの厚い土牢で、呼べど叫べど相手にされず、垂れ流しのまま三角の空間に坐り続けていることは、尋常の神経では耐えられない。頭をぶつけて自殺を図ろうにも、頭と土壁との間は十センチもなく、自殺する方法さえ奪われている牢であった。

三日目になると、心身ともに萎え、朦朧としながらも、時折、絶叫したいような衝動に駈られ、伸ばすこともできない手で、土壁をかきむしった。

がちゃりと錠の音がした。

「目を閉じろ！」

空気孔から看守兵の声がし、扉が開かれた。突然、目を閉じる間もなく、強い秋の陽ざしがさし込み、一心は目が眩んだ。

看守兵は二人がかりで一心を外へひきずり出し、たたせると、手錠をかけた。まる二日間にわたって不自由な姿勢のままであったから、両側から支えられなければ、自力では歩けない。

看守兵たちは、一心を引きずるようにして、本部の建物の裏庭に来た。今まで外からしか眺めたことのない本部の中へ連行されると、一点の疚しさもないのに、一心は長い四人生活の習性で緊張した。

コンクリートの廊下の突き当りの半地下に、入れられた。地上に出ている天井近くの窓ガラスに太い鉄格子が塡まり、その窓を背にした位置に、労改の管理教育幹部が机に向い、入口近くに二人の管理教育人員がたっていた。

その二人は、看守兵に一心の手錠をはずさせ、身柄を引き取って、幹部の机の前にたたせたかと思うと、一人が後から一心の踵を思いきり蹴った。足の急所を蹴られ、床につんのめると、もう一人が、膝裏を蹴りつける。瞬時、意識を失ったが、役人は一心の上衣の襟ぐりをひっ摑んで上体を起し、跪かせた。管理教育人員とは名ばかりで、暴行を加える人員であった。

床に跪いた姿勢で取調べを受けることは、容疑者ではなく、罪人の扱いであった。

「陳小波を知っているか」

机の向うから、管理教育幹部が一心をじろりと見下した。

「同房の囚人です――」

まだ激痛が消えず、よろめく体で、辛うじて答えると、

「脱走犯が最も問われる重大な罪は、何か、答えろ」

頰骨が張り、唇が薄い管理教育幹部の顔に、残忍さが滲んでいる。

「——それは、思想改造を途中で拒否したとりかえしのつかない罪です」

政治学習で、繰り返し叩き込まれている言葉を鸚鵡返しに云うと、

「お前の罪状を自白しろ！」

と畳みかけた。

「私は、脱走犯とは全く無関係です」

ふらつく体をしっかり支え、一心は無実を訴えた。

「私は脱走事件に巻き添えを喰っただけです、いつものように羊を放牧し、奥の草原へ向う途中、いきなり人影が現れたのです、急に羊が怯えるので、狼か、何か羊を襲う動物が近寄ったのかと群を見廻ったところ——」

「見えすいた嘘をつくな」

管理教育幹部が抑揚のない声で云い、右隣りの幹部が、

「この二日間、同房者を徹底的に取調べ、全員から調書を取ったところ、お前の脱走幇助罪を立証する証拠が集った」

調書をちらつかせた。減刑の点稼ぎのためなら、労改側にへつらう証言をする囚人が殆んどであった。

「私が事件と全く関係がないことは、当事者の陳に聞いて下されば、明白です」

即死せず、生捕られて馬の鞍に縛りつけられた陳の姿を見ていたから、一歩もひかぬ構えで云うと、

「黙れ、小日本鬼子！」

管理教育幹部の額に、青い筋が走った。

「事件前日、お前たちの監房は水浴びの日だったな、全員、井戸の洗い場へ行っている中、お前

は慌てた様子で監房へ戻って来たと、所持品検査中だった看守兵が証言している、何をしに戻ったのだ」

「それは、当日、草原で仔羊が産まれ、その世話で監房へ帰る時間が遅くなっただけで、井戸の洗い場から戻ったわけではありません」

と云うと、

「これはお前の『毛主席語録』だな」

赤いビニールのカバーがかかった『毛主席語録』を振りかざし、『陸一心』と一心自身が記した最終頁をさし示した。一心が認めると、

「お前は、所持品検査を知って、自分の『毛主席語録』を取りに来たのだろう」

「そうではありません、囚人服にはポケットがないので、『毛主席語録』はいつも監房の中に大切にしまっております」

新聞の毛主席の顔写真に気付かず、鼻をかんだだけで、反革命分子として吊し上げられる時勢であるから、一心は、真摯（しんし）な口調で申しひらきをした。

「お前は、この『毛主席語録（チンハイセン）』を前にしても、いまだに脱走幇助のしらをきるのか、正直に自白しなければさらに奥地の青海省の労改へ送るぞ」

青海省と聞いて、一心は鳥肌だった。

「身に覚えがないことは、白状できません、私はほんとうのことを云っています、信じて下さい」

鳥さえ飛んで来ない青海省の労改送りと脅されても、張と陳の脱走計画すら知らなかった一心は、自白のしようがない。

「改悛の情の一片もない腹黒い日寇（リーコウ）！　このビニール・カバーを取ったら、何が出て来るか、解

っているだろうな」

一心は、さっと頭から血の気が引くのが、自分でも解った。管理教育幹部は、赤いビニール・カバーをひんめくった。ビニールのカバーを取ると、ボール紙の表紙の裏側に、平仮名で、あいうえおの五十音が薄い鉛筆書きで書かれている。華僑の黄書海から、日本語は、草原の地面に書いて覚えるだけで、絶対、紙にメモしてはならないと厳しく戒められていたにもかかわらず、早く覚えたい一念で、『毛主席語録』の赤いビニール・カバーの下なら、カバーをはずすことは絶対ないと思い、つい、心覚えに書いてしまったのだった。消さねばと思いながら、消しゴムが入手出来ぬうちに破傷風で倒れて以来、すっかり忘れていた。

「これは一体、何の暗号だ、説明しろ！」

一心は、答えることが出来ず、脂汗が滴った。

「このくねくねした字は、張、陳の脱走経路を書いた暗号に違いない、あわよくばお前も一緒に逃げるつもりだったんだろう、さあ、この暗号文を早く解け」

殴打が繰り返され、厳しく責めたてられたが、日本語であることがわかれば、それこそ身の破滅であった。

「しぶとい奴だ！　だが必ず口を開かせてやる、耳をすましておれよ」

管理教育幹部は、残忍な顔で柱時計を見上げた。他の幹部と記録係も一斉に時計に眼をやった。しんと異様に静まった取調べ室に、時計の振子の音だけが響いた。

バーン！

突如、腹に響く銃声がした。体を硬くすると、また一発、バーン！　と響き、あとは静寂が続いた。

「今、陳は銃殺刑に処された、どうやら一発では死ななかったようだな」

その言葉の非情さに、一心は凍りつくような恐怖を覚えた。

「どうだ、白状する気になったか、この暗号の意味を云え！」

一心の動揺に乗じるように、自白を迫ったが、やはり云えなかった。

「最後までお前にすがった同房者が銃殺刑に処せられても、平然としてしらをきるのか、それなら、『毛主席語録』に記した暗号の意味を正直に自白するまで、懲罰牢を命じる」

管理教育幹部はそう云うと、看守兵を呼び入れた。一心の手に手錠がかけられ、足に十五キロの鉄の鎖の足枷がかけられた。

十章　直訴

内蒙古一〇四労働改造所の広場では、望楼に銃を持った警備兵がたち、厳重な監視のもとに、囚人が囚人を吊し上げる異様な集会が開かれようとしていた。

数百人の囚人が見守る中、『逃亡幇助　特務　陸一心』と赤字で書いた牌子（看板）を胸に吊した陸一心が引きずり出され、中央壇上の右下にある被告台にたたされた。

痩せこけ、顔はもちろん、手足も痣だらけの姿は、一目して、懲罰牢と連日の尋問のむごたらしさが推しはかられ、囚人たちは騒めいたが、看守兵が銃で威嚇し、鎮めた。この威嚇の中で、逃亡幇助罪を頑強に自白しない陸一心を、同じ囚人たちによって吊し上げ、自白させようというのが、労改側の〝車輪大戦〟（車輪のように尋問と批判大会をぐるぐると繰り返し、犯人を自白させる）の術であった。

中央壇上には、労改の政治委員と所長が椅子に坐り、右端の司会台に、副所長がたって、広場を埋めた囚人に向い、まず、『毛主席語録』の一節を唱えた。

「階級闘争一抓就灵（階級闘争を徹底的に行うべし）、われわれは以前から激しく階級闘争を展開しているが、油断してはならない、今も毛主席のプロレタリア革命路線の指導下で、情勢は順調に推移しており、わが労改も例外ではないが、一つまみの階級の敵が存在することが解った。それは既に銃殺された脱走犯、張兆熊と陳小波、そしてその逃亡に手を貸しながら、いまだに帮助の罪を自白しない犯人、陸一心である」

と云うと、司会台と反対側の台上にいる政治宣伝員が、

「陸一心、低頭認罪（頭を垂れて罪を認めよ）！」

右手を突き上げ、批判大会を開始した。数百人の囚人たちも、一斉に拳をふり上げ、復唱した。

「坦白従寛、抗拒従厳（自白すれば寛大に報い、あくまで拒めば重く罰せよ）」

政治宣伝員がさらに、音頭を取るように叫ぶと、囚人たちも同じように叫んだ。

被告台にたたされている陸一心は、よろけそうになる体を二人の看守兵の銃床で、無理にたたされ、頭を垂れ、耳を劈くような声を聞いた。四年前に、北京鋼鉄公司の批判闘争大会で吊し上げられたが、広場にも、望楼にも、銃を構えた兵隊が監視している中での批判大会は、不気味であった。

「今より、脱走犯の逃亡計画を帮助した陸一心の罪状告発を行う！」

労改側が、事前に陸一心と同じ監房や作業仲間の中から目星をつけて、告発者として選び出している囚人に、告発をさせる仕組みになっていた。告発者に指名された囚人にとっては、自分の刑期を軽減して貰えるまたとない機会であるから、この時とばかり点稼ぎのために、当局の云いなりの告発内容をでっち上げる者もいる。

「甘欣――」

最初に指名されたのは、同房者の中で一心の話し相手であった元駐ハバロフスクの領事の政治犯だった。継ぎだらけの黒い囚人服を着ていても、元外交官らしく、洗練されたもの腰で、中央の壇の下へ進み出た。

「われわれ囚人は、たち遅れた思想を党と国家の温情によって、労働を通して改造中の身である、にもかかわらず、同房者から重大な犯罪者を出して、党と国家に申しわけない気持で一杯である、われわれは二度とこのような取り返しのつかない重大犯を出さないために、より一層、相互監視体制を強化しなければならない教訓を学んだ、同時に逃亡幇助罪の犯人、陸一心の正体を徹底的に暴くことによって、階級の敵とはいかなるものか、生きた証例によって学ばなければならない」

気負い込んで口を切ると、数百人の囚人の最前列に並んでいる同房者たちは、同意！　同意！と呼応した。甘欣は続けた。

「犯人、陸一心が最も糾弾されるべき点は、政治学習の態度が面従腹背だったことである、昨年来、緊張が高まっている中ソ国境問題について学習した折、ソ連の領土侵犯を厳しく非難した政治委員に対し、陸一心は学習中はもっともらしく聞いていながら、監房へ帰るや、曾てわが国の解放、経済建設に力を貸してくれた兄弟国にあたるソ連をああまで非難することは好ましくないと誹謗しはじめました」

正面壇上の所長より階級の高い政治委員の顔が、険しく引き歪んだ。

「いやしくも、政治委員のご見解に非を鳴らすことは、絶対あってはならない、政治委員は党の代表であり、政治委員を誹謗することは即ち、党を誹謗することである！」

一心は、わが耳を疑った。確かに中ソ国境問題について、ソ連情勢に詳しい甘欣と話したことはあるが、いかに点数稼ぎのためとはいえ、事実と相違している。

「次、李瑞鈞――」

指名されたのは、天津の有名な歌舞団体指揮者だった。最初はおどおどと、落着きがなかったが、発言を促されると、美男であった面ざしが残る顔を上げ、

「陸一心は、脱走した陳小波が元来、好色で、婦女暴行罪で労改送りになった弱点につけ込み、いつも陳の劣情をそそるような話ばかり吹き込んでいました、例えば、労改の刑期を終えた囚人の中で、もはや原籍へ戻れなくなった者が、労改に近い荒地を開墾して〝新農民〟となり、蒙古族の女性と結婚して住みついている、蒙古の女は日本人に似て美人揃いだと、陳の劣情をそそっておりました、これが逃亡幇助罪でなくて、何でありましょうや！」

芝居気たっぷりに云うと、囚人たちは大いに沸きたち、

「同意！　白状しろ、白状しろ！」

と声をあげた。脱走犯の主犯である炭鉱夫の張兆熊が口にしていたことが、一心にすり替えられた。一心は口を閉し、頭を垂れていた。

指名された告発者はさらに続いた。

次の告発者は、思いもかけぬ黄書海であった。

黄書海は、ちらりとも、一心を見ず、中央に進み出た。一心が懲罰牢の中でも、尋問の時でも、最も怖れていたのは、日本語を教えてくれた黄書海に追及の手が伸びないかということだった。監房で〝華僑さん〟と蔑称されているぐらいであるから、日本帰りの華僑の黄書海が取調べられたことは想像にかたくなかった。

「私は、陸一心と同じ羊飼いであるから、彼の仕事ぶりはよく知っている」

黄書海は、切り出した。

「羊飼いの中でも、彼は草原について詳しい知識を持っていました、どこにどんな種類の牧草がはえており、そこまでの距離は何キロ位か、何月から何月までは蒙古族の遊牧民の包がどう移動していくか、舌を巻くほど、詳しく観察していました、元鋼鉄技術者の彼がそこまで熱心にこの地区の地理、風土を勉強したのは、てっきり思想改造の成果だとばかり思い込んでいました、と

ころが事実は脱走計画の綿密な下調べであったとは！　書道を嗜む父親に習って書が好きとかで、時折、地面に王羲之の楷書や、草書と称して判読できない字を書いており、聞くと、ゆみはりのチョウ、あさひのキョクの書体の真似だなどと、もっともらしく云っていたが、それも私を欺き、今度の脱走計画の暗号を記していたのか！　それでいながら、自分自身が脱走しなかったのは何故か！」

黄書海は、顔を紅潮させ、陸一心の悪辣極まる人間像をでっち上げた。ゆみはりのチョウ、あさひのキョクが何を意味するのか、誰も解らなかったが、その迫真の告発に、囚人たちは息をひそめ、次の言葉を待った。

「それは、労改内に階級の敵を次々と生み出し、反革命の拠点を広げるためにほかならない！　したがって陸一心の罪は、脱走幇助罪より、さらに重い教唆罪である！」

囚人の致命傷である罪状をあげて、弾劾し、つかつかと被告台の前へ歩み寄ったかと思うと、ぺえっ！　と一心の顔に唾を吐きかけた。相手に唾を吐きつけることは、最大の侮辱だった。

一心は、屈辱で激しく震えた。心を許し合った黄書海といえども、保身のために一心を売ったのだった。

「陸一心、今の告発を聞き容れ、罪を自白せよ！」

司会役の副所長が迫ると、四方八方から、

「頑抗到底、死路一条（頑固に抵抗すれば、死があるのみ）！」

という声が襲いかかり、広場を埋めた囚人の頭がぐるりと廻ったかと思うと、一心は倒れた。

看守が慌てて囚人服の襟ぐりを摑んでひき起し、たたせたが、告発を反駁する力は失せていた。

中央壇上の所長が、傍らの政治委員に何事か伺いをたてた後、たち上って囚人たちを見渡し、

「毛主席の指導のもとに、わが労改は非常に正しく運営されて来た、但し、陸一心のような反革

命分子が、今回の如く告発されたことは残念である、今後もこういうことが発生すれば、革命の危機となる、したがって囚人たちは充分、思想学習に励むように命じる、今日の大会はよい成果を上げたと思う」

と締め括った。副所長は、

「批判闘争大会を閉会する、犯人を連れて行け！」

と云うと、二人の看守兵が、陸一心に手錠と足枷をかけて、引きずって行った。

七棟監房では、華僑の黄書海を囲んで、囚人たちが、がやがや喋っていた。

「おい、華僑さんよ、お前、なかなかうまいことやるじゃねぇか、さっきのは名演説だったぜ、減刑間違いなしだぜ」

殺人犯で、睨みをきかせている囚人が云うと、他の囚人たちも、

「ほんとうにうまいことしたぜ、俺たちだって、ご指名とあれば、大いに一席、ぶちたいところだよ、これで二、三年は刑が軽くなるぜ」

羨しげに云うと、黄書海は、

「三年じゃねぇ、私は五年ぐらい軽くして貰えると見込んでいるんだがねぇ」

ことさらに嘯いた。

「贅沢云うな、ご指名のない俺たちはひがんでるんだぜ、お前、皆に煙草ぐらい配れよ」

とたかった。黄書海は気前よく、労改から労賃として支給される銭票で買いためていた『双魚』を、全部、吐き出した。

「おお、そう来なくちゃ、嘘だよな」

「待てよ、お前、一本、よけいにくすねたじゃないか」

争って煙草を取り合う中で、政治犯の何人かは、当局の狗となって、陸一心を告発した黄書海に対する警戒と軽侮の色を浮かべて、煙草に手を出さなかった。

「やれやれ、今日は大演説でくたびれたよ」

黄書海は、大きな欠伸をして横になり、頭から布団をかぶると、陸一心に対する思いが、どっと吹き出した。

陸一心の告発者になるようにと、当局から命じられたのは、昨日の夜の学習の後だった。管理教育幹部の一人が、黄書海を取調べ室のような部屋へ呼び入れ、同じ羊飼いの作業をしていた陸一心の日常を詳しく聞いた後、羊飼いは大草原の地理をよく知っているから、陳の逃亡を助けたのではないかと尋ねたのだった。

黄書海は、日頃の陸一心の真面目な作業態度から推して、考えられないと答えると、それではこれは何を意味するものかと、『毛主席語録』を、机の上に置いたのだった。訝しげな顔をすると、管理教育幹部は赤いビニール・カバーをはずして、『語録』の白いボール紙の裏表紙の部分を示した。そこに記されている字を見るなり、黄書海は心臓の動きが止るほど衝撃を受けた。それは日本語のあいうえおの五十音表であった。

「どうした？　何か思い当ることでもあるのか」

「いえ、『毛主席語録』の裏表紙に、落書きをするなど、想像を絶する行為で――」

「落書きではない、これは張、陳らと脱走するための脱走経路の暗号に違いない、このくねくねと、くねった怪しげな字は、それしか考えられん、どうだ」

黄書海は、答えられなかった。暗号だと相槌を打てば、脱走幇助罪になり、日本語だといえば、日本の特務容疑を受けている陸一心は銃殺刑に処せられる怖れがある。そして、その日本語を教えたのが、自分であることが解れば、労改の中においても特務の養成をしたとして、二人とも、処罰されるだろう。黄書海は、労改側が自分を告発者に名指しして来たのは、陸一心と自分との間に何らかの疑いを持ったのか、それとも単に羊飼い仲間として来たのか、用心深く身構えた。

「私には、全く見当がつきませんが、このくねくねしたのは、ほんとうに脱走経路の暗号なんでしょうか」

とぼけ面で、首をかしげると、

「そうにちがいない、現に、陸一心の羊の群に、陳が潜んでいて捕まり、陳の自白によれば、草原を横切るために、陸一心の羊の群に匿（かくま）って貰うことになっていたのだ」

どうせ労改側が作り上げた自白書を、無理に認めさせたものに違いなかった。管理教育幹部は、ぐいと体を乗り出し、

「陸一心は、懲罰牢に入れても頑強に自白しないから、明日、四人を以て、四人を制する批判闘争大会を開く、お前は告発者の一人になれ！」

「えっ、私が……、しかし、私は彼とは同房でもありませんし、到底、役にたちません」

「もちろん、同房の告発者はもう何人か決っている、お前は、同じ羊飼いの立場から告発するんだ、告発内容は、お前は知識人なんだから、一々、云わなくても解るだろう」

察しをつけろ、と云わんばかりに命じた。

「そういわれましても、告発するだけの材料が思いあたりませんし……」

固辞しかけると、

「ほう、陸一心の告発にお前だけが消極的なのは、何か格別の理由（わけ）でもあるのか」

管理教育幹部が、身元をほじくり出しかけるのを見て取り、黄書海は告発者の役廻りを引き受けざるを得なかったのだ。

黄書海は、布団をひっかむった中で、自責の念に駈られていた。自分が一心に母国語を忘れることは民族の恥だ、日本語を勉強すべきだと云わなければ、こんなことにはならなかった。彼を救うために、告発内容にことさらに書家、王羲之の名をあげ、次いで張旭の名を一か八かの肚をくって、日本語で発音したにもかかわらず、一心は頭を垂れたまま、何の反応もなかった。やむなく、わざと唾を吐きかけ、頭を上げさせて、自分の真意を伝えようとしたが、ただ震えているだけで、それ以上は労改の所長はじめ、管理教育幹部の面前では如何ともし難かった。

唐代の草書の名手である張旭の書は奔放で、個性的すぎて、判読しがたい字体が多くある。見方によれば、日本語の平仮名に似ており、〝チョウキョク〟と日本語読みしたことで、ヒントを得て、巧く云い逃れるように暗示したのだった。だが、その暗示は通じず、労改側の狗という恥ずべきレッテルだけが残った。黄書海は、声をしのばせて哭いた。


独房に引き戻された一心は、昼間の〝車輪大戦〟なる批判大会を思い返した。

犯人によって、批判闘争されることは、同じ犯人の中でも、最低の犯人として扱われることであり、腸に沁み入る屈辱であった。

そして、何よりも黄書海が告発者としてたったことが、臓腑を抉られるような衝撃であった。先に陳の自白書で、寧夏の労改以来、寝食を共にした陳に裏切られ、今また兄事してきた黄書海にも、裏切られたのだった。自身が生き延びるためには、誰であれ二重底、三重底の人間ばかりだと絶望的になった時、ふと、黄書海の罵倒の中に短い日本語が混っていたことに気付いた。

――ゆみはりのチョウ、あさひのキョク？　掌の上に弓という字をなぞり、次に長となぞると、張という字になる。あさひ、朝日、いや、あさひのキョクと発音した。あさひのキョク、キヨク……と呟きながら、何度も掌の上に思い出せる限りの字を書き、ようやく、思いあたった。旭の字で、張旭という名前であった。張旭は、唐代の草書の聖で、自由奔放、個性的で、殆んど解読できぬほどの崩し字を書く人であることは、父から教わったことがある。その奔放な曲線は、日本の平仮名に似ているから、黄書海は、この云い逃れのヒントを暗示するために、敢えて告発者になり、〝擬装告発〟を行ったのではないか。日本語を交えての告発は労改の管理教育幹部や知識人の政治犯にも気付かれていない。

心身共に消耗しきっている自分は、果して黄書海が与えてくれたヒントを生かして、巧く云い逃れ得るだろうか。しかし、何としてもやり遂げねば、この懲罰牢では死あるのみだった。一心は、夜を徹して、張旭の草書に関して知っている限りの知識を思い起そうとしたが、疲れきった頭の動きは鈍かった。

翌日、一心は尋問室へひったてられた。ようやく、歩ける程度の足どりで尋問室に入ると、管理教育幹部が、机の前にたって、うしろ手を組んだまま、

「どうだ、昨日の批判闘争大会の後、大いに自己批判したか、しなければ、毎日、批判大会と尋問を繰り返す〝車輪大戦〟を行う、早く自白しろ！」

頭から威嚇した。一心は、黄書海の〝擬装告発〟を気取られぬよう、地面に跪いたまま、わざと即答しなかった。うしろから、いつもの二人の男が足の踵を蹴りつけた。地面にぶっ倒れ、襟ぐりを摑んで引き起されてから、

「自……自白します……」

掠れた声で云った。

「よし、正直に答えろ」

「はい、実は、『毛主席語録』の裏表紙に畏れ多くも書いたのは、逃走経路の暗号ではなく、唐

代の書家、張旭の草書を真似たものです、管理教育幹部殿もご承知のように、張旭の草書は、難解ですが、とても奇抜な字なので――」

ご承知のようにと云われた管理教育幹部は、自尊心をくすぐられたように、

「ふむ、そうか、そう云えば、張旭のあれだったのか」

自分の文化程度の低さを隠すように尊大に頷いたが、

「それなら、なぜ、もっと早く答えなかったのか」

猜疑の眼を光らせた。

「それは、いくら唐代の草聖と称せられる書家であっても、張旭は、ある時は酒に酔って大声で狂奔して筆をとり、またある時は、頭髪を墨に濡らして書いたといわれるほど、酒気に乗じて筆をとったりする逸話が多く、旧思想のものであります、労改で毎日、労働と学習を通して思想改造が行われているのに、いまだに思想的にたち遅れていると糺弾され、〝改造抵抗罪〟になるのが、怖しかったからです」

「では、張旭の草書を真似たという、この一文を読んでみろ」

まさか、文章の内容を読み上げろと云われるなど、考えていなかったから脂汗が滲み出た。

一心は、からからに乾いた頭の中で、必死に考えた。

「おい、早く読め！」

険しい語調で命じた。一心はごくりと、生唾を呑み、

「杜甫が、張旭の人となりと書体を詠んだ『飲中八仙歌』の一節です」

と前置きし、『毛主席語録』の裏表紙に書いた日本のあいうえおの五十音表を前にし、まことしやかな表情で、

「張旭三杯草聖伝

脱帽露頂王公前
揮毫落紙如雲煙」

あたかも、杜甫の『飲中八仙歌』そのもののように韻をふんで読んだ。

「ふむ、この意味を、誰にでも解るようにやさしく説明してみろ」

管理教育幹部は、自分は解っているが、他の看守たちにも解るようにという云い方をした。

「張旭は盃を重ねると、草書の聖といわれるほどの書をしたためるが、王公の前でも頭巾を取ってしまう、昔は貴人の前では、冠や頭巾をかぶって髪を見せてはならぬのに、張旭は酒に酔うと、王公の前でも頭巾をとり、頭の頂きを露わにしてしまうが、筆をとって紙に揮うと、その筆勢は雲煙が湧くような見事さである」

と注釈すると、管理教育幹部は、

「ふん、いくら草書の名人といっても、要は酒呑みのくだらない奴だな」

と舌うちし、

「よし、この件の審査は、これで終りにする」

机の上の『毛主席語録』を閉じ、一心を見据えた。

「だが、旧思想を打破する文化大革命は始まって、既に四年が経ち、労改の中で日夜、労働と学習を通して思想改造が行われているにもかかわらず、お前はなお旧思想に捉われ、酔っ払いの書を真似、練習していたことは、改造抵抗罪と販売四旧罪（古い思想、文化、風俗、習慣の四つの旧思想を宣伝する罪）に相当する、よって、お前の刑期は今日まで不確定であったが、本日、確定し、労改十五年の刑に処す、追って法院の審判員より判決文が下る」

一心は、凝然とした。今日から十五年の刑――。しかし、日本語であることが解れば、おそらく、日本の特務として、無期か、銃殺刑に処せられるであろう。それから思えば、十五年の刑はましかもしれない。

「この自白書に署名し、拇印を捺せ」

記録係が書いた自白書が、突きつけられた。下手な字と稚拙な文章で、張旭の名前は係の当て字で、『飲中八仙歌』の詩文も間違いだらけであったが、陸一心は署名し、拇印を捺した。

長春の田舎、范家屯の自宅で、陸徳志は、机に向い、黙々と書道を続けていた。

文革の嵐はまだ続き、教師の多くは政治闘争に明け暮れ、小学生は、中学生の紅衛兵を真似て学校の机や窓ガラスを叩き割り、授業どころではなかった。陸徳志は、週に一、二度、学校を見廻りに行く以外、殆んど自宅で過し、誰とも言葉を交さなくてよい書道に心を傾けていた。

陸徳志は、唐以降の個性的で奔放な草書より、それ以前の書体、とりわけ、王羲之の楷書体を好んだ。書を始めた頃の手本が、王羲之の『蘭亭序』だったせいか、今でも、

中春命月　風柔木清

ではじまる『蘭亭序』を、初心に戻って書くことがある。

「そろそろ、お昼にしましょうか」

妻の淑琴が背後から声をかけながら、机の上を窺うように見た。古典の詩歌や書は、打破すべき旧思想とされていたから、気がかりであったのだ。しかし、反古に書かれていた字は、淑琴には解らぬ難しい字の途中から、

陸一心　一心　一心……

消息不明のまま四年になる一心の名前が、書きつらねられている。

「あなた……」

淑琴は、声を詰らせた。この四年間の心痛で、陸徳志の頭髪は、五十半ばとは思えぬほど真っ白になっていた。

食卓に向い、夫婦だけの侘しい食事に箸をつけると、

「你好！」

明るい声がし、近くに住んでいる姪の秀蘭が、外出先から帰って来たところらしく、頭に頭巾を巻き、手提げを持って入って来た。

「おお、秀蘭か、何もないが一緒にどうかね」

徳志が云うと、

「じゃ、遠慮なく――」

頭巾を取り、手提げから家鴨の茹卵、油条（ねじり揚げ菓子）、熟した柿を取り出し、食卓に並べた。

「ほう、こりゃあ、大そうなものを有難い」

「いつも、こんなに気をつかって貰ってすまないねぇ」

淑琴も、礼を云った。

髪を肩のあたりで切り揃えた秀蘭は、三日月眉の優しい顔を綻ばせ、

「今日は、学校のお給料日だから買って来たの、授業がないのに、お給料だけは財務科へ取りに行けば貰えるのだから、有難いというのか、申しわけないと云っていいのか」

苦笑した。一心と同じ長春市内の高級中学を卒業した後、希望通り、初級中学の国語の教師に分配されていたが、まだ独身であった。油条をちぎりながら、

「相変らず、何の手がかりもないの」

秀蘭は、机の上の陸一心と書き連ねた毛筆に、気付いて聞いた。

「ええ、何度、北京(ペイチン)鋼鉄公司に問合せても、梨のつぶてで……」

「こんな時勢だから職場ごと、どこかの五・七幹校へ送られているのかもしれない、だが、それなら、一心の性格からして、何かの形で私たちに知らせてくるはずなのに、ぷっつり消息が跡切れたままとはねぇ」

夫婦は、こもごもに話した。陸徳志は、北京鋼鉄公司をはじめ、長春の公安局、北京の公安局へも、この四年間に二十数通の毛筆の問合せ状を出したが、どこからも返事は得られなかった。思いあまって、この春、鞍山(アンサン)鋼鉄公司に、昔の教え子が工人として働いているつてを頼って出かけて行き、北京鋼鉄公司の様子を調べて貰ったのだった。中国最大の製鉄所である鞍山鋼鉄公司も、文革のための革命委員会の管轄下にあったが、国家の要(かなめ)である鉄の生産は、細々(ほそぼそ)ながらも続いており、工人たちの話によると、農村へ思想改造に下放された知識人の技術者たちも、ぼつぼつ、戻って来ているという話であった。

その教え子は、さらに調べてくれたが、北京鋼鉄公司の技術者たちは、ベトナムに近い雲南省(ユンナンセン)の農村へ下放されているらしいというところまで摑めたものの、それ以上のことは解らずじまいだった。

「叔父さん、無駄かもしれないけれど、雲南省の省外事処へ手紙を出して、北京鋼鉄公司の技術者が下放されていないか、問い合せてみてはどうかしら、何だったら、私が書きましょうか」

「むろん、もう出したよ、だが、雲南省の外事処からも、何の返事もない」

徳志が箸を置き、痩せた肩を落した。

「そうなの……、でも一心兄さんは、おとなしいけれど、芯が強い人だから、どんな逆境でも、必ずどこかで生きているわ」

秀蘭は、黒い瞳をうるませた。

食事が終り、徳志は心を静めるように再び、書の机に向った。秀蘭は、食事のあと片付けを手伝い、

「あんなに一心のことばかり思い詰めていたら、叔父さん、病気になってしまうわ、何とか探し出す手だてはないものかしら」

「秀蘭、お前も一心の帰りを待ってくれているんだね」

淑琴が云った。秀蘭はかすかに頰を染め、食卓をごしごし拭きながら、

「一心兄さんの安否を、考えない日はないわ、叔母さんたちと一緒の気持よ」

「一心とは、何か約束ごとでもあるのかい」

淑琴が、ためらいがちに聞いた。

「そんなこと、何も……、ただ私にとって、一心兄さんは、実の兄も同然よ、一心兄さんの影響で、勉強嫌いのわが家の中で、私だけが高級中学へ進学できたんですもの」

「そうかい、実はこの間、あんたの両親から、万が一にも、秀蘭を一心と娶せることなど、絶対に許さん、小日本鬼子とかかわって、吊し上げられたり、三角帽を冠って町を引き廻される〝遊街〟などになると、一家の災いだと、きつく云われてねぇ」

陸徳志は、日本の孤児を養子にしたという罪で、数回、范家屯の駅前の広場から、村の郵便局、小学校、人民公社の間を、三角帽子を冠せられ、紅衛兵に爆竹を投げつけられながら、引き廻されたのだった。

「叔母さん、両親や兄たちのいうことは聞き流して――、うちの小林兄さんに至っては、小日本鬼子の一心がいなくなって、せいせいしたって、喜んでいるんだから話にならないわ」

秀蘭は、努めて明るく云ったが、明るく努めれば努めるほど、淑琴は、秀蘭が不憫に思えた。幾つになっても、可憐な面差しが残る秀蘭には、まだまだ縁談があるのだった。

玄関に自転車の軋む音がし、郵便配達人が戸を叩いて、一通の封書を放り込んだ。

「うちへ郵便物が来るなんて、久しぶりのことねぇ」

淑琴はそう云い、夫の机の上に置いた。

徳志は、封書を手にし、裏を返した。差出人のない郵便であった。訝しい思いで、字体をよく見たが、心当りはない。

封を切って、一、二行読むなり、徳志の顔色が変った。横書きの枡目にきっちりした字で書かれた手紙には、思いもかけぬことが記されていた。


あなたの息子、陸一心は現在、内蒙古の労働改造所に囚人として収容されている。本人の話によれば、一九六六年十二月、単位の隔離審査で、日本の特務、生産破壊の罪名を受け、司法機関を経ず、そのまま寧夏回族自治区の労改へ送られ、六九年初め、内蒙古労改へ移送されたとのことである。罪名は全くの捏造で、冤罪であるとのこと。辺境の労改にあっても、なお養父母の恩愛に報いるために生きぬく心情に搏たれ、一報する次第です。


陸徳志は、繰り返し、差出人不明の手紙を読んだ。徳志の眼からどっと、涙が噴き出した。

「あなた、何が――」

淑琴が云うと、黙って、手紙を渡した。

「えっ、一心が労改に……」

声が跡切れた。秀蘭が手紙の字を追った。暫し、三人三様の思いを籠めた沈黙が流れた。

「――こんな重大なことを、匿名とはいえ、誰が知らせて下さったのかしら？　叔父さん、心当りはないの」

秀蘭が、眼を上げた。

「いや、全く心当りがない」

「もしかして、叔父さんを陥れるための、何かの罠ではないかしら、少し妙だわ」

「どうして？　息子の消息を親に知らせることが、なぜ罠なの」

淑琴が云った。

「でも、私は、なぜか不自然な気がして——、この手紙は男の文章らしく書いてあるのに、筆跡は女性のような字でしょう、労改の囚人に接する機会がある立場というと、やはり同じ囚人で女性、つまり女囚としか考えられないでしょう、女囚が手紙を出せるのに、一心兄さんが直接、自分で出せないのが、不自然じゃないかしら」

秀蘭は、鋭い観察をした。

「うむ、秀蘭の云うことに一理ある、だが、これは男であれ、女であれ、一心に直に会って話をした人の手紙だ、その人の真心が、私に伝って来るようだ、この人は、この人なりに事情があって、名前をあかせないのに違いない」

徳志は、その手紙を掌の中に、しっかりと握りしめた。

「じゃあ、差出局は内蒙古なのね」

徳志は、封書の消印を見たが、消印のゴムが摩耗して読み取れない。

「差出人も、発信局も解らなくても、この手紙は、信じられるでしょうか」

淑琴が案じると、徳志は頷いた。

「子供の時から、手塩にかけて育てて来た叔父さんが、好意の手紙だと感じ取られたのなら、間違いないでしょう、よかったわ」

ようやく、秀蘭も認めるように云った。

「冤罪ならその無実を晴して、一日も早く、労改から出してやらねばならん」

「でも、内蒙古労改と書いてあるだけで、それ以上何も書いていないから、どうして探し出せばよいのか……」

秀蘭が呟くと、陸徳志は沈思し、

「実は、以前からずっと考えていたことなのだが、この際、思いきって、北京の人民来信来訪室へ直訴してみようと思う」

決心するように云った。

「えっ、北京へ――」

淑琴と秀蘭は、驚いた。

人民来信来訪室は、人民大衆から国務院の総理、副総理などの国家指導者宛の書簡、もしくは面会要望を処理する機関で、国務院弁公庁の直轄であった。〝為人民服務〟の毛沢東思想に即して、国家の政策、方針に関する意見書から、家庭内の争い、生活面に至る苦情まで、広範囲の問題を国家指導者に直訴し、解決を要請することができる人民大衆のための唯一の機関であった。

「ですけど、北京に何のつてもないあなたが、いきなり、直訴に行っても、ほんとうに取り合って貰えるのでしょうか」

淑琴が、危惧するように云った。そういう制度が、理想通り機能しているのなら、今のような荒廃した世の中にはなっていないからであった。

「確かに、その懸念があるから、今日まで決心がつかず、口にしなかった、しかし、息子が冤罪で労改に入っていると知った以上は、何としても助け出さねばならない、取り合ってくれるか、否か、この長春の田舎で考えていても、仕方がないではないか」

徳志は、もはや、動かぬ語調で云った。秀蘭は、叔父を見詰め、

「公安や、法院さえ、上層部は、造反派の吊し上げで下放され、正常に動いていないし、国家指導者も、造反派の手で次々に粛清されている現在、北京の人民来信来訪室も、まともに動いているかどうか、その点が不安だわ」

と案じた。

「だが、われわれが心から尊敬し、信頼する周総理が健在で、総理として今もその任に踏みとどまっておられるのだから、一縷の希望はある、淑琴、今、家の蓄えはあるのか」

徳志は、夫婦になってはじめて、淑琴に貯金の額を口にした。

「一心が、北京鋼鉄公司に服務するようになって、月々、送金してくれていたお金は、あの子の結婚まではと、手をつけずに積みたてています、どうしてもと云われるなら、北京まで出かける旅費の都合はつきます、ですが、一度、直訴状を出してみられては」

「今さら書状でなど――」

「でも、こうして一心の消息を知らせて下さった手紙が、無事に届くようになったではありませんか」

淑琴は、いざとなると、夫の身の上を思い迷った。

「うむ……、だが、この手紙を書いた人は、心のりっぱな方だ、幸い何事もなく着いたが、以前、遊街させられたことのある私宛の手紙が、もし怪しまれて郵便局で開封されたら、こともあろうに労働改造所の内部情報を外部へ洩らした罪人として、差出局が徹底的に調査し、差出人が突き止められる危険がある、それにもかかわらず、こうして報せて下さったのは、よくよくの自己犠牲の精神を持った人だ」

感謝の念につかれるように云った。

「ですが、この荒れすさんでいる時勢に、親戚はおろか、何のつてもない北京へあなたが一人で行かれ、もしものことがあったらと、それが心配で……」

淑琴は、夫のまっ白な頭を見つめ、口ごもった。

「すまん――」

徳志は、ぽつりと云った。

それから一カ月後、陸徳志は、北京市東南の崇文門(ツオンウンメン)外に近い旧城外の城壁に、へばりつくようにアンペラ小屋を張って坐っていた。北京へ着いて十日経っていた。

城壁沿いには、各地方からはるばる北京の人民来信来訪室へ直訴に来た人々が、アンペラや板ぎれで小さな掘立小屋を造り、屋根が風で飛ばないように煉瓦や石をのせ、小屋の中に蹲(うずくま)って、順番が来るのをひたすら待っていた。

国務院直轄の人民来信来訪室は、天安門(ティエンアンメン)広場に近い長安街(ツアンアンチエ)の方向にあったが、常時、三千人とも、五千人ともいわれる直訴人の列が、延々と東南に延びていた。

地方からの直訴の場合、政府の招待所に宿泊できることになっていたが、それは建前(たてまえ)で、文革で正常な行政機能が停滞している今は、各自が自衛の手だてを考えるよりほかなかった。

陸徳志は、妻が持たせてくれた布団にくるまり、秀蘭が徹夜して編んでくれた毛糸の厚い下着を着込んで、寒さに耐えていた。食べものは、近くに毛糸、手縫いの靴底、桶、刺繡(ししゅう)などの手仕事の小さな町工場が犇(ひし)めき、そこの工人相手の食べもの屋台や、野菜売りの残りものを安く譲って貰うことで、どうにか飢えをしのいでいた。

「冷えますなぁ」

陸徳志より先に、西安(シーアン)から辿り着いた四十二、三歳の男が、どこから拾って来たのか、七輪(しちりん)に煤球(メイチユウ)(豆炭)をおこし、大きな薬罐(やかん)に湯を沸かすと、アンペラ小屋の人々に声をかけた。

まず隣りにいる陸徳志の湯呑に、唐辛子を入れた湯をついでくれた。口をつけると、ぴりっと辛い湯が咽喉を通り、すきっ腹の胃の腑にじんと沁みた。物騒で身寄りのない北京の街中で、同じ念願を抱いて城壁沿いのアンペラ小屋に住み、順番を待つ者同士にしかない人情であった。

「温かい、爪先まで温まるようですよ」

陸徳志は、湯呑を手にして礼を云った。

「いや、礼を云われるほどのものではないですよ、あっちの方の人たちにも、この薬罐を持って行って、ついであげて下さい、私はこの豆炭の火があるうちに、もっと湯を沸かさねばならんので――」

よく出来た人らしく、一杯の湯にも唐辛子を入れ、温かい心配りが感じ取れた。陸徳志が、でこぼこに窪んだ薬罐を提げ、皆から少し離れた筵がけの掘立小屋へ行くと、鼻を衝くような悪臭がたち籠め、その周りには、小屋の列もない。筵を垂らした中を覗くと、髪を取り乱し、両眼を見開いた老女が、おかっぱ髪が垂れた少女の死体を横抱きにして坐っている。既に腐爛しかかり、死臭を放っている。陸徳志はたじろいだが、長春から脱出する時、卡子の中で見た死体の山を思い浮かべ、

「湯をどうぞ――」

と声をかけて、アルミの湯呑をさし出した。老女に見えた女は、中年の母親であった。湯をそそぐと、僅かにたつ湯気にも死臭がにおったが、母親はぶるぶる震える手で、湯を呑み干した。

「娘さんは、おいくつだったのです？」

「――十六歳の高級中学生ですよ」

嗄れた声で云い、陸徳志がたち去りかけると、俄かに、訴えるように話し出した。

「私は河北省から出て来たんです、この娘は、省の高級幹部の不良息子に殺された、農村の下放

から戻って来ても学校の授業がないのをいいことに、初心な娘を父親の別荘に連れ込み、さんざん弄び、妊娠させたあげく、首を締め井戸へ突き落して殺してしまった、その上、公安に自殺だと云い張り、その父親も手を廻して事件をもみ消してしまった、不良息子が、娘を井戸に突き落したのを目撃した証人が三人もいるのに、高級幹部を怖れて、証人として証言してくれない、だけど、この娘の首には紐で締め殺した痕が、今も残っている、この締め痕が、自殺ではなく、他殺の動かぬ証拠——。私はこの死体を人民来信来訪室に持ち込んで検分して貰い、娘の恨みを晴してやりたい、その一念で直訴の順番を待っている、早くしないと、娘の死体は腐爛しきって、首の締め痕が消えてしまう、この大事な締め痕が……」

と云い、既に腐爛しかかっている首筋を撫でさする姿は、鬼気迫る凄じさであった。これ以上、日が経てば、死体の検分より前に、母親の神経が、ずたずたに狂ってしまいそうであった。

長春でも、高級幹部が特権を振り廻し、人民大衆の想像を絶する贅沢な生活をしているという噂は伝っている。現に、薬罐に湯を沸かし、皆に分けている西安から来た男も、高級幹部の闇物資の不正を党に報告したところ、審査の前段階で、逆に逮捕され、四年間、公安の監獄に繋がれ、妻子と別離の憂き目に遭い、その名誉回復のために来ているのだった。

陸徳志は、暗澹とした思いで、次の小屋へ行った。入口のところに痩せぎすで垢じみ、年齢も定かではない女性が、襤褸をまとった姿で、ぼんやりと坐っていた。湯をすすめると、無表情に痩せ細った手を出した。一口、湯を呑むと、

「おじさんは、なんのためにここへ?」

声は驚くほど、若々しかった。

「息子の冤罪を晴すために——、娘さんは?」

と聞くと、

「私は、無実の罪で投獄され、その上、間違って処刑されてしまった父の名誉を挽回するために、ここにいます、もうこれで三年目――」

抑揚のない声で云った。

「父は、重慶の工場労働者で、武闘が激しくなった一九六七年、反対派の組織が主導権を握った時、反革命分子として、五年の刑を受けたのです、それなのに、或る日、公開審判大会で、多くの人民大衆の前で、十人の死刑を行う時、囚人を数珠つなぎした看守兵の縄のかけ方が悪く、死刑囚の一人の首を縊り、窒息死させてしまった、一人、人数が足りなくなり、公示した公開処刑の員数合せのために、私の父をひっぱり出して処刑したのです、私は見ていたのです。父は十人目の処刑者として台にひき出された時、『間違いだ！　私は五年の刑だ、死刑囚ではない！』と絶叫したのです。他の死刑囚たちは泣き喚かさないために顎をはずされ、ものが云えないのに、父だけは、はっきりそう叫んだのです、私は、その場で失神してしまいました、その翌日処刑者の家族に弾代、一発五銭を、公安から徴収に来ました。その時、父の処刑は員数合せのための誤りだと訴えましたが、受けつけず、責任逃れをならべるばかりか、遂には、父が逃亡を図ったという無実の罪をでっち上げ、初めから処刑する死刑囚だったと、公開処刑を正当化したのです。母は神経がおかしくなって寝たきりとなり、私は、父の名誉を挽回するために、三年前から、この人民来信来訪室の列に並ぶようになりました、毎年、こうして何カ月も順番待ちをしていても、来訪室の入口に辿り着けないうちに、厳寒の冬になってしまうのですが、私は、最も尊敬し、信頼する周総理の公正な裁きを受け、父の名誉が回復するまで、何年でもここへ列びます、その日が来るまで、私は結婚もしません」

乾いた声でそう云いきった。齢を聞くと、二十と答えたから、ここへはじめて並んだのは、十七歳であったのだろうか。陸徳志は、薬罐を手にしたまま、暫し、その場にたち竦んだ。

一心の冤罪が簡単に晴れるとは思っていなかったが、この様子では、人民来信来訪室の入口に辿り着くまでに何カ月、いや、何年かかるか、見当がつかず、係官に会えても、二度や三度くらいで、容易にすみそうにないことを思い知った。

とぼとぼと、自分の掘立小屋の前まで戻って来、茜色に染りかけた夕空を見上げると、小さな町工場の家並と、地面に蹲るようにかたまっている灰色の民家の屋根の向うに、天に聳えるような天安門の楼閣が望まれた。その雄渾な天安門を見詰めながら、陸徳志は、一心の無事をひたすら祈った。

十一章　二つの手紙

中ソ国境、ウスリー江は白く凍結し、見渡す限り緩やかな起伏をもった雪原が拡がっている。飛ぶ鳥さえ凍え落ちそうな壮大な銀世界はしんしんと静まり返り、ウスリー江東岸のソ連領の河沿いに、疎らに連なる白樺林も、雪原に溶け込むように白々と影を落している。

だが、視線を凝らすと、その白樺の林の間に、点々と鉛色に不気味に光るものが見える。コンクリートの対戦車壕の中から出ている砲塔であった。対戦車壕そのものは雪に掩われているが、砲塔は露出し、その砲口はさすがに横を向いている。対岸の中国側を刺激しないためであったが、一朝、有事の際には、砲口は直ちに中国領に向け、戦端を開く態勢がとられている。

その中ソ国境地帯を、解放軍工程兵中隊長の袁力本は、小高い丘陵の陰から、双眼鏡で見据えていた。耳掩いのついた防寒帽に、膝下までの綿入れの大衣を着込むと、偉丈夫な袁力本は一層大きく、逞しさを増す。郷里の小学校から長春の高級中学までは、無二の親友である陸一心とともに過したが、高級中学卒業と同時に、袁は選ばれて栄誉ある人民解放軍に入隊し、さらに部隊から推薦されて、北京の工程兵学院で土木技術を二年間、勉強し、以後、工程兵部隊で国防の一翼を担っているのだった。

「袁中隊長、演習準備が完了しました」

部下の小隊長が、小声で報告した。日没から、二日間にわたる工程兵大隊の演習が開始されるのだった。

「よし、幸い向うはこちらの動きに気付いていない」

袁は今一度、双眼鏡でソ連国境に順次、照準を合せていった。

ウスリー江沿いの白樺の林と対戦車壕の後方には、有刺鉄線がジグザグの形で延々と続いている。一本だけでなく、十五メートル間隔に、十三条の鉄条網地帯が続き、その間を国境警備隊のトラックと兵隊が交互に往き来し、蟻の子一匹たりとも入り込ませない厳重さである。その上、ところどころに高い望楼と、高性能の音声収集用の情報アンテナをたてている。

二年前の一九六九年三月、ウスリー江にうかぶ珍宝島で、中ソ間に初めて武力衝突が発生して以来、珍宝島周辺の国境地帯は異常な緊張が漲り、目下の政治交渉が決裂すれば、いつでも出動ができるように、部隊が常駐し、演習が繰り返されているのだった。

袁は部下の小隊長とともに、演習場へ戻った。三小隊百二十人の兵隊は氷点下、ソ連兵の毛皮付き防寒服に、革靴のぬくぬくした服装とは比ぶべくもない粗末な軍服で寒さに耐えている。中隊長である袁自身も兵卒と同じ服装であった。

全員を自分の周りに集め、

「大隊本部から伝令がとんで来れば、すぐ演習開始だ、これから四十八時間の演習は辛いだろうが、わが中隊は、日頃の力量を評価され、前線陣地の最大戦力となる地雷原を任されたのだから、全員一枚岩となって、任務遂行に当るのだ」

小声だが、熱気のこもった訓示を与えると、百二十人の兵は強く頷いた。

午後四時十五分、日没とともに白銀の世界は一転、雪明りだけの蒼茫たる闇に包まれ、演習開始が告げられた。ソ連側に気付かれぬよう、兵隊たちは額の上に青い塗料を塗った工作灯をつけ、それぞれの持場に散った。

演習とはいえ、地雷原はウスリー江にすぐ近く、ソ連戦車が河川を渡って侵入して来る時、必ず通るであろう平坦な地形が選ばれ、実戦とさして変らぬ緊張が漲っている。

兵隊たちは、小隊ごとに昼間、目だたぬ布で標識をつけておいた持場に着き、地雷帯を敵側から後方に向って、順次、敷設して行く。地雷帯の中心線に縄を張る者、直径三十センチの平たい楕円形の対戦車用地雷を運ぶ者、それより二廻り小さな円筒形の対人用地雷を敷設する者、雷管のネジ込みをしていく者と、それぞれの作業をせっせと進めて行く。

広い地雷原に、百二十人の兵の額に点けた工作灯が、青白く前後左右に揺れ、その光で中隊長の袁は、作業全般が組織的に順調に行われているかどうかを把握しつつ、指揮をとっていた。

二カ月近く訓練し、万全の準備をもって臨んでも、いざ演習となると、地雷を取り落したり、ちょっとした配置ミスで、連携作業が滞ったりする。ことに今夜のように厳しく冷え込むと、手足が凍え、時間の経過につれて、作業が遅れがちになった。

そんな時はすぐ、袁は伝令を出し、自身も見廻りながら、もたつく初年兵には、

「手袋は破れていないか、凍傷には気をつけろよ」

まだ背丈も伸びきらず、大衣がぶかぶかの少年のような兵たちに声をかけた。

「大丈夫です、パミール高原でウランを掘ったり、ベトナム国境でジャングルを切り拓いたりしている同志のことを思えば、恵まれています」

白い息をはずませ、地雷に雪をかぶせる作業を続けかけた時、突如、ウスリー江対岸ソ連領から、青白い光がするすると、たちのぼった。

「伏せろ！　照明弾だ！」

袁の声に、兵たちは地雷を抱えたまま雪原にうつ伏した。花火のような青い光が上空で大きく開き、落下傘のような形で落ちて来た。暗闇の中に、中国側の監視塔や鉄条網が浮かび上り、袁の中隊が担当する地雷原や、後方の塹壕、対戦車壕掘りの演習現場もあかあかと映し出し、その光は一分間近くにわたって、中国側陣地を照射した。大砲による照明弾だけに、規模が大きい。

小隊長の一人が、袁の傍に匍匐して来、

「敵は、侵攻して来るつもりでしょうか」

今にも戦争が勃発するかのように声をおし殺し、いきりたった。

「早まるな、単なる牽制だろう、暫くこのまま伏せ、こちらの動きを察知されぬよう兵に伝えろ」

と命じると、小隊長は、袁の命令を三、四人の伝令を使って、百二十人の兵隊に浸透させた。照明弾が消えたかと思うと、続いて射撃音が聞えて来た。どうやらソ連軍も、夜間演習をしているらしい。

本部から、演習続行を指令して来た。袁は兵を指揮し、

「もう三十分、頑張れ」

と励ました。

ソ連側の射撃音に耳を澄まし、部下の演習に目を配りながら、珍宝島事件を思い出していた。

最初に事件が起ったのは一九六九年三月はじめだった。ウスリー江はまだ氷結し、ソ連国境とは今のように陸続きの状態であった。

ことの起りは、ウスリー江の中洲にある珍宝島を、中ソ両国が自国の領土と主張して譲らぬことにあった。国際法上に定める国境は、河川の場合、水深の最も深い箇所で、それにしたがえば、

珍宝島は中国寄りに位置するが、河川の氾濫の度に水深が変化し、国境線が問題になるのだった。その度に政治交渉で、武力衝突を回避して来たが、厳冬の二月、突然、ソ連軍が、中国側が確認できる国境地帯で演習を行ったため、一挙に緊張が高まり、遂に三月、政治交渉中に発砲が起り、銃撃戦になったのだった。

当時、袁の工程兵大隊は、戦車、装甲車が短時間に出動できる道路開設に当っており、ソ連の戦車が銃砲をぶっ放しながら、氷結した河川を渡って来るのを、目撃したのだった。

だが、兵員数において勝っていた中国側はソ連の侵攻を防ぎ、ソ連軍は五十名近い死傷者を出して撤退したものの、二週間後に再度、衝突が起った。前回に懲りたソ連軍は、圧倒的な火器、機動力を駆使して来たから、中国側は、千名余の死傷者を出して、敗れたのだった。その後、珍宝島事件は、中ソ全面戦争の口火になるかと危惧されながらも、鎮静し、両国の首脳間の政治折衝へ委ねられているが、緊張した状態が続いているのだった。

袁の工程兵部隊は、銃をもって戦う歩兵、砲兵部隊ほど死傷者を出さなかったが、二度目の衝突の際には、ソ連軍の撃つ迫撃砲が、七キロ奥の中国領まで飛んで来るほどの凄じさのため、塹壕掘りをしていた三名の部下を死傷させてしまった。手塩にかけて育てた部下を喪うほど悔しいことはない。袁の胸中には、今度、攻めて来た時にはという憎悪が渦巻いていたが、兵隊たちには黙していた。

ソ連側の夜間演習の銃砲撃は、ようやく止んだ。

袁は兵たちの間を歩き、一時間半の作業に、三十分の休憩が限界だと見てとると、地雷をその場に置かせ、休憩を命じた。

作業と休憩を繰り返し、午前零時、今夜の演習を終了した。兵たちは十人詰込みの四角い天幕へ戻ると、熱い湯を呑み、石炭ストーヴの暖房ですぐに眠った。

中隊長の袁だけは、部下が寝入った後も、石油ランプの灯りの下で、今晩中に敷設した地雷原の記録と、全般の演習作戦計画の設計図とを比較し、ソ連の照明弾打ち上げのために遅れた分を、明日、取り戻す段取りをつけていた。

幕舎の出入口の厚い幕が揺れ、不寝番の警備の班長が顔を出した。

「中隊長、今晩もまだ起きておられるのですか、お体に障りますから、もう寝んで下さい」

見かねるように、云った。

「うむ、もう寝るところだ、外は氷点下二十度くらいまで下っているだろう、辛いだろうが、警備はしっかり頼むぞ」

と犒い、書類を畳むと、駐屯地からこの演習先へ一週間毎に転送されてくる郵便物に眼を通した。

『解放軍報』の新聞類、瀋陽部隊司令部からの通達類の中に、軍関係でない封書が一通、混っていた。袁の部隊の暗号番号である五桁の数字が、やさしい字で、きちんと記されている。

袁の胸が、俄かにときめいた。差出名を見るまでもなく、故郷の長春の田舎、范家屯に住む陸秀蘭からの久しぶりの手紙であった。上官らの勧めにもかかわらず、三十歳を過ぎてまだ独身を通しているのは、幼馴染みの秀蘭への思いがあるからだった。

袁は、差出人の名前をいとおしげに見詰めて、封を開いた。

力本

昨年末には、お心の籠ったお便りを戴き感謝します。

党と国家とともに憂いを分かち、人民に服務しなければならないというお言葉に深い感動を覚え、いつに変らぬあなたの不屈の精神力に、大いに啓発されました。
さて、早速ですが、あなたも心配されていた陸一心が、内蒙古労働改造所にいることが判明しました。全くの冤罪で、叔父は無罪を晴らすため、北京の人民来信来訪室へ直訴に行き、今年も春節（旧正月）明け早々から北京へ出かけました。しかし、直訴人は全国から来ているため、工作係官に面会することすらままならず、長期の北京の仮住いで、体力的にもどん底の苦労をしておられます。もし北京にあなたの人脈があれば、叔父の目的が叶えられるよう、どうか援助の手をさしのべてあげて下さい。
酷寒の季節故、お体を大切にし、休暇には郷里へ帰られるのを、楽しみにしています。

秀蘭の手紙には、思いがけない一心の消息が綴られていた。ランプを引き寄せ、袁はもう一度、読み返した。

そうか！　一心は生きていたのか！　よくぞ労改で生きのびていた――、袁は、咽喉もとを熱くした。范家屯の小学校でさえ、小日本鬼子と苛められた一心であるから、文革のこの時期、どんな迫害を受けているか想像にあまりある。

目下は当分、国境地帯に貼りつき、ままならぬ身であるが、息子のためにすべてを投げうち、北京の厳寒の中で、人民来信来訪室の直訴人の列に並んでいる陸徳志先生は、小学校の恩師でもあった。何としてでも力にならなければならない。

それにしても秀蘭の手紙は、一心を救おうとする思いが、強く滲み出ている。解放軍に入隊して一年間の基礎訓練を終えた自分に、はるばる瀋陽部隊まで面会に来てくれて以来、袁は、秀蘭を忘れ難い女性として心に深く温めてきた。二、三年に一度、休暇で郷里へ帰った時や、折々の手紙でそれとなく自分の思いを伝えていたが、いつも曖昧で、久しぶりの手紙にも、はっきり答えてくれる言葉はなく、一心のことに終始している。心淋しいものを覚えたが、今は何とかして親友の一心を助け出したい気持に駈られた。

袁は腕組みし、信用できそうな人物をあれこれ思い浮かべた。最後に、北京の工程兵学院在学中、起居をともにした同期生の中から、現在、学院の教官となっている友に頼む肚(はら)をきめた。司令部勤務の友より、教官の職にあるものの方が目だたず、しかも人に物を教える立場にいるもの同士なら、分野は異っても通じ合うものがあり、手厚く面倒をみて貰えそうだからだった。

北京の天安門(ティエンアンメン)に近い城壁沿いの掘立小屋で、陸徳志はひたすら、人民来信来訪室の順番が来るのを待っていた。

春節を郷里で迎えてすぐ、列車の切符を手に入れ、上京して既に一カ月になる。

昨年、差出人不明の手紙を受け取ってから、準備もそこそこに北京へ行き、待機したが、直訴人の長い行列の後方では如何(いかん)ともしがたく、年内で一旦、郷里へ引揚げ、酷寒を承知で早々に上京したが、すでに二百人もの人々が天安門広場近くから順々に、小屋をたてていた。

その光景を目にした時は、茫然としたが、昨年、掘立小屋をたてた旧城外の崇文門(ツオンウンメン)からすれば、今いる前門は旧城内で、希望が持てる距離であることに、気を取り直した。

高さ十五メートル、幅一・五メートルの灰色の煉瓦で築かれた城壁のあちこちは、こぼたれ、そこここに、

人民　只有人民　是歴史的主人
打倒　牛鬼蛇神

紅衛兵たちが赤ペンキで書き殴ったスローガンが、壁面が真っ赤になるほど、書かれていたが、城壁は掘立小屋をつくるのに、またとない建造物だった。城壁を背に三方を、板、煉瓦、油布、アンペラなどで掩い、地面にセメント袋、油布、ビニールなど、ありとあらゆる防寒、防水の材料を寄せ集め、布団を敷き詰めて、綿入れ服にまるまっていれば、氷点下の気温にも、どうにか耐えられた。

天気のいい日は、できるだけ日光浴をしながら、去年の顔馴染みを探したが、まだ誰とも行き会わなかった。今年は、去年より多くの食糧を范家屯から担いで来ていたが、いつまでしのげることか――。ささやかな貯金はとうに底をつき、家に残っているのは、妻の淑琴（スウチン）の夜具だけであった。

日没になると、煤球（メイチウ）（豆炭）をおこし、植木鉢の底に蓋をした火鉢を抱くようにして、長い夜に備えた。しんしんと冷える夜は、労改で一心が凍えていないか、寒風が吹きすさべば、一心が吹き曝（ざら）しにされていまいかと、何ごとにつけ一心の身を案じた。それだけに、一心の消息を知らせてくれた人の情が身に沁みた。もし、その人の手紙が寄せられなければ、冤罪を晴してやることも出来ず、いたずらに田舎で気をもむ歳月を過すだけであった。

陸徳志は、何としてでも、一心を労改から釈放させてやらねばならない責任があると思っていた。一九四六年、長春の駅前の人買いの手から一心を救ったとはいえ、日本に帰りたがるのを引き止め、国民党下の長春市から、解放区の范家屯へ一緒に連れて逃げ、中国人の子供として育てたことが、取り返しのつかぬ災いとなって、一心の身にふりかかっているのだった。

数日後、陸徳志の掘立小屋の近くに、十数人の女たちばかりの異様な集団が小屋を作り、住みつき始めた。服装は人民服だが、かまびすしい声は、漢民族と全く異る言葉で、真っ黒に陽灼（ひや）けし、動作も荒々しい。公安が何度、立退(たちの)くように命じに来ても、その都度、女たちは凄じい剣幕(けんまく)で喚(わめ)き、公安は云いまかされる形で戻って行くのだった。

そんなある日、煤球をおこす焚き付けがなかなかつかず、煙にむせんでいる徳志に、

「もしかして、おじさんは去年の……」

女の声がした。顔をあげると、ばさばさの髪を紐で束(たば)ね、声とは別人のような女がたっていた。

「おお、あんたは――」

死刑囚の員数合せのために、五年の刑期の父を、公衆の面前で銃殺刑に処せられた娘だった。僅かの間に、まだ二十一、二歳の娘は一層、痩せこけ、歯までも欠けていた。

「いつ、北京へ来たのかね」

と聞くと、娘はそれには応えず、

「食べるものを、恵んで下さい」

飢えた眼で、訴えた。陸徳志は焚き付けをそのままに、娘を小屋へ入れ、妻が持たせてくれた保存食の煎餅(チエンピン)を与えた。

娘は垢だらけの両手で、煎餅を摑み取り、歯の欠けた口でむさぼり喰った。徳志が三回分に分けて、大切に食べつないで来た煎餅を、娘は二口ほど、お湯を飲んだだけで、またたく間にたいらげてしまい、膝や布団の上に落ちたかけらまで、這いつくばって探し、素早く口に入れた。

「――久しぶりに、こんな美味(おい)しいものを食べたわ、有難う」

食べていた時の姿と別人のように、礼儀正しく、礼を述べた。

「そりゃあ、よかった、春節には、郷里へ帰ったんじゃなかったのかね」

と聞くと、娘は無言のまま俯いていたが、眼のふちを赤くし、

「帰ったけど、母がとうとう狂い死してしまったの」

夫が死刑に処された衝撃で神経衰弱になったことは、昨年、聞いていたが、狂い死とは聞くに耐えない話であった。

「親戚からは、直訴を止めないと、公安を怒らせ、罪九族に累が及ぶからやめてくれと云われたけど、名誉を挽回することがどうして罪なのかと云ったら、親族からも縁を切られた、これからもどんなことが身にふりかかろうと、父の名誉回復を果すまで、直訴し続けるわ」

娘盛りを、老婆に見まごうばかりの姿で、父の名誉回復に賭ける一途さに、徳志は搏たれた。

娘はその日から数日おきに徳志を訪れ、二人は大根の皮の漬けものまで、分けあって食べた。

ある日、二人が玉蜀黍粥を啜っていると、女たちの集団に、公安が大挙して、たち退きを命じ、喧々たる云い合いがくり拡げられた。

「直ちにここをたち去れ！　百数えるまでに去らなければ、全員、逮捕し、投獄する！」

隊長らしい公安が高圧的に云うと、蒙古語のできる男がその命令を云い渡した。女たちが蒙古族であることは、徳志も知っていた。

「投獄？　女房の私たちにまで、そんなことを云うのかね、ああ、やれるものならやってみろ！百でも千でも数えろ！」

隊長は激怒し、直ちに逮捕を命じたが、部下たちが及び腰で手出ししかけると、逆に女たちは、大声で喚きながら、公安の男を小屋の中へ引っ張り込もうとし、

「夫を返せ！」

「夫を殺されて、どんなに淋しいか、解るか！　あんた、今晩、一緒に寝ようじゃないか！」と迫った。さしもの公安の隊長も勝手が違い、見物の人垣に当り散らして、今日も引揚げて行った。

「あの内蒙古の人たちは、一体、どういう事情で上京したのだろう」

陸徳志が云うと、娘が、

「おじさん、あの人たちのことを知らないの、あの人たちは、内蒙古から来た寡婦団なのよ」

「ほう、寡婦団——」

意味を解しかねている徳志に、娘は話した。

文革当初、漢民族の紅衛兵たちが、内蒙古へなだれ込み、行政機関や工場、学校を占拠し、蒙古族の幹部を徹底的に吊し上げた。その口実は、『内蒙古人民党』という秘密結社を作り、中華人民共和国の転覆を画策したというものだった。現実には内蒙古人民党などという組織は存在せず、紅衛兵のデッチ上げた幹部追放のための口実にすぎなかった。誰しもその党員であることなど否定すると、隔離審査室へ連行し、石炭ストーヴで真っ赤に焼いた鉄棒を肛門に突き刺して、虐殺したのだった。

夫を喪った妻たちは、数年は災いを怖れて黙していたが、遊牧民である生来の激しい気性から、北京の人民来信来訪室へ訴えるために、或る者は馬に、或る者は驢馬にうちまたがり、野を越え、山を越え、黄塵にまみれつつ、まっしぐらに北京の天安門に辿り着いたのだった。

寡婦団が、天安門広場に整列した光景は壮絶だったが、解放軍によってたち退きを命じられ、陸徳志の掘立小屋近くに、羊の皮の包に似た小屋を建てて、周総理への面会を願い出ていたのだった。

夫を虐殺された寡婦たちの憤りが、馬にまたがり野を越え、山を越え、はるか天安門目ざして来させたことは、いかなる言葉よりも強烈に伝ってくる。

その翌日、陸徳志は、思いきって、寡婦団の小屋を訪れた。羊の強烈な匂いが鼻をついた。言葉の通じない陸徳志を内蒙古の女たちは、胡散臭げに取り巻いたが、徳志は身ぶりと漢字で、自分の息子が内蒙古の労改に入れられていること、労改はどのあたりにあるかを聞いた。

訥々とした徳志に、女たちは同情し、その中の漢語が解る一人が、〝多数〟と書いて、気の毒そうな顔をした。

その日から徳志はがくりと気落ちし、虚脱状態になった。もう食べものを調達することも、隙間風を防ぐことも億劫になり、娘の訪れもないまま、呆けたように日を過した。

そんなある夜、

「……長春の范家屯の小学校教師、陸徳志先生はおられませんか……陸徳志先生」

男の声が、聞えて来た。暫くは空腹と寒さで、自分も神経がおかされ、幻聴かと思ったが、その声は小屋の前を何度も往き来し、聞えて来る。

陸徳志は小屋から這い出し、

「私が、陸徳志です――」

と応えると、軍服姿の男が、月明りを透かすようにして、陸徳志の顔を見詰めた。息子の一心と同じ齢頃の軍人のように思われた。

「あなたが、陸徳志先生ですか？　息子さんの名前は何といいますか」

「――一心、陸一心です」

半ば警戒して応えると、

「よし！　范家屯の陸徳志先生ですね、火の気もなく寒いですから、まずこれを着て下さい」

相手はそう云い、自分の着ていた綿入れの大衣を脱いで、徳志に着せかけた。

「あなたは、どなたです、人民来信来訪室の方ですか」

陸徳志が聞くと、軍服姿の男は、

「いえ、私は北京の軍関係の学校の教官です、私はあなたを探して、困ったことがあったら助けるように頼まれて来たのです」

「そんなご親切を、知らない人から受けるわけには……、どうぞわけを教えて下さい」

「曾てあなたが教えられた生徒のご縁からとしか申せませんが、安心して下さい」

明快に云った。曾ての教え子の縁と聞いて、徳志は相手を信じた。

軍関係の学校の教官と名乗っただけに、きちんとした物腰で、マッチをすって小屋の中を見渡すと、

「これはひどい、あなたは半病人のように見受けられます、ともかく今夜は私が温かい宿をお世話しますから、早くここを出ましょう」

寒さで震えている徳志の体を抱きかかえるように押し出した。


それから一カ月後、突然、陸徳志は、人民来信来訪室への順番が早まった。まだ数カ月先と自らに云い聞かせていた矢先だけに、嬉しくもあり、狐につままれたような思いでもあった。

人民来信来訪室は、天安門広場に近い四合院造りの民家が建ち並ぶ一角にあった。門柱には何の表記もなく、剝げかけた朱塗りの門が固く閉されたままで、順番が来ると、一人、一人、門の中へ呼び入れられた。

陸徳志は、無我夢中で門を入ると、すぐ門脇の受付の窓口で、登録票が渡され、自分の氏名、住所、所属単位、訴えの内容を記述させられた。陸徳志は、まず、「冤罪」と冒頭に書き、その経緯、理由を簡単にしたためた後、待合室で待たされた。そこには何年も、城壁沿いに列んだ後、やっと辿り着いた安堵と、これから直訴する不安とが入り混った表情で、垢じみた服装の人たちが、椅子によりかかって待っていた。

やがて、陸徳志の番が来て、来訪室の中へ一歩入るなり、息を吞んだ。広い部屋の四隅に、四つの机が置かれ、そこに係官が坐っていた。入口を入ったすぐ近くの机の前に、人間の死体が転

がり、相当、日が経っているのか、顔や手足の傷みがひどく、腐爛しかけている。係官と父親らしい男が、その死体を挟んで、殺気だっている。

「私がなぜ、息子の死体をはるばる地方から運んで来たか、それは学内の武闘で死んだ息子の死因に疑問を持ち、中央で解決して貰おうと思ったからですよ、武闘の混乱の中で、相手の組織の誰に殺されたのか、容疑者の名前も解っているのに、地方の公安では相手にして貰えない、かくなる上は、中央の公安部の法医官に死因を調べて貰い、容疑者を逮捕して、正しい結論が出るまで、私はここを絶対、動かない」

「あなたの申し立ては充分、理解しました、直ちに司法部門に連絡して、調査にあたることにするから、今日は当局が準備した招待所へ行って、待って貰いたい」

「一旦、ここを出たら最後、息子の死因は解らず、浮かばれずじまいになる、この部屋の隅で、息子の死体といつまででも待つ」

父親は、息子の死体を抱いて、係官の退去の言葉を拒絶した。

「党と国家を信じなさい、さあ、次の人、ここへ来て——」

と呼ぶ声がした。陸徳志は、その机の前の椅子に腰をかけた。

四十歳そこそこの係官は、陸徳志がしたためた登録票を見、

「なに、日本人——、日本人を子供にした養父が、その冤罪で訴える？」

係官は、中国人民のことで手一杯だとばかりの口調で云うと、上司らしい男が、つかつかと寄って来た。鬢に少し白いものが混っているおだやかな風貌の男は、登録票を一読すると、

「私が話を聞くことにしましょう」

と云い、少し奥まったところにある机に、陸徳志を呼んだ。

「まず、あなたの息子が、冤罪で内蒙古の労改へ送られていると、申し立てる証拠は、何ですか、

立証するものが必要です」

陸徳志は綿入れの上衣の下に手を入れ、肌着に縫いつけているポケットから、四つに畳んだ紙片を取り出した。それは、陸徳志宛に、一心の消息を報せて来た差出人不明の手紙であった。

副主任クラスと見える男は、手に取って読み終ると、

「この差出人に心当りがありますか」

「それが、いくら考えても思いあたらないのです」

「この書信の発信地は、どこなんです、封筒を出して下さい」

「運悪く発信地の消印が薄くて読み取れず、困っているうちにその封筒を失ってしまったのです」

陸徳志は、差出人不明でも、発信局の消印から、相手に迷惑がかかる事態が起ることを考えた。

副主任らしい男は、もう一度、手紙を読み返した。

「差出人不明の手紙では偽造と見なされる場合がありますが、これは、労改にいるあなたの息子と実際に会った人でなければ書けない手紙であり、冤罪についても相当な確信をもって書いていますね、あなた自身は、息子の罪状を確めるために、どのようなことをしましたか」

「昨年から順番を待っている間に、北京鋼鉄公司へ出かけて行き、息子の消息を尋ねますと、門の中へは一歩も入れてくれず、工程師など黒五類は、批判大会で吊し上げられて反革命罪で、労改送りか、せいぜい、よくて、雲南省の五・七幹校（広範囲な知識幹部を農村へ下放し、労働で思想を鍛え直す集団改造所）へ下放されているから、そっちへ行って聞けと、けんもほろろに扱われました。それでも高い煙突から煙がたちのぼっていたので、溶鉱炉を動かすからには、工程師がいるはずだから、製鋼工場の陸一心という工程師の消息を聞いて下さいと再三、懇願すると、そこにいた造反派のボスらしい男が、『あの小日本鬼子なら、とっくに日本特務、生産破壊罪で、労

改送りだぜ』と云ったのです。日本特務など、とんでもない、息子は日本語を一言も喋れないと云うと、『お前も、息子を口実にして、この工場にスパイに来たのか、これ以上、うろつくなら、公安へ引き渡すぞ、さっさと消え失(う)せろ！』と追っ払われ、どうしようもありませんでした」

「その他に、あなたが手を尽したことは？」

「息子は、范家屯にいる私たち夫婦を案じて、よく手紙をくれました、その中に、自分の上司や同僚で、お世話になっている人たちのことも書いて寄こしましたので、その方々の家や宿舎も、順番を待つ間に訪ねましたが、誰一人として北京におられず、家に残っている老人と幼い子供さんに聞いても解らず、中には家族全員がおられないところもあり、私の手で息子の消息を探すよすがさえありませんでした」

と云い、がくりと肩を落したが、

「息子は、日本特務、生産破壊罪など犯す人間ではありません。確かに戦争で置去りにされた日本人の孤児でしたが、私が息子として引き取ってからは、中国人として育て、現に共青団にも入団が許され、大連(ターリエン)工業大学を志したのは、毛(マオ)主席の〝鉄を以て要(かなめ)となす〟のお言葉に従ったからで、卒業後も、党と国家のために働いて来ました、幼い時から、ことあるごとに、小日本鬼子と苛められ、不当な扱いを受けましたが、息子は一度たりとも、党と国家に対する忠誠心を失ったことはありません。その息子が、こともあろうに、日本特務、生産破壊罪で労改送りとは——、全くの冤罪です、何としてでも、あの子の冤罪をそそぎたい……」

陸徳志の眼から涙が滴(したた)った。副主任らしい男は、じっと陸徳志を見詰め、

「人民から直訴があった場合、その内容によって、省、直轄市、自治区とか、その下の地区、県、旗(き)で解決できる場合はそこへ問題を下し、刑事・訴訟関係の問題なら、人民法院へ廻し、給料問題なら労働人事部門へ廻して処理するのが原則ですが、重要な問題の場合は、国務院弁公庁へ内

容を要約して報告する、実はあなたの息子、陸一心の件については、弁公庁から重要案件として調査するようにという連絡を受けています」

「えっ、弁公庁から連絡——、それは、どなたなのです?」

耳を疑うように、聞き返した。

「あなたは、全く心当りがないのですか」

「はい、私は田舎の小学校の一教師です、北京のしかるべき部署にいる人など、知っているはずがありません、息子のために計らって下さったその方を教えて下さい、尊い恩人です」

「お気持は解りますが、こちらのきまりで明せません、われわれは、出来るだけ早く調査にかかりますが、内蒙古の労改といっても相当数があり、解決までには期間がかかることは覚悟して下さい、さあ、早速、あなたの直訴の内容を要約して文書にしましょう」

と云い、自らペンをとって、『人民来信来訪室摘報』と赤い字で大きく印刷された用紙に、さっき陸徳志が話した内容の要点を、簡潔に順序だてて、記述して行った。その一字、一字は、昨年から冬の酷寒にも耐えて辿り着いた果ての結晶であった。

人民来信来訪室の門を出ると、陸徳志は、今まで張り詰めていた神経がぷつりと切れ、体が萎えるような虚脱感を覚えた。ふらつく足どりで歩きかけると、陸徳志を探して親切に宿を世話してくれた軍服姿の男がたっていた。

「結果はどうでした、うまく行きましたか」

「はい、思いもかけず親切に取り計らって下さったのですが、これからは、どうなるのでしょう」

来信来訪室へ辿り着くまでの長い辛苦の道程に比べて、あまりにもことが円滑に進んだのが、逆に不安になって来た。

「おそらく、陸一心のことを記載した文書は、『内部郵便』と呼ばれる赤いバスケットに入れられて、中南海(ツォンナンハイ)の周(ツォウ)総理が直轄しておられる国務院弁公庁へ直接、運ばれるでしょう」

「えっ、周総理の……、あなたは、何か弁公庁につてを持った方なのですか」

陸徳志は、聞いた。これほど俄(にわ)かに事が進む限りは、特別のコネが働いていると考えるほかなかった。軍服姿の男は、

「知人が各種の行政機関におりますので、問題がうまく解決したら周総理に感謝して下さい」

とだけ云い、足早にたち去って行った。

労改農場の麦と大豆の穫(と)り入れが終ると、内蒙古ではすぐ冬が訪れ、田の畦(あぜ)作りと堆肥作りとが、一日の農作業になる。

囚人たちは、看守兵が赤旗を四隅にたてて警戒している区劃内で、畦の土を盛り上げたり、堆肥作りにかかっていたが、陸一心は、堆肥用の糞尿の汲み取りを命じられていた。

各棟の監房の外にある便所は、地面を深く掘り、そこに板を渡してあるだけで、朝夕の用便時には、ずらりと囚人が尻をならべて用を足す。霜がおりて表面だけ凍っている糞尿は、大きな木杓で崩して取ったが、下になると、どろどろの糞尿になり、悪臭が鼻をつく。陸一心は、木杓で掬(すく)い、時折、びしゃっと飛沫が飛んで体にかかるが、それもこの頃では、慣れてしまった。羊飼いの時のように青い空を見ることも、広い草原を歩くことも、黄書海(ホワンシユウハイ)と出会うこともなく、一日、黙々として糞尿を掬うだけであった。

肥桶に汲み取ると、天秤棒の前後に、肥桶を吊して、荷車まで運ぶ。前後、七、八十キロの重さで天秤棒が弓なりにしなり、肩の肉に喰い込んだ。陸一心の相棒の初老の男は、足をふらつか

せ、せっかく汲み取った糞尿をこぼし、その分だけ、よけいに陸一心が汲まなければ、ノルマが果せない。肥桶十杯分を汲み取ると、荷車にのせ、驢馬にひかせて、遠くの農場まで運搬して行くのだった。

陸一心は、脱走幇助の罪は晴れたが、新たに改造抵抗罪と四旧販売罪で、十五年の刑を云い渡された翌日から、羊飼いより、さらに低い仕事とされている糞尿の汲み取りに廻されているのだった。他の数組の連中も、何らかの罪で、刑を倍加された囚人たちであった。

ようやく、畑に着くと、畦作りをしている囚人たちは、

「おい、遅かったぞ、早く糞をおろせ！」

「ぐずぐずするな、お前らのせいで、堆肥の仕事が遅れてるんだぜ！」

怒鳴られて、急いで肥桶をおろすと、びしゃっと糞尿がこぼれる。

「糞野郎！　どこまで、どじってやがるんだ」

罵声が飛び、一心は、顔も首も、肩まで糞まみれになりながら、次々に、肥桶をおろす。

一日の仕事が終り、空になった肥桶を荷車に積んで、ことことと、帰路に着く体は、疲れきっている。僅かの間に顔も体も、かさかさに乾き、四六時中、糞尿にまみれる両手は、亀の甲のように黔ずんだ亀裂が入っている。

冤罪で労改送りになり、同房の親しい男のために、脱走幇助という二重の冤罪を蒙り、懲罰牢、同囚に告発される批判大会、遂に糞だらけの糞尿汲み――。さながら人間の屑のように扱われ、あらゆる辱めを受け、迫害され、身も心も、ぼろぼろになりながらも、ただ耐えしのぶより他に、生きる術がなかった。

蒼然とした暮色の道を驢馬の荷車に揺られながら、初老の相棒が喫い残しの最後の一服を、一心に渡した。一心は、ふうっと白い煙を吐いた。今まで煙草を喫わなかったが、いつの間にか、

喫い残しの貰い煙草を喫うようになっていた。

便所横の洗い場で、体や衣服についた糞尿を拭って、監房まで戻って来ると、看守が一心を呼び止めた。

「おい、お前に郵便物だ」

一心は、わが耳を疑った。

「おい、聞えないのか！　お前に手紙だ」

看守は声を荒げて、検閲で開封されている手紙を渡した。一心は、労改送りになってから五年目に、はじめて手紙を受け取るのだった。『内蒙古一〇四、陸一心収』としたためた字は、まぎれもない父、陸徳志の字であったが、来るはずのないものが来た驚愕で、中身を取り出す一心の手が震えた。

息子よ、音信不通のお前の消息をようやく、知ることが出来た。北京の国務院人民来信来訪室に辿り着き、親切な担当官のおかげで、お前の居所を教えて戴いた。感慨無量。私は今年の春節を迎えるや、昨年にひき続いて北京で過し、ことのほか、寒い厳しさが身に沁みた。お前が現在、どのような情況にあるか解らないが、やがてお前の〝新しい面影〟と再会できることを心待ちにしている。それには労改の指導者の云われることをよく聞き、しっかり思想を改造し、健康に充分、留意して、一日も早く、人民に役だつ人間になることを期待する。父も母も元気でいるから心配無用、寒い季節だから体を大切にし、間もなく春が訪れるのを楽しみに過して下さい。

息子よ、私は、お前を信じている。

一心の両眼から、涙が溢れ出た。

息子の冤罪をそそぐために、長春からはるばると、何度も北京の人民来信来訪室へ足を運び、酷寒の冬にさえ、北京にいたと知って、一心は胸の張り裂ける思いがした。だが、慟哭の思いを鎮め、父の手紙の一語、一語の意味を分析し、その言葉の裏にあるものを注意深く読み取っていった。父の手紙は、すべて労改側の検閲を前提にし、なお且つ、一心に重要な暗示を与える書き方であった。

敢えて、国務院人民来信来訪室の親切な担当官と、記してあるのは、既に北京の人民来信来訪室へ登録されてしまった事件は、労改側がその囚人に圧力をかけたり、勝手に消し去ることが出来ないからだった。そして北京が、ことのほか、寒く厳しいというのは、政治的厳しさを暗示し、〝新しい面影〟というのは、思想を一新して、新しい人間に生れ変るという常套語であった。間もなく春が訪れるのを楽しみに、というのは、冤罪が雪がれる日が来るであろうことを意味している。途中の四文字が、検閲で真っ黒に塗りつぶされているのが気になったが、まず手紙の内容は、知ることが出来たのだった。

それにしても、父が北京の人民来信来訪室へ直訴するからには、自分が内蒙古の労改におり、しかも冤罪であることを示す何らかの確たる証拠がなければならないはずだ。とすれば、一体、誰が、自分が内蒙古の労改にいることを報せたのだろうか。自分の消息を伝えてくれそうな者は、誰一人として釈放されていないと考え、一心は、はっとした。

もしや、北京から来た巡回医療隊の江月梅ではなかろうか。破傷風で駐屯所の病室へ入院した時、献身的に一心を看護してくれ、聞かれるままに、自分の出自と長春の田舎、范家屯にいる父のことを隠さずに話したのだった。だが、労働改造所の内部の情況を、外部に洩らすことは、重大な罪になることだから、そんなことは、あり得ない。

いくら考えをめぐらせても、確たることが思い当らない。だが、父が、自分の居所を探しあて、知ってくれた事実は、今の一心にとって、何にも替え難い救いであった。内蒙古の労改で十五年の刑を云い渡され、絶望し、荒みかけていた心の中に、一筋の明るみが見出せたのだった。

一心は、監房の小さな窓から空を見上げた。鉄格子で区切られた小さな空間であるが、夜空に満天の星が、大きく輝いている。そこが獄舎であり、自分が囚人であることも忘れ、一心は暫し、希望の星を見出すように夜空を仰いでいた。

十二章　再会

江月梅(チアンユエメイ)は、今年も巡回医療隊に加わり、革命の聖地、延安(イエンアン)に来ていた。

険しい黄土高原の山の斜面に、横一列にずらりと穴があいているのは窰洞(ヤオトン)（横穴式洞窟）で、農民たちはそこに住み、地味の薄い段々畑に粟や高粱(カオリアン)を植え、生活は依然として貧しい。

北京(ペイチン)から派遣された巡回医療隊は、人民公社の生産隊の大きな窰洞に診察室をおき、医師二名はそこに宿泊し、江月梅たち九人の看護婦は、農家の窰洞に分宿していた。

延安では農民とともに起き、村の病人の医療と看護にあたり、病人のない日は、農民とともに畑へ出て働き、〝労働者と農民に学べ〟という毛(マオ)主席の教えを実践する。

近くには、毛主席、周恩来(ツオウエンライ)、朱徳(チユトウ)などの指導者が、抗日戦争の根拠地としてたて籠った窰洞が革命址としてそのまま残り、うす暗い穴蔵に野良仕事の道具や石臼(いしうす)、糸を紡(つむ)ぐ木製の糸車まである。当時の自給自足の耐乏生活を、そのまま実践するから、延安での生活は、すべての点で厳しい。

今日も朝から医療隊の半数は、さらに奥地へ巡回に行き、江月梅たちは、農村の若い主婦に計画生育（計画出産）の指導にかかった。

江月梅は、人民公社に集った主婦たちに向って、

「計画生育は国家が定めた政策です、毛主席は『計画生育は、国の将来にかかっている重大な問題であり、この問題を重視しないと、われわれの民族と祖国の将来は、大きく発展することが出来ない、経済面から見ても、人口が抑制出来ない場合は、食糧が不足し、労働者の就業についても、人民の要求を満たすことが困難である』と云われています、都市においては、各学校、各工場の労働組合、婦人連合会で、月に一、二回、計画生育の会議を開いて、啓蒙運動を行っています、農村でも国家の政策に従って、計画生育を実施して下さい」

と云い、赤十字のマークが入っている医薬品鞄から、避妊リングを取り出した。

「このリングを子宮に塡めておくと、避妊の効を発します、リングを入れるのは医療隊の看護婦がしますが、一年ごとに取替えることを忘れないで下さい」

直径一・五センチほどの真鍮のリングを順番に主婦の手に取らせ、観察させた。一人の主婦はしげしげとリングに見入ったあと、

「こんな金の指輪みてえなもんで、ほんとに赤ん坊を孕まずにすむんかねぇ、隣村の知り合いの話じゃあ、リングを塡めたが、大便で気張ったら、落っこちて、豚がその糞をぺろぺろ食べて、リングだけ残したそうな。それを女の子が、拾うて指にさし、くるくる廻して喜んでたので、恥かしゅうて返せとは云えんかったそうじゃ」

どっと笑い声が上った。江月梅も笑いを含みながら、

「今のは面白おかしい冗談話でしょう？　避妊リングを入れるには、子宮孔を開いて、鉗子というもので挟んで入れるのですから、大便でいくら力んでも、落ちて来たりしませんよ」

と説明し、主婦たちが一巡、避妊リングを観察し終ると、

「計画生育は、国家の政策ですから、同志の皆さんは、真剣に取り組んで下さい、私たち巡回医

療隊が来ている間に、一人でも多くの人に、施術したいと考えています」

と呼びかけた。人民公社の生産隊長の妻は、

「もし、リングを塡めた場合、一年ごとに取替えねばならんのか、なるだけ長持ちするリングの方がいいんだがの」

真剣な表情で聞いた。

「リングの正しい使用方法は、一年ごとに替えることです、医療隊は毎年来ますし、地元の赤脚医生（はだしの医者）にも、塡め方をよく教育しておきますから、安心して下さい」

二、三年も塡めたままにしておくと、真鍮のリングが子宮の筋肉に喰い込み、骨盤神経を圧迫したり、ひどい時は子宮穿孔を起したりするが、あまり詳しく説明すれば怯気づき、普及出来ないのが難しいところであった。

人民に率先して、毛主席思想の実践にたたねばならない立場にある生産隊長の妻は、

「では、私が最初に塡めて貰うので、皆もお国の政策に協力するよう考えるこったな」

と云った。江月梅たちはほっとした。

説明会が終り、一休みする間もなく、

「外科の先生はおいでかね」

十七、八歳のはだしの医者が、飛んで来た。

「処置室だと思うけど、怪我人なの」

「いや、王さんの娘さんの初産じゃけど、赤ん坊が出ず、死にそうじゃ、こういう時どうしたらええか教えてほしいし、すぐ来てくれろ！」

初級中学を出て、三カ月乃至六カ月の医療衛生教育を受ければ、赤脚医生として通用するが、人民公社の外科的治療となるともうお手上げだった。外科医と江月梅ら三名は医療鞄を点検し、人民公社の

トラックに乗った。

駈けつけると、油紙を敷いた炕（オンドル）の上で、若い妊婦が汗まみれで苦しんでいた。産婆らしい年寄りが屈み込み、

「頭が見えとるが、どうしても出んから、産道をちっとばかり切って、出やすいようにせねばなるめぇ」

と云うなり、長く伸ばした小指の爪で、膣をひっかこうとした。医師は産婆を突きとばした。

「そんな不潔な爪で膣をひっかいたら、どうなる！　ランプをもっと近くへ！」

灯油ランプを持って、おろおろしている姑に、強く命じた。江月梅たちは手術器具の煮沸消毒にかかり、汚れた油紙を新しい消毒布に敷き替えた。妊婦は、昨日からの陣痛の苦しみで衰弱しきり、頭頂をのぞかせている胎児の頭も、産道から何度も出かけて、出ないために赤味を帯びている。

「外陰側を切開――」

医師は、消毒した円陣刀を江月梅から受け取った。ひくひく波打つ胎児の頭の動きに注意し、胎児の頭と、外陰部の皮膚との間に指をさし入れ、頭を傷つけぬように素早く円陣刀で外陰側を五センチ切開した。胎児の頭が外へ出た。医者は、赤子の足を持って逆さにして、ぴたぴたと尻を叩いた。その瞬間、産声を上げたが、母体の膣内から、どくどくと血が流れ出た。医師は止血剤を使って、手早く縫合し、息を詰めて見守っている赤脚医生たちを振り向き、

「あとは、出血しないように腹に布を巻きつけて、安静にしておくことだ、相当、衰弱が激しいから五日間は寝させ、卵を食べさせること」

貧しい農村の主婦が、産褥にもつかずに働き、卵一つの栄養もこと欠くことを知って、姑に云った。

生産隊にある医療隊の本部まで帰って来ると、江月梅は心身ともに鉛のような重い疲れを感じ、診察室の椅子に坐っていた。

診察室の壁には、巡回医療隊の予定表が貼りつけられている。あと一週間で延安を発って、内蒙古に向うのだった。そこに記されている内蒙古の僻地の中に、陸一心のいる労改がある。灼けつくような太陽が照る日も、寒風が吹く日も、羊の群を追い、辛酸を舐めながら生きぬいている姿が眼に浮かんだ。

陸一心のことを思うにつけ、文革で吊し上げられ、反革命分子の烙印を捺されて、その屈辱に耐えかねて自殺してしまった父のことが、口惜しかった。

北京の病院の内科医であった父は、一九五八年、病院の医療行政が官僚主義的なソ連一辺倒であることを指摘すると、忽ち右派の烙印を捺され、三角帽子を冠せられた上、湖南省の単位の農場へ下放されたのだった。と同時に、初級中学の三年だった月梅は、机の上にチョークで〝右派分子の子供〟と書かれ、共青団への入団も却下され、高級中学への進学の道も閉されてしまった。月梅は子供の頃から、人の命を救う父にならい、自分も医者になる志望を抱いていたが、父が右派分子にされたことで、その夢は潰えてしまった。小学校の校長から平教師に降格された母は、「高級中学や大学へ進学する夢など捨ててしまいなさい、今の時代は知識のない人の方が安全で、楽しく生きられます、知識を持つほど危険で、不幸になりますよ」と云い、やむなく初級中学から看護学校へ入ったのだった。

右派分子として下放されていた父は、その後、四年ぶりに名誉回復し、ようやく両親、月梅と二人の妹弟が揃って、一家団欒が甦った。だが、それも束の間のことだった。文化大革命が始まると、再び父は反革命分子として何度も批判闘争大会に引き出され、吊し上げられた上、厳しい隔離審査を受ける羽目になった。月梅は病院からの連絡で、父の布団を持って面会に行った時、端整だった父の顔に、黔ずんだ痣があり、白衣の診察衣は剝ぎ取られ、破れた人民服の中で体が細っていた。それでも月梅に向って「お前たちは、母さんを助けて仲良く強く生き抜くんだよ」と云った父が、それから五日目、病院の四階から飛びおり自殺をしてしまったのだった。

自殺は、自ら人民に訣別する行為とされていたから、罪は重く、残された家族は忽ち惨めな境遇になった。妹と弟は農村へ下放され、母は地方の小学校へ転勤、月梅は僻地への巡回医療隊員に組み入れられたのだった。

隔離審査に耐えられず、自殺してしまった父の弱さを悔むにつけ、冤罪を蒙ったまま、労改の苛酷な労働と人間性を否定された辱めを受けながらも、生きぬいている陸一心の存在が思い出された。

陸一心の出自と養父母に対する恩愛の深さに搏たれ、范家屯の養父宛に一心の消息を知らせる手紙を出したが、無事に届いただろうか。差出人に自分の名前を記すほどの勇気はなかったが、陸一心の生存と居場所が誰にも知られず、冤罪のまま内蒙古の果てに朽ち果ててしまうのを、見過すのは忍びなかった。

延安を発ち、内蒙古へ行っても、労改の囚人である彼と再び相会うことはないだろうが、それでも陸一心のことを思う時、月梅の心はときめいた。

ゴビ砂漠寄りの内蒙古は、九月半ばに入ると、生気を失い、灰色の大地になる。

巡回医療隊のトラックは、疎らに残った灌木さえ黔ずんだ草原を走り、去年と同じ駐屯所に辿り着くと、五日間、列車とトラックに乗り継いで移動した疲れで、全員、ぐったりと憔悴しきっていた。

駐屯所は元地主の邸宅であったから、二カ月ぶりに入浴した。到着した数日は体を休め、再び、巡回医療がはじまった。

草原に点在している遊牧民の包を廻ると、原因不明の熱病が多発していた。普通、解熱剤を飲ませると、二、三日すれば下る熱が、一向に下らない。

巡回医療隊は、連日、遊牧民の包を廻って、解熱剤を飲ませたり、抗生物質を注射しても、ぽっくりと死ぬ場合があった。

江月梅も、毎日、蒙古驢馬に乗って遊牧民の間を巡回し、草原で羊の群と出会う度に、眼を凝らしてみたが、陸一心らしい人影はなかった。もしや、自分が陸一心の養父宛に出した手紙が災いになって、他の労改に移されたのではないかという不安に駈られた。

突然、旗(県)の主任から電話がかかり、診察かたがた、招宴された。昨年、心臓発作を起し、医療隊が駈けつけた副主任である。その途中、トラックのタイヤが溝へ落ち込み、陸一心の協力を得て車を動かし、急を救うことが出来、今は主任に昇格していた。

去年と同じ土埃のでこぼこ道を、旗の迎えのトラックに揺られて走った。旗の人民政府がある町まで一時間余りかかるが、途中、細い道へ折れ曲り、激しい揺れに、看護婦たちは舌を嚙みそうになった。迎えの外事科長は、近道をするためだと云った。

不意に行手に遮断機が下りた。銃を持った警備兵がいる哨戒所があった。外事科長が通行証を示すと、遮断機はゆっくり上り、通行を許可した。

「ここから先は労改の農場ですから、看護婦さんたちは、帽子を深く冠り直して下さい、女性だと解ると、囚人どもが騒ぎたてかねませんからね」

北京の垢ぬけた看護婦たちに囲まれた外事科長自身、半ば浮かれた口調で云った。看護婦たちは緊張し、帽子を眼深に冠り直した。

労改の農場は、人民公社の畑と比較にならぬほど整然と耕され、灌漑用水路も深く掘られている。月梅にはその一つ一つに囚人たちの汗と涙を見る思いがし、顔を上げた時、向うから肥桶を積んだ驢馬車が来た。トラックをよけるために、囚人が手綱を取って、道の端に寄せて行き過ぎかけた途端、

「停めて！　停めて下さい！」

思わず、江月梅が声を上げた。注意を受けていたにもかかわらず、声を発した月梅に、外事科長や看護婦たちは、非難の眼を向けたが、囚人の方も、女の声に驚くようにトラックを見上げた。陸一心であった。一年前よりさらに面窶れし、糞尿のしみた囚人服を着、想像を絶するみすぼらしさであった。

「この人です、昨年、主任の救急処置に駈けつける時、トラックを動かすために手を貸してくれた陸一心です」

江月梅は、臆することなく外事科長に告げた。

「ああ、お前がその時の囚人か、よく協力してくれた、主任にお伝えしておく」

と犒ったが、一心は、ただ呆然とたち竦んでいた。月梅は肥運びをしている一心の姿を喰い入るように見詰め、二人の視線が合ったが、すぐトラックは行き過ぎてしまった。

その夜、一心は監房の灯りが消え、真っ暗な中で、昼間、出会った江月梅のことを何度も何度も、思い返していた。江月梅が再びこの僻地まで来るなどとは、誰が考えられただろうか——。一心にとって、奇蹟以外の何ものでもない。しかし、奇蹟は現実に起ったのだった。思えば、は

じめて江月梅を見た時も奇蹟のようであった。

破傷風で黒い布に掩われた病室へ収容され、透った静かな声を聞くだけで、姿を見ることが出来ず、八日目にやっと黒い布が取り除かれ、窓から光が差し込んだ瞬間、はじめて長い髪をお下げに結び、優しい微笑みを浮かべた清楚な姿を見ることが出来たのだった。その姿は、闇の中で聞いていた声にふさわしかった。

再び会うことはないと思っていたその人と、たとえ言葉を交せなくとも、眼を見交し、病室にいた時のような優しい言葉を聞いたような気がした。

翌日から、一心は肥桶の馬車をひいて、五キロ先の畑への往き帰りにも、江月梅と出会わないか、草原の四方に眼を配ったが、出会えずに日が過ぎて行った。もしやこの間、出会ったトラックで北京へ帰ってしまったかもしれないと思うと、空を自在に動く雲さえ非情に感じた。こういう時、華僑の黄書海としみじみ話がしてみたいが、〝車輪大戦〟以来、互いに用心し、監房を往き来することはなかった。

十月になると、昼となく夜となく風が吹き、砂が舞い散った。地元民が〝黒災〟と怖れる砂嵐が起るのも、灰色の大地が黔ずむ季節の変り目に多かった。

監房の糞尿汲みをしているところにも砂塵は舞い込み、桶の中にも溜った。一心は糞尿を掬い、地元の諺を思い出していた。

内蒙古内蒙古（内蒙古よ、内蒙古よ）
天々只吃土（毎日食べるのは土のみ）
白天不吃晩上补（昼間土を食べなければ、夜になって食べる）

それほど風が吹く日は、農家や包(パオ)の中も砂塵が積るほどだった。一心は肥桶を天秤棒で荷台まで運んだ。一人曳きの荷車で、畑まで肥桶を運搬しなければならなかった。風が強くならぬうちにと気が焦り、肥桶を載せ、驢馬の尻に鞭をあてた。

畑で畦作りをしている囚人たちも、砂嵐が吹かぬ前に作業を終えるよう、看守兵にせきたてられ、荷車から下した肥桶の糞尿を手荒に施肥していった。作業区画を示す赤い旗が千切れそうなほど、ぱたぱたと鳴っている。

一心が肥桶運びを終え、畑から労改の方へ帰りかけると、俄(にわ)かに鉛色の雲が湧き出たようにあたりが暗くなり、強風が吹き出した。〝黒災〟が襲って来たのだった。視界が遮られないうちに労改へ帰り着かねば、大事な驢馬を失いかねないから、鞭を必死に当て、急がせたが、風はますます強く、大地を剝ぐように吹き募り、乾いた土を巻き上げた。今に天地が砂嵐で真っ暗になり、動くことさえ出来なくなる。

近くでごうごうと鳴る風音に混って、驢馬の嘶(いなな)きがし、砂塵の中で驢馬の背にしがみつくようにしている人影が見え隠れした。労改の方向ではなく、こちらの方へよろよろ進んで来た。不審に思って近付いて行くと、黒災に怯えた馬が大きく前肢を上げたかと思うと、馬上の人影が転び落ち、起き上ろうと両手を泳がせている。一心は驢馬を停め、体を屈めながらその人影に近づき、助け起そうと肩に手をかけると、その肩は驚くほど柔らかだった。砂まみれになったその顔を見た途端、一心は息を呑んだ。毎日、再び会うことを待ち望んでいた江月梅その人であった。名を呼び、肩を揺さぶると、江月梅は黒災の怖しさに震えているが、赤十字のマークが入った薬袋は、しっかり肩からかけている。

「巡回の帰りに砂嵐に遭(あ)って……」

一緒に巡回していた医療隊とはぐれ、駐屯所へ帰ろうとしているところだと云った。

「この黒災の中を動くのは危険です、ひとまず避難しなければ――」

四人の身で、勝手な行動は許されないが、安全な場所を探すことが先決だった。月梅を荷車に乗せ、馬の手綱をとって、一心は遊牧民の包を目ざし、砂塵に喘ぎながらようやく辿り着いた。

扉を叩いたが、返答がないまま、急いで入った。中は暗く誰もいなかった。羊の皮で作った円形の包の壁が激しく鳴っている。一心は竈のあたりを手さぐりすると、マッチがあり、一本すって、ランプの場所を探した。一本目はほのかに包の中を照らしただけで消えた。二本目をすると、しみだらけの天井が見え、やっとランプの位置が解った。

ランプが灯ると、薄暗い灯りの中で、一心と月梅は言葉もなく、互いを見詰め合った。二人とも頭から全身、砂にまみれていたが、月梅はあの百里香を思い出させるような、つつましい美しさだった。一心は以前よりもさらに頬がこけ、囚人服は継ぎはぎだらけで、糞尿のしみた臭いがし、みすぼらしくなり果てていたが、濃い眉の下の切れ長の眼だけは、澄んだ光を失っていなかった。

「まさか、こんなところでお会いできるとは……」

月梅は、思いもかけぬ偶然の出会いを胸に抱きとめるように云った。一心も医療隊のトラックと行き会って以来の思いを口にしたかったが、出来なかった。

外の風音はさらに高まり、砂塵がばしっ、ばしっと包に叩きつけた。その度にランプがいまにも消えそうに大きく揺らいだ。

「どれぐらいすれば、おさまるのでしょう」

「さあ、数時間でおさまる時もあれば、数日間にわたる時もあります、私はいつ迄もここにいられないので――」

たち上りかけると、

「もう暫くここにいて下さい、一人ではとても怖しくて――」

うす暗い包の中で聞く月梅の声は、一心に黒い布を張りめぐらした真っ暗な病室で聞いた声を再び思い出させた。

「私は、外部の人と一緒にいることは許されません」

一心は出て行きかけ、ふと、足を停めて振り返った。

「もしや、私の消息を父に報(しら)せて下さったのは、あなたではないですか」

心に懸っていたことを聞くと、江月梅は灯りの下で頷いた。

「やはり、あなたでしたか……」

一心の胸に、熱いものがこみ上げて来た。

「しかし、こんな時世ですから、何か起ればあなたにたいへんな災いが降りかかります、私は反革命分子の烙印を捺(お)され、労改十五年の刑を受けている人間です」

「私の父も、反革命分子です――」

一心は、信じられぬように月梅の顔を見た。

「父は弱い人でした、あなたのようにどんな逆境の中でも耐えぬく人ではなく、反右派闘争の時にやられ、再び文革の時に吊し上げられ、屈辱と絶望の中で、隔離審査中、自殺してしまいました……」

月梅の眼に涙が滲(にじ)んだ。月梅もまた深い心の傷を負いながら、耐え難い時代を生きている一人であることを一心は知った。外には砂嵐が吹き荒れていたが、二人の間には、静かな時が刻まれていた。

「私は、あなたが冤罪であることを、信じています」

月梅は、透き通った声で云った。

「あなたのご両親に対する恩愛の深さと、どんなひどい環境を強いられても、自分の魂を失わない人だからです」

江月梅の燃えるような瞳が、ランプのほの暗い明りの中で、きらきら燦いた。

「……いけません、あなたはこれ以上、私に関ってはいけない、危険なことになります」

「かまいません、あなたの冤罪がそそがれ、釈放されて北京に戻られたら報せて下さい、私は燕京病院に勤務しています」

一心は黙した。厳しい自然の中で、奇蹟的にめぐり会い、包の中で、はじめて月梅の愛を知ったのだった。長い孤絶の中にいた一心は、その愛に触れ、胸に抱きしめたかった。だが、一心は不意に膝を折った。そして床に跪いた。

「どうか、私から遠ざかって下さい、あなたは、私の命の恩人です」

月梅の前に、深々と跪いて、その愛を拒絶した。

「恩人ではありません、私は――」

月梅は、迫るように近付き、手をさしのべた。一心は辛うじて身を退らせ、その手を振りきるように包の外へ出た。

まだ黒災は止まず、大地から剝ぎ取られた砂塵が顔面を叩きつけたが、地を這うようにして、月梅のいる包から離れた。愛すればこそ、日本人の血ゆえに、その人から遠ざからねばならなかった。砂まみれの顔から、涙が滴り落ちた。

＊

長春駅の雑踏に、一際、背の高い軍服姿があった。大きな布袋を軽々と提げ、人波にもまれて、プラットフォームから地下道へ降り、支線に乗り換えた。三年ぶりに瀋陽部隊から帰って来た工程兵中隊長の袁力本であった。

支線の三つ目の小さな駅に降りたつと、袁力本は眼を細め、郷里の町を見廻した。べたべたと、ところかまわず、書かれたスローガンを除けば、子供の時からずっとそのままの飯店、雑貨店、理髪店などが、駅前広場に軒を連ねていた。

中隊長ともなれば、予め通知しておけば、長春駅から迎えがあるが、袁の性格は、そうした特権の濫用を潔しとしなかった。

だが、袁力本の姿は、駅員や乗客たちの目にとまり、

「歓迎歓迎！」

忽ち、人の輪が出来、拍手が起った。

「你好！　你好！　皆さんも変りがなくて、何よりだ！」

誰彼なく、笑顔で握手を交し、わが家へ向った。袁力本は七人兄姉弟の中で育ったが、今は全員、独立し、近くに住む兄姉たちの便りによれば、親爺もおふくろも、相変らず元気で、中隊長に出世した息子が自慢の種だということだった。家の入口の柱に、息子が解放軍へ入隊したことを示す〝光栄之家〟の貼り紙が今もって貼られているのは、気恥しいが、両親が揃って健在であることは、不幸な家庭が多い時代だけに、有難いことであった。

遠くに、范家屯小学校の校舎が見えた。まず陸徳志先生の家に寄って、一心の消息を聞こうと思った。

声をかけて、家の中へ入った袁力本は驚いた。十一月というのに、炕の焚き口には火の気もなく、炊事場の棚の上の味噌、醤油の調味料や油の瓶は、すべて空っぽだった。

「陸徳志先生は、ご在宅ですか」

もう一度、声をかけると、裏庭から継ぎだらけの綿入れを着た淑琴が顔を出した。

「休暇で帰って来たので、ちょっとたち寄りました。先生もお元気ですか」

と挨拶すると、淑琴は驚くように、

「まあ、ようお帰りで、夫はまた北京へ行っていて」

「すると、一心の送られた先は、まだ？」

袁は、大きな体を乗り出した。

「いえ、それは解ったのですが――」

淑琴は、内蒙古一〇四労改であることが解り、直ちに手紙を出したこと、一心からも無事であることのみ記した便りが来たことなど、今日までの経緯をかいつまんで話した。

「では、人民来信来訪室の係官が、直訴を受付け、本人の所在が解り、関係機関に調査を指示したのに、労改からいつ出して貰えるか不明というのは、どういうわけなんです」

「それで、主人はまた北京へ行ったのです、一心のためにすべてをなげうって……」

と云うなり、淑琴は耐えきれぬように嗚咽した。袁は家の中の、窮状を眼にし、

「ご心痛のほど、お察しします、先生のお兄さん一家は、相変らずですか」

秀蘭を除いて、兄夫婦も子供たちも、日本人である陸一心を毛嫌いしているのを子供の時から知っているから、率直に聞いた。

「ええ、主人のことを、あそこまでやるのは、気違いだと……」

そう云いながら、淑琴自身も、一人きりの息子とはいえ、なぜそうまでにという割りきれぬ思いを抱いているようだった。

「さぞかしご心労でしょうが、元気を出して下さいよ」

袁は明るい声で励まし、大きな布袋から、わが家への土産用の食料品を惜し気なく、炕の上に

並べた。

「早いとこしまって下さい、缶詰はこの箱の中ですか」

村の人が集って来れば、その一つも分けねばならぬから、自分でさっさとしまいかけ、

「やあ……」

袁は、どぎまぎするように口ごもった。秀蘭がいつの間にか入って来ていたのだった。

「お久しぶりね」

「うむ、会えて嬉しいよ」

袁は昂りを抑えて、秀蘭と握手した。

「私の家が、何も力になれなくて――」

「いいえ、秀蘭には申しわけないほど、いつも、よくして貰っていますよ」

淑琴が云った。

「そうか、じゃあ、これ、おばさんのために何か編んであげてくれよ」

袁力本は照れくさげに、赤い毛糸の束を渡した。淑琴も、ようやく、笑みを取り戻し、

「まさか、白髪頭の婆さんが赤い色など着られませんよ、秀蘭のために買って来たのでしょ」

袁の胸のうちを見抜くように、云った。

「まあ、そういうことですが、この際は……」

「叔母さんには今、上衣を編んでいるところだから、私が戴くわ、有難う」

赤い毛糸の束を嬉しそうに受け取った。

袁が帰郷して、陸徳志の家にたち寄ったことは、瞬く間に村中に伝り、罅割れたガラス窓に、隣近所の人々が顔を貼りつけるようにして、覗き見した。そんな人垣から、秀蘭のすぐ上の兄で、袁と小学校の同級生であった小林が、家の中へ入って来た。

「おお、小林じゃないか、ちっとも変らんな」

「そうかなあ、力本はますます偉くなり、われわれの誇りだよ」

追従笑いを浮かべた。陸一心に対しては、野壺に生き埋めするような惨忍な苛め方をし、成人してからも、日本人のくせに大学へ進学したことに敵意を剝き出しにしていたが、袁に対しては頭が上らなかった。

「工場は、休みなのかい」

「いや、反対派が工場を制圧して、のさばっているんで、面白くなくて、やめたんだ、農民出身は、やはり畑へ帰るのが一番合ってるよ」

ぶらぶらしていることを、胡魔化すように云った。

「それはそれとして、叔父さん夫婦をこんな粗略に扱って、いいと思っているのか」

袁がぐいと睨みつけると、小林は、

「けどさ、一心のために、おいらの一族まで、結構、迷惑がかかってるんだよなぁ」

窓にならんだ村人の方を顎でしゃくった。

「他人はどうあれ、身内は助け合うものだ、秀蘭を少しは見習うんだな」

「秀蘭は、一心のことが好きなんだから、別だよ」

ふてくされて云った言葉が、袁の胸を刺したが、

「人民が助け合い、団結することは、毛主席が説いておられる、秀蘭は、党員として当然のことをしているだけだ、小林、問題をすりかえるな」

と一喝した。

「力本の云う通りよ、自分の卑怯を正当化しようなんて、恥しいと思わないの」

母校の初級中学の教師になってすぐ入党を果した秀蘭は、兄をぴしゃりとやり込めた。小林は、

ばつが悪そうに蒼惶と姿を消し、それをしおに、袁もわが家へ向った。

袁は、わが家で一日寛いだきりで、翌日から長春の公安局や労改局へ足を運び、内蒙古一〇四労改に収容されている陸一心の冤罪を訴え、釈放を申請して廻った。

母校の孟家屯の初級中学へも、足を運んだ。学校の党書記に陸一心に関する調査があった場合、学業、人柄、政治学習などについて公正な回答を頼むと、根廻ししておいた。

「ほかならぬ袁中隊長の依頼ですから、引き受けましょう」

書記は、快く引き受け、煙草を勧めながら、

「ところで、今年の国慶節は、式典をはじめ一切が取り止めになったのは、なぜです？　小道消息（口コミ）によると、党中央で何か異変が起っているらしいとか――」

巧みに話を、人々の最大の関心事に向けて来た。袁は煙草に火を点けながら、内心、戸惑った。十月の国慶節に、恒例の式典、軍事パレード一切が、何の説明もなく、突如として中止になり、例年のように天安門楼上に、毛主席、林彪副主席、周総理らの国家指導者の誰一人も、姿を現さなかったことから、何らかの政治的異変が起ったのではないかという臆測が飛び交っている。だが、党中央は厳重な情報規制を行い、真相はいまだに、はっきりしない。

「よほどのことが、あったようですねぇ」

書記は、袁の顔を探るように見た。一心のことを頼んだからには、無言というわけにはいかなかった。

「あくまで私の臆測ですが、指導者の誰かが、失脚したらしいですね」

「ほう、やはり――、その指導者というのは、解放軍関係の？」

書記は、声を潜めた。袁は動きそうになる表情を煙草の煙で隠した。

「私の知る限り、中ソ国境の緊張が高まっている時に、解放軍関係で問題が起るはずはないと思

いますよ、私としてはひたすら、党と国家に対する人民の信頼が揺らぐような事件でないことを祈るのみですね」

「全く、せっかく学校の授業が再開されたこの大事な時期に、そのようなことだけは、なってほしくないですね」

書記も、大きく頷いた。

「では、陸一心のこと、宜しくお願いします」

袁はもう一度、念を押して、書記の部屋を出ると、職員室を覗いてみたが、秀蘭は授業中らしく、姿が見当らなかった。

袁は、校庭へ出た。珍しく暖かい日で、風もなかった。校舎は、紅衛兵になった生徒たちが、窓ガラスを叩き割って暴れ廻った時のまま、荒廃していたが、校庭の樹木は卒業以来、年輪を重ねて、大きく枝を拡げている。袁は樹の下にたち、太い吐息をついた。書記と交した話が、重苦しく尾を曳（ひ）いていたのだった。

休暇前に、瀋陽司令部で行われた会議に出席した袁は駐屯地では聞けない情報に接し、愕然としたのだった。党中央のナンバー2であり、国防部長の林彪が、クーデターを図ったが、事前に察知され、ソ連へ逃亡する飛行機ごと撃ち落されたということだった。また会議の休憩時間に耳にはさんだ噂は、周総理の管轄下にある国務院の人事と予算に、林彪が容喙（ようかい）し、中南海（ツォンナイハイ）の晩餐会の帰途、毛主席のボディガード兼中央警衛団八三四一部隊司令員（司令官）に、ロケット砲で車ごと爆殺されたというものであった。

もしソ連へ逃亡というのが真実なら、珍宝島（ツェンバオタオ）事件以来、中ソ国境の守備は厳重を極め、多くの兵力を配備して、有事に備えているというのに、軍最高指導者が、その敵国へ逃亡を図ったとは――。もし事実だとすれば、国境紛争で死んで行った部下があまりにも哀れで、自身も虚（むな）しい。

滅入った気持で、楊柳の枝を仰ぎ、ふと袁は、高級中学を卒業して、解放軍へ入隊する前、一心と別れを惜しんだ時のことを懐しんだ。多くの友に恵まれている袁だが、子供の頃、牡丹江から石炭を積んだ貨車に隠れて、乗り合せて以来、生涯の友は、一心をおいて他にないように思われた。それだけに労改に入っている一心の冤罪を、一日も早く雪いでやりたい。

「袁！」

秀蘭の声がし、校庭を横切って来た。

「授業が終って職員室へ帰ったら、袁同志が訪ねて来たと聞いて、きっとここだと思って——、何を考えていたの」

「うむ、一心のことさ」

そう云い、袁は一呼吸おき、

「秀蘭、君と一心は、将来を約束している間柄なのか」

「そんな約束はしていないわ、血が繋がっていなくても、私たちは従兄妹同士よ」

「そりゃあ、そうだが……、小林ならずとも、君は、一心しか眼中にないのかと思うよ」

秀蘭は、躊躇うように黙した。内蒙古の労改から、陸徳志にはじめて来た手紙の中に、秀蘭のことは一言も触れられていなかった。秀蘭はそのことを淋しく思い返しながら、

「幼い頃から、揃って勉強嫌いの兄たちと育って来たから、真面目で頭のよい一心兄さんは、大好きだったわ、何でも一心兄さんが相談相手だったから、いまだに小林兄さんたちは、一心兄さんを目の仇にし、嫌がらせを云うの、気にしないで」

笑いながら、そう云い、

「叔父は北京で、工程兵学院の教官のつてで、人民来信来訪室の係官との面会に漕ぎつけられ、その上、副主任と会ってもらえたのは、袁さんの尽力にほかならないわ、何とお礼を云っていい

か――」

「そう買いかぶらないでくれ、北京の友人の義兄が、軍から国務院弁公庁へ入っている幹部だったのが、運がよかったのだ、それ以上のことは、陸徳志先生の命がけで息子の冤罪を雪ごうとする姿が、係官の心を動かしたのだと思う」

「でも、直訴の順番を早めて貰い、『人民来信来訪室摘報』に、直訴の内容が記載されたことは、何といっても、大きなことだわ」

「その発端は、秀蘭が僕に、一心のことを報せてくれたからだ、ちょうど辺境の地で長期演習をしていたところに届いて、凍える手で手紙をしっかり握り、何度も何度も読み返したよ」

言外に秀蘭に対する思いが感じ取られた。秀蘭は、恥じらったが、袁はかまわず、

「僕の気持は、解ってくれているだろう、返事をしてくれないか」

直截に聞いた。その男らしさに、秀蘭の心は揺れた。

「私は、もっと早くあなたの気持に気付くべきだったわ、でも、今は無実で労改へ入っている一心兄さんの釈放が――」

「そうだ、その日が来るまで待つよ」

袁は抱きしめたくなる衝動を抑え、熱い眼差しで秀蘭を見詰めた。

北京の人民来信来訪室では、広い部屋の四隅に机を置いた係官の前に、顔をひきつらせて無実を訴えたり、反古のようになった古びた書類を積み重ねて、無実を直訴している人たちの声が入り混り、切迫した気配が漲っていた。

その中で、一人の外国人の訴えが目についた。形の崩れた中折帽をかぶり、タータン・チェッ

クのマフラーを首に巻きつけ、片言(かたこと)の中国語と英語で、係官に身の潔白を訴えている。

「どうか信じてほしい、わが英国大使館は、紅衛兵によって焼き打ちに遭うし、一体、どこへ保護を求め、出国許可証を貰えばいいのか！　私は機械のプラント売り込みのビジネスマンとして、一九六六年七月に訪中し、武漢(ウーハン)出張中に、壁新聞が珍しくて、記念撮影として撮っただけなのに、スパイとして紅衛兵に取り押えられ、五年間も監禁されていたんだ、その間、『毛主席語録』まで学習させられた」

と云い、よれよれのスーツのポケットから、赤いビニールの表紙に、金文字で、

「QUOTATIONS FROM CHAIRMAN MAO TSE-TUNG」

というタイトルが記された英語版の『毛主席語録』を取り出した。

「不幸ではあるが、有意義に過されましたね、六章の章題から暗誦できますか」

係官も、英語で話した。

「VI. IMPERIALISM AND ALL REACTIONARIES ARE PAPER TIGERS

All reactionaries are paper tigers. In appearance, the reactionaries are terrifying, but in reality are not so powerful.」

（六、帝国主義とすべての反動派は張り子の虎である。

すべての反動派は張り子の虎である。反動派は、見たところ、おそろしそうでも、実際には、何もたいした力はもっていない……）

英語の『毛主席語録』の暗誦が聞える部屋へ、陸徳志は、勝手が違う面持で入って来、副主任の姿を探した。やや奥まった机の方から、名前を呼ばれ、その方へ行った。一心の冤罪を訴えて、三度目の上京であった。

「お忙しい副主任のところへ、度々、申しわけないのですが、前回から半年以上経っても、通知がありませんので、いたたまれずに参りました、調査の結果は、まだなのですか」

体は枯木のように痩せ衰えていても、息子の冤罪を晴すまではという執念のような気迫が、陸徳志を支えていた。

「まだです、それより、今日は、大へん気の毒なことを報せなくてはならない」

副主任は、言葉を切った。

「と云いますと、一心が病気にでも……」

「いや、そういうことではなく——」

「では、一体、何があったのです」

「実は、内蒙古自治区の公安庁へ出した『委託調査書』の返事が届いたのです、あなたの誠意に搏たれて、人民来信来訪室は、調査を急がせて、やっと入手したが、思いがけない罪状が記されている」

「ですから、私はその無実の罪を晴してやりたくて、直訴に来ているのです」

「ところが、陸一心は労改内で、同房の囚人の逃亡幇助の疑いを受け、それは晴れたのですが、新たに改造抵抗罪と販売四旧罪を犯し、十五年の刑が確定していたのですよ」

「改造抵抗罪と販売四旧罪で十五年——そんなこと……、間違いにちがいありません——」

陸徳志は、あまりの出来事に絶句し、枯木のように細った体が、震え出した。

「大丈夫ですか、少し体をやすめますか」

「いえ、大丈夫です、息子が思想改造に反抗し、四旧（古い思想、文化、風俗、習慣）を宣伝するなど絶対、あり得ぬことです、これもまた、冤罪と確信しますので、どうか、内蒙古の労改へ再調査のご指示をお願いします」

陸徳志は、懇願した。

「だが、調査報告書によると、労改内における批判大会にかけられ、三人の囚人によって、その罪を告発されたわけです」

副主任は、書類に眼をやりながら云った。陸徳志は、囚人になっても、なお一心に罪がかぶせられ、白状するまで、おそらく止まることのない惨忍な闘争にかけられたのかと思うと、人前も憚らず、落涙した。

「あなたは、息子に書道を教えたことがありますか」

「はい、私自身、書が好きで、つい息子にも、小学生の頃からよく書を教えました、それが一心と何か？」

「いや、あなたの達筆な字を見て、聞いただけのことです」

副主任は、内蒙古自治区の公安庁からの調査内容と符合することを確め、それ以上、陸一心が、『毛主席語録』のビニール・カバーに隠れた裏表紙に、張旭の草書を書いたことは云わなかった。云えば、老いた父親の苦しみが増すばかりだと、慮ったのだった。

「どうしたら、いつになったら、息子を釈放してやれるものでしょうか、他に方法があれば、何なりと教えて下さい」

「陸一心の単位である北京鋼鉄公司における容疑は、われわれの派遣した調査員によって晴れています、しかし、内蒙古の労改内で犯し、労改当局で決定した刑期については、国務院人民来信来訪室も、とやかく容喙できません、各地方の労改は、司法部労改局の管轄下にありますから、今暫く、辛抱強く待つことです、もう一度、周総理宛に、再調査の指示を出して戴くようお願いしますが、そうそう、学校を休むわけにはいかないでしょうから、一旦、范家屯へ帰って、こちらからの通知を待って下さい」

副主任は、陸徳志のわが子を信じる心に搏(う)たれると同時に、教職の身であることを案じた。

「いえ、私は、もう范家屯へ帰る必要はありません」

「どうしたのです、あなたのような真面目でりっぱな教師が、いくら息子の冤罪を雪ぐためとはいえ、そう勝手に学校を休むことなど——」

「休むのではありません。私は、組織の意志に従わなかったとして、記大過(ジタークオ)（厳重な処分）を検討されているところです」

「え？」

「教職は、私にとって聖職です、しかし、教師の代りはあっても、一心の父親の代りはありません、あの子の冤罪は、私しか雪ぐことができません」

陸徳志は、覚悟を決めたたたずまいで云った。

十三章　北　京

内蒙古一〇四労改の政治委員は、さっきからたて続けに煙草をくゆらしていた。四人、陸一心の釈放について、北京の公安部から内蒙古自治区公安庁経由で、再度の調査指示書が廻って来たのだった。

「一体、この陸というのは何者なんだ！」

政治委員は、苛だたしげに舌打ちし、くわえ煙草のまま、机の上の宣告（通告）を一瞥した。

この度、公安部革命委員会は内蒙古一〇四労改に収容されている陸一心の案件を種々、調査の結果、無罪と判明。党中央、国務院の負責同志の指示に従って、釈放に相当すると決定した。

以前にも同じような内容の宣告が来たが、前回は、「かくの如き決定が下されるが、労改側で問題ありと考えれば申し出よ」という意味合いの委託調査書であった。

その意に従い、政治委員の李は、労改所長に命じ、改造抵抗罪と四旧販売罪に加えて、一旦、嫌疑の晴れた逃亡幇助罪を記させて、中央へ回答させた。千二百名の中の一人にすぎない陸一心の沙汰は、これで終りになると踏んでいた。

所属単位の北京鋼鉄公司での調査結果がどうあれ、労改内で罪を犯し、その罪状に相当する刑であれば、中央は何も云えないはずであった。ただ、改造抵抗罪と販売四旧罪で十五年の刑は重すぎると指摘されないように、曾て逃亡幇助の疑いを受けたことを併記させたのだった。侵略者、日本人の種でありながら、自分たちでさえ受けていない大学教育を受け、大製鉄所の技術者になり上っている陸一心のような人間を、李政治委員は生理的に嫌悪していた。そんな胡散臭い囚人こそ、終生、労改で強制労働に服していればよいとさえ、思っていた。

ところが、北京の公安部から再調査の指示が来た。このような指示が来るのは、どこからか、よほど強い釈放の意志が働いていると考えねばならなかった。

李政治委員は、むざむざと釈放することが、何としても腹に据えかねた。李自身、北京出身でありながら、高級幹部一族のポスト取りのために、体よく辺境の地の労改政治委員に飛ばされ、中央から忘れ去られているのではないかという不安に苛まれていた。

「しかし、これがチャンスかもしれない……」

政治委員は呟き、自らの言葉にぴかりと眼を光らせた。一カ月前、新任の公安部労改局長が地方活動視察のため、内蒙古自治区を訪れることが通達されて来ていた。目下は自治区首都呼和浩特の会議日程しか知らされていないが、一、二の労改を抜き打ち視察することは必至で、今から戦々競々としていたが、何もそう怖れることはない。陸一心の釈放報告書に精一杯、腕を振るい、冤罪の囚人に対して、党中央の方針を忠実に実行した経緯を作成すれば、新労改局長の目にとまり、自分も中央へ戻れるチャンスを摑めるかもしれない。元々、北京の人民来信来訪室からの調査指令で公安部が動いた案件で、国務院弁公庁の影がちらつく囚人の釈放は、内蒙古自治区に労改多しといえども、そうある事例ではない。

政治委員の李は、部下に所長を呼ぶように云いつけた。

やがて自分より齢上の所長が入って来ると、

「中央からの宣告が来ている囚人、陸一心の件だが、釈放はやむを得まい」

と云った。

「そうですね、北京の新しい労改局長が万一、わが労改に来られるようなことになれば、真っ先に聞かれるのは、この問題にいかに対応し、解決したかということですからねぇ」

囚人には、鬼瓦のような形相で、酷薄な処分を下す所長も、中央に対しては弱かった。

「それにしても、私も長年、労改畑を歩いて来ましたが、中央から二度にわたって釈放指示が出た事例ははじめてですよ、したがって、新任局長はここへ視察に来られるのではないですかね、そうなれば政治委員にとっても、お話がはずみ、何かと好都合な成り行きになるのでは――」

阿りの笑いを浮かべた。李政治委員が北京へ帰りたがっていることは、かねてより感じ取っており、その時には、李政治委員一人、うまい目をさせず、自分も首都呼和浩特へ転出できるように口添えして貰うつもりで、日頃、仕えていたのだった。

政治委員は、所長の魂胆を無視するように、インク壺をあけた。

「さて、どういう報告書にしたものか――、陸一心には今、何の労働をさせているのかね」

「ええっと、あれは確か……肥汲みでしたかな」

所長が曖昧に答えると、李政治委員は、

「そりゃあ、いかん！　まずいやり方だ」

と叱った。

「何分、大勢の囚人を各作業にぐるぐる廻している時期なので、記憶ちがいかも……早速、調べて適当なところへ移します」

「うむ、そうしてくれ給え」

それでなければ、いい活動報告書は書けないではないかとばかり、不機嫌に云った。

それから十日目、陸一心は労改所長室に連れて来られた。

「囚人、陸一心を連れて来ました」

報告して、すぐ退出した。

部屋には所長、副所長のほかに、もう一人、別の制服姿の男がいた。内蒙古自治区の公安庁から出向いて来ている副処長だった。

「君が陸一心か、今まで何の作業に従事していたのかね」

公安庁副処長が聞いた。一心はすぐに答えられなかった。囚人としての作業はもともと羊飼いだったが、〝車輪大戦(ツアルンターツアン)〟で徹底的に批判された後は肥汲みで、つい三日前から何故か、俄(にわ)かに労改内の炊事係に廻されたのだった。

「どうしたのか、何故、黙っている、所長、何か理由(わけ)でもあるのかね」

「いえいえ、彼の仕事は炊事係で、真面目に取り組んでいます」

「それはいいことだ、さて、君に関する調査書がこのほど届いたので、こちらの所長から話して戴こう」

公安庁副処長は、所長をたてた。

「陸一心同志(トンチ)――」

所長は、そこで気をもたせるように、一息ついた。一心は、囚人、陸一心と呼び捨てにされてきたのが、同志と呼ばれたことに気付かなかった。この上、どんな罪状が降りかかってくるかという恐怖心に捉われていた。

「陸一心同志、君の反革命分子の嫌疑は、北京の上級機関の調査によって晴れたという通知が来たそうだ、公安庁の副処長がその報せをもって来て下さったのだ、よくお礼を云うことだ」

所長は、重々しく云い、公安庁の副処長を眼で示したが、一心は事態がよくのみ込めなかった。

「党中央のお計らいが解らんのかね、君の日本の特務、生産破壊罪という反革命罪は晴れたのだよ」

「――――」

一心は、無言のまま、たっていた。

「君の北京鋼鉄公司における日本の特務、生産破壊という反革命罪は、無罪になったのだ」

所長は再度、繰り返して云い、

「もっとも、君には労改内で犯した過ちが残っている」

所長は顔を顰めてから、

「しかし、反革命罪が晴れれば、階級闘争を行って解決する問題はなくなり、労改内の罪は人民内部の矛盾として、思想教育することで解決できると判断した、よって君を釈放することに同意した」

釈放――、一心はただ、呆然とした。

「おめでとう！　陸君、君はもう人民の一員なのだ」

副所長が云った。所長も、

「陸同志、党中央のこの温情を噛みしめ、党と人民の期待を裏切らないで貰いたい、毛主席のプロレタリア革命路線があればこそ、君の名誉回復ができたのだから、これからは八億の人民とともに、革命のためにいい仕事をやろうではないか！」

と云うなり、一心の両手を骨が砕けるほど、強く握りしめた。

「釈放が、嬉しくないのかね」

一心は、いまだに信じられなかった。

「いえ、冤罪を雪いで下さり……党中央のご温情に心から感謝します」

ようやくそう答え、その自分の言葉で釈放されるのだと、はじめて実感したが、管理教育科で、出所記録に記入し、釈放証を渡されても、一心はなお取り消されないかと落ち着かなかった。


翌日、一心は釈放された。

黒い囚人服を脱ぎ、支給された古びた人民服に着替え、要塞のような門が、ぎいっと両開きに開いた。望楼の上で銃を構えている警備兵や看守兵は、人民服の一心にはもはや無関心だった。

一心は、トラックの荷台から、労改の四隅の望楼が遠のき、小さくなっていくのを、見守っていた。

やがてトラックは、草原の道にさしかかった。萌えたつような若緑の草原のそこここに、羊の群が点在し、群の接近を阻むような羊飼いの声が、風の中に伝ってくる。一心は黄書海の姿を探した。一見、牧歌的な風景だが、来る日も来る日も、羊の群とともに歩き廻る羊飼いの仕事は孤独で虚しい。今なお羊飼いをしている黄書海のことを思うと、胸が張り裂けそうになる。黄書海とて、たまたま日本育ちの華僑で、日本語が話せるために、海外特務の容疑をかけられ、労改送りになったにすぎない。解放後、『愛国華僑よ、祖国建設のために帰れ！』という呼びかけに応じて、恵まれた生活を捨て、中国大陸へ馳せ参じた黄書海こそ、不運な境遇であった。

黄書海に、突如とした自分の釈放を告げたかったが、見出せなかった。

「第七監房の黄書海に別れを告げたいので、草原を一廻りして下さい」

一心は懇願した。警護官は眉を顰めた。

「それは私の権限にない」

「しかし一目会いたいのです、お願いですから、少し廻って下さい」

重ねて頼んだが、そんな寄り道は出来ないと無視した。

トラックは草原の道を突っきり、二時間後、駅に到着した。小さな駅舎とプラットフォームがあるだけだった。

警護官は、駅員のところへ行き、何事か話し合って戻って来ると、

「あと一時間ほどしたら、北京行きの列車が来るそうだ、私は引き返すからここで待っているんだな、この切符を失くすなよ」

と、北京行きの切符を渡した。一心は礼を云い、切符を内ポケットにしまった。

プラットフォームに入ると、数人が、見送りの家族や友人たちに囲まれ、大声で笑ったり、話したりしている。一心は一人になっても、監視の眼がないか、いつまたあの警護官が戻って来、トラックで後戻りさせられるのではないかとびくついた。時間が経つのが遅すぎる——。ようやく駅舎の影がのび、列車が到来しつつあることを知らせた。一心は線路の先をじっと見詰めた。

ポォーッ　ポォーッ——、静かなあたりの空気を震わせ、汽笛が響いて来、黒い点が次第に近付いて来た。乗客たちは背伸びするように列車を待ち、再会（ツァイフィ）！　再会！　という声が、機関車の音にかき消された。一心も黄書海、必ず生きのび、いつの日にか会おうと胸の内で叫んだ。

列車は満員だった。人々は争って車輛に乗り、一心も無我夢中で乗り込み、どうにか通路の中ほどまで来た時、ガタンと列車が動きはじめた。

やがて加速し、窓外の景色があとへ、あとへと過ぎて行く。一心は労働改造所のある屯（トン）（村）から列車が離れて行くと、ようやく自分を繋いでいた鎖が切れ、自由になったのだと咽喉元（のどもと）を熱

くした。

列車は各駅停車の鈍行だった。内蒙古の首都呼和浩特で多くの人が乗り降りし、ようやく一心は座席にかけることが出来、すぐまどろんでしまった。

ゴトンと大きな震動音がし、一心は眼が覚めた。いつしか夜が明けかけていた。

列車のスピーカーから『東方紅』の歌が、ボリューム一杯に流され、眠っていた人々も皆、眼をさまし、再び車内に喧噪が起った。

「寝てる間に、俺の靴を踏んづけたな！」

「お前こそ、わしの荷物の上に大きなバカ足をのせやがって！　卵がつぶれるわ」

罵り合うなかにも、のびのびと闊達な雰囲気がある。一心は、『東方紅』や『白毛女』に続いて流されはじめたニュースに耳をそばだてた。女性アナウンサーの甲高い早口な声が、目下、北京で開かれている人民公社の生産者代表会議の発表を読み上げている。数字の信憑性がどうあれ、ほんとうに娑婆に出られたという実感が、湧いて来た。

「一口、どうかね、さめてしまった茶だがね」

隣りの中年男が、自分の水筒を一心にさし出した。

「これはどうも――」

一心は、食費と一泊分の宿の切符を支給されていたが、車内やホームに往き来する物売りに声をかける勇気がなく、飲まず食わずだったのだった。温かい茶は、胃の腑にしみた。

「ところで、北京へは出張かね」

「――まあ、そういうことです」

一心は、言葉に詰りながら頷いた。

「そうかい、あそこは物価が高いそうだから、気をつけなよ」

みすぼらしい姿の一心に、心配げに云った。

「……はい、何から何までどうも」

好人物そうな男に、言葉少なに頷き、水筒を返した。

朝陽が次第に高くなり、再び人の乗り降りが多くなった。大きな荷物ごと車窓から乗り込もうとする者を非難する声が上ると思えば、生きた鶏が持ち込まれ、時ならぬコケコッコーの啼き声に、爆笑が起る。

列車が鉄橋にさしかかると、乗客たちの中には珍しげに、窓に顔を貼りつけるようにして外を眺める者がいた。内陸に住む人の中には、大きな河を見ることすら珍しい人がいるのだった。

一心も、河に見とれた。黄濁した水をたたえ、ゆったりと流れて行く河は、人間の悩みや哀しみを流れにのせ、大海へ向けておし流してくれそうな悠揚迫らぬものがある。

一心はこの自由な世界へ引き戻してくれた父を偲んだ。すべてを投げうち、おそらく命までも削って、北京の人民来信来訪室へ直訴し続けてくれなければ、自分の釈放はあり得なかったに違いない。母とても、その父を支える苦労は並大抵ではなかっただろう。

そして……、一心の胸底に百里香のような江月梅の俤が浮かんだ。昨年のあの黒災の日、避難した包の中で、跪いて月梅の愛を拒んだが、四人の最低である糞尿汲みの自分に、愛の手をさしのべてくれた月梅は、毎日が黒災のような暗い四人生活の中で、生き抜く力を与えてくれる灯であった。

列車はゴトゴトと、北京へ向けて走り続けた。

列車は、夜の北京へ着いた。長いプラットフォームに、途中、次々に接続された車輛から、乗客が一挙に吐き出された。

先を争って降りる者、待ちかねて窓から飛び降りる者、皆が無事に首都・北京に着いたことに昂奮し、背中や天秤棒に下げた持ちきれないほどの荷物を持ち、先を急いだ。

一心はそんな雑踏の中で、労改から支給された布袋一つ下げて、懐しい北京駅の構内を一歩、一歩、踏みしめた。高い天井、大理石の壁面、ガラス窓から見える北京の街の灯……まさしく北京であった。改札口のあたりは黒山の人だかりで、大勢の出迎え人が大声で名を呼び、手を振っている。一人ぼっちの一心には、三時間も遅れて十一時に着いたこの時間から、八達嶺(バーターリン)の近くの北京鋼鉄公司まで行く交通機関もない。今夜は一晩、駅のベンチで過し、朝一番のバスで、単位へ出頭して復帰をするしか方法がない。人の流れに押されて、改札口を出ると、自分を呼ぶ声がした。

「一心」

その声の方を見ると、髪の白い老人がたっていた。

「一心、わしだ」

父、陸徳志(ルートウチ)であった。

「父さん！」

「息子よ！」

一心の体が震えた。徳志もわななき、人混みの中で、親子は抱き合った。あとは言葉もなく、互いの体を手でまさぐった。一心が抱き締めた父の体は痩せ細り、小さくなっていた。徳志は一心の体を確めるように体の節々(ふしぶし)を摑み、何度も、何度も撫でさすった。首が細く、胸の鎖骨が浮き上っているのが解るほど痩せてはいたが、五体満足であることを確めると、息子が無事、自分のもとに帰って来た嬉しさで涙が噴き出した。互いに想像以上に変り果てた姿で、語らずして、この五年半の惨澹たる歳月がしのばれた。

「父さん、どうしてこの列車で着くことが解ったのです？」

「お前が、どの列車に乗るかなど、解らなかったが、北京の人民来信来訪室から釈放の通知を受けるなり、北京へ出て来た、内蒙古から来る列車は、これ一本しかないからな、十日間、列車の着く時間になると、毎晩、ここで待っていただけだ」

「十日間も、毎晩……」

「なあに、お前がこの五年半の間も、冤罪で苦役を強いられていたことを思えば、何のこともない、さあ、明るいところで、お前の顔をよく見せてくれ」

北京駅は大理石の壮大な建物であったが、ベンチには貧しい服装の人々が溢れている。十一時が過ぎて、交通機関がないため、朝までベンチで待つ人や、もう何日も野宿しているのか、壁面に沿って、ぼろ布団を敷いて寝ている群もあった。

「父さんは、十日間もこのベンチで過されたのですか」

「いや、駅近くの飯店に泊っているが、一部屋に六、七人詰め込まれているから、二人きりの話ならここの方がいい、夜が明けたら朝粥を食べに飯店へ戻ることにしよう」

と云い、ずらりとベンチが列んだ一隅に空席を見つけて坐ると、徳志は布の袋から饅頭を出し、魔法瓶の蓋に湯を注いで勧めた。一心は、いつ着くかも解らぬ列車を十日間も待ち続けてくれた父の情愛の深さに胸が詰り、食が進まなかったが、無理に食べた。

「一心、冤罪は晴れたんだ、よく生き抜いてくれた——」

構内の灯りの下で、改めて喰い入るように一心の顔を見、徳志はしみじみと喜びを嚙みしめた。

「父さんが、命がけで救って下さったのです、普通では容易なことでは助かりません」

一心は頭がまっ白になった父を痛ましげに見た。

「いや、私一人の力では、どんなことをしてもお前を助けてやることは出来ない、お前を助けて下さったのはこの人じゃ」

徳志は、ポケットからぼろぼろになった紙片を取り出し、

「この差出人不明の手紙が、お前が内蒙古の労改にいることを報せてくれ、私は北京の人民来信来訪室へ直訴できたのだ、手紙の主に心当りがあるかね」

と示した。一心は折目が破れないように、丁寧に開いた。文章は簡潔だが、いかにも江月梅らしい優しさが、行間から偲ばれた。

「この人は、北京からの巡回医療隊の看護婦さんです」

一心はそう云い、破傷風になって死にかけた時も、献身的な看護を受け、父母のことを語ったことを話した。

「尊い心を持ったお人じゃ、早速、釈放されたことを報せ、礼を云わなければ罰があたるぞ」

と云ったが、一心は黙って頷いた。その月梅の愛に対して、跪いて拒絶したことは、父には話せなかった。

「母さん、秀蘭も、伯父さんたちも皆、お元気ですか」

「うむ、淑琴は私が何度も北京へ来るための旅費を工面してくれ、秀蘭は解放軍の袁力本に連絡を取って、私が北京の人民来信来訪室の係官に早く会えるように、力を貸してくれたんだよ」

と云い、袁力本の友人で、北京の工程兵学院の教官の縁で、温情ある副主任の係官に訴えることが出来、北京で面会の順番を待つ間も、何かと温かい便宜を受けたことを話すと、一心の眼に涙が滲んだ。

「あの袁が、労改にいる僕にそんなにも力を貸してくれたのか――」

一心は、今さらのように高級中学卒業の日、生涯の友たらんことを誓い合った袁力本の姿をまざまざと思い浮かべた。

「力本は、もう中隊長になり、秀蘭も母校の中学の教師として変りなく打ち込んでいるよ」

「父さん、学校の方は大丈夫ですか、僕のことで休んだりして――」

「うむ、大丈夫だ、学校へは行かなくてもいいんじゃ」

「行かなくてもいいって……、お父さんは、教師は自分の天職だと云っておられたのに――、もしや、僕のことで工合が悪くなったのでは？」

「いや、わしも、もう齢だからなあ」

一心は父の言葉の中に、いつにない曖昧なものを感じた。

「父さん、ほんとうのことを云って下さい、学校はどうなったのです」

「もう行く必要がなくなった、免職になった――」

「父さん――」

一心は、思わず、父の肩に手を廻して嗚咽した。自分を救うために、父は天職としていた教職まで投げうってしまったのだった。子供たちをわが子のように教え、子供たちに慕われていた父の日々が眼に浮かび、申しわけなさが胸を衝いた。

「いいのだ、お前の冤罪がそそがれ、命が助かったことを思えば、何の悔いもない、お前は、私の大切な息子だ」

徳志も、しっかりと一心の肩を抱いた。抱擁する二人の背後で、夜行列車の汽笛が闇を裂くように響き、ぎいっと軋む車輪の音がした。一心は瞬時、びくっとした。五年半前、北京駅の近くの小さな駅から、小日本鬼子の四人として頭髪を刈り、赤いペンキで日の丸印を入れられた膏薬旗の姿で鎖に繋がれて、四人列車に乗せられた時のことが、脳裡を掠めた。もう、完全に釈放され、現実に北京駅に着き、父と抱き合っていても、最初に囚人列車に乗せられた時の恐怖は、後遺症のように残っていた。囚人として労改へ送られた心の傷痕は、おそらく生涯、尾を曳くだろう。

「父さん、僕の釈放がくつがえされそうなことはありませんか」

「絶対、ない、周総理が統轄されている人民来信来訪室が、時間をかけて調査した上で釈放されたのだ、これからはお前も安心して人間らしい生活をし、仕事も、家庭も持てるのだよ」

一心の咽喉仏が、ごくりと動いた。人間らしい生活、人間らしい仕事、家庭——、そんな言葉さえ、忘れていた自分だったのだ。

あたりを見渡すと、友人や親子、夫婦などがベンチで語らい、駅で野宿している者も、雑多な声で喋ったり、笑ったりしている。

駅のスピーカーは、北京放送を流し、一心たちの向い側では、労働者らしい男が二、三人、一本の酒瓶を廻し飲みしながら、

「故郷のおっ母が危篤だというのに、三日待っても切符が取れん、この調子じゃあ、やっと帰った頃には、葬式がすんだあとだろうなあ」

若い男が云うと、中年の男は、

「おっ母でなく、嬶に会いてぇから、偽電信をうって貰ったんじゃろ、この時世でも、親の危篤なら通るんだからな、おっ嬶は、ええ女かい、ちょっと聞かせてくれろ」

猥褻な云い方をしたが、そこには庶民の屈託のない会話があった。酒気を帯びた男は、

「ほんとは、おっ母か、嬶か、どっちなんじゃ、俺たちに隠しだてせず話してくれた方が、互いに楽しかろうが」

絡むように云うと、もう一人の男が、

「お前さん、いい加減にしないと怒るよ、われわれ庶民は、ほんとうに親が危篤であっても、こうして駅に泊り込んで切符を買うことしか出来ないのだ、各単位のお偉方だけが、出張や会議に出かける切符は、天から降り落ちてくるってことさ」

吐き捨てるように云い、

「おっといけねぇ、また来たぜ」

と云うなり、毛布を頭からひっかぶって、酒瓶を隠し、眠っている振りをした。青い制服を着た二人一組の民兵たちが、棍棒を持って、怪しげな挙動の者がいないか、北京駅構内を巡回しているのだった。

やがて、北京放送が止(や)んだ。十二時になったのだった。

「一心、寒くないかい」

五月とはいえ、十二時にもなると、急激に気温が下った。

「僕は慣れています、父さんこそ毛布をしっかり肩までかけて下さいよ」

毛布まで持って迎えに来てくれている父に云った。一枚の毛布をかけ合い、くるまりながら、父はこの五年半の労改の話を一心から聞いた。一心は、寧夏(ニンシア)のダム建設や、内蒙古の羊飼いの話はしたが、逃亡幇助罪の疑いで、坐って膝を組むだけの空間しかない三角形の懲罰牢に入れられたこと、そこには空気孔兼用の食糧差入れの小さな窓が一つあるだけで、大小便も垂れ流しのままで、家畜以下の扱いであったことは口にしなかった。

「何が一番、辛かった?」

「人間としての情愛のない孤独感と、慢性的な飢えです」

「お前は、そんな労改の中でも、絶望せず、よく耐えて、生き抜いて来た……」

感に堪えぬように云うと、

「これまで私を育てて下さった父母への恩返しをという一念が、私を支え、強く生き抜けたのです」

「恩など……、お前は私たちの息子であり、国家の大切な人材だ――」

徳志は声を詰らせるように云い、

「一心、子供の頃、村の小川へ魚釣りに行ったことを覚えているかい」

「ええ、あまり釣れないので、仕掛けてある魚を取って来て、爸々に叱られたことを覚えていますよ」

一心の胸に、幼い頃の楽しかったことが思い返され、心が温まった。

「単位へ復帰したら、家へ帰って来て、早く母さんにも会ってやってくれ、それと、くどいようだが、手紙を下さった看護婦さんにはすぐにも礼に行き、私の感謝の気持も伝えてくれ、友人でも知己でもないのに、そこまでして下さったのは、まさに無償の尊い行為だよ」

そう念を押し、あとは互いに肩を寄せ合い、毛布をかぶった。二人ともぼろぼろの姿であったが、ようやく親子水入らずの夜を過せるのだった。

十四章　証　し

八達嶺（パーターリン）を望む北京（ペイチン）鋼鉄公司は、五年半で荒れ果てていた。四基の高炉のうち二基のみが、細々と煙を上げ、高級工程師（技術者）の姿はなく、僅かに五・七幹校から戻って来た工程師がいるのみで、各部署の権限は、製鉄知識のない党幹部の手に握られていた。

一心（イーシン）は、単位に復帰したとはいえ、直（ただ）ちに製鋼現場には戻されず、図書室の掃除と本の整理をする仕事を与えられた。

毎朝、始業八時十分前に、独身寮から出勤して来ると、まず八時から政治学習に三十分参加し、そのあと図書室の掃除にとりかかった。紺の作業衣を着、藁帚（わらぼうき）で床を掃き、ぼろ布で机を拭きみがき、二時間ほどで部屋の掃除が終ると、本の整理にかかった。

図書室の床には、書籍があちこちに山積みになっていた。文革初期の混乱に乗じて、造反派が乱入して持ち去ったり、破り棄てた本もあったが、運よく外国語の文献は残っていた。一心は、綴糸（とじいと）の切れかかっているものは、頁を綴じ合せ、表紙や背がはずれそうになっているのは、糊付けし、本の形を整えてから各専門別に分類し、書名と著者名をカードに記入していった。

一心の他に、労改から出て来た中年の工程師が二人働いていたが、互いに用件以外は言葉を交さなかった。図書室主任は、殆ど編物ばかりして、図書に興味を示さなかったが、人事処長の妻であるから、三人の挙動に眼を光らせていた。

外国の文献は、英語、ドイツ語、フランス語が一グループになり、ロシア語と日本語はそれぞれ別個の項目になっていた。その上で各専門別に分けて、書名、著者名を記したカードを作成し、記号ラベルを作って本の背に貼り、順番に書架に並べていった。

一心は、以前、黄書海から、母国語を忘れることは恥だと云われたことが胸に残り、本の整理の仕事が終ると、日本語の専門書を読み耽った。『日本鉄鋼業の発展と特質』には戦後の日本製鉄業の急速な発展内容が詳細に記されていた。一心は、解らぬ言葉はまず『日漢詞典』をひき、設備、技術用語については日本語、フランス語、スペイン語、ドイツ語、ロシア語、英語の『六カ国語対照金属辞典』を見つけ出し、大学で学んだロシア語と日本語を対照することによって、理解することが出来た。

人によっては、技術者でありながら、毎日、図書室の掃除をし、書庫の整理係をやらされている一心を軽侮するような視線を向けたが、一心にとっては、書庫の中で日本語の技術書を読むことによって、母国語を勉強すると同時に、技術者として空白になった知識を埋めることが出来るのだった。

だが、細々ながらも高炉からたち上る煙を図書室の窓から見上げ、自分だけが技術者として取り残されて行くような焦躁感に駈られていると、陸一心の上司で、元技師長の朱子明が入って来た。朱技師長は、製鋼工場を停電させて生産妨害を図ったとして、陸一心とともに批判大会にかけられ、徹底的に吊し上げられ、監獄へぶち込まれたのだった。最近、ようやく釈放されたが、現場へは戻れず、製鋼工場の事務室で、工場のスローガンや規則などを書く抄写係の仕事だけが与えられていたから、月に数えるほどしか利用者のない図書室の熱心な利用者であった。

「小陸(シアオルー)、本を返しに来たよ」

と云い、人影のない閲覧者用の机の端を眼で指した。そういう時は、主任が長い休憩時間をとって不在だった。

一心は、書名カードを整理していた手を止め、朱子明のところへ行くと、ぱらぱらと本の頁を繰(く)りながら、小声で、

「現在の生産情況は、十年前に逆戻りしている、いや一九六〇年代よりまだひどい、このままではわが国の鉄鋼はどうなるのか、君たちはまだ若いが、私はもう齢(とし)……」

最新鋭の転炉を開発する優れたリーダーであった朱子明が淋しげに云い、また別の本を二冊、借り出して行った。

雑役の傍ら、日本語の勉強を続けていた九月二十六日、昼食後、政治学習が召集された。集会所に集ると、組織処の書記が、

「今日は、『人民日報』に重大ニュースが載(の)っているので、特にここで読んで伝える」

と云い、

「一九七二年九月二十五日、日本国内閣総理大臣、田中角栄は北京へ到着し、中華人民共和国国務院、周恩来(ツォウエンライ)総理の出迎えを受け、中日国交回復のための会談に入る」

まずトップの見出しと記事を読み、引き続き、昨日の夕刻、人民大会堂で周総理が行った挨拶の言葉を読み上げた。

「――中日両国の社会制度は異っているが、これをわれわれの両国が平等、かつ友好的に付合っていく上での障害にすべきではありません、中日国交を回復し、平和共存五原則を基礎にして、友好善隣関係を樹立することは、われわれ両国人民の友好往来を一段と発展させ、両国の経済、文化交流を一段と拡張する上で、広々とした前途を切り開くことになるでありましょう、中日友

好は排他的なものではありません、アジアの緊張情勢の緩和と世界平和の擁護に寄与するもので――」

『人民日報』の朗読はなお、延々と続いたが、誰一人として声を発する者がいなかった。

つい昨日まで、人民の敵、日本帝国主義、侵略者として闘争して来た相手が、突如として北京空港に降りたち、周総理と国交回復のための握手を交したのだった。一方では帝国主義は、反革命分子であり、徹底的に闘争せよという毛(マオ)主席の指令がある。

書記は記事朗読を終えると、

「わが国の党中央指導者と、日本国の首脳との間で、国交回復の交渉が始まるが、われわれの単位は、まだ上級機関から何らの具体的な指示を受けていないから、政治学習、日常活動はこれまで通りに行う」

と云い、掲示板に『人民日報』を貼らせて、学習を終えた。集会所に集った工人、工程師たちは、すぐその前に群がった。

「なんだ、急に中日国交回復だなんて、俺たちとは、どんな関係があるんだい」

「おい、この日本の総理やほかの連中といったら、小日本鬼子(シアオリーベンクイツ)の顔じゃないか」

「なるほど、久しぶりにリーベンクイツにお目にかかった、あっはっはっ」

一心は、ぎくりとして、足早に図書館へ戻った。誰の眼にもつかないところで、中日国交回復を報じている『人民日報』を詳しく読みたかった。

夕刻になってから、図書室の新聞綴じ込み用として、『人民日報』が配布されて来た。一心は、保存用に綴じ込みながら、仔細に読んだ。

第一面のトップに、日本の田中角栄総理が、周総理以下、十数名の要人の出迎えを受けて、握手を交している写真が出、第三面には、空港到着の際、解放軍儀仗兵を周総理と共に、閲兵する写真まで大きく載っている。

一心は、日本の総理大臣一行の顔を凝視した。幼い時から、小日本鬼子と苛めぬかれ、文化大革命がはじまると、いち早く、日本特務の容疑をきせられ、日本人なるが故に、常に蔑視の対象とされてきたが、これからは同じ中国人として平等に扱われるのだろうか。

「小陸――」

自分を呼ぶ声に、はっと狼狽してたち上ると、朱子明であった。中日国交回復を報じる『人民日報』の綴じ込みを見入っていた自分に、何か云うのかと思うと、全くの無関心ぶりで、

「今日は、たまに『紅楼夢』でも読みたいな、あるかい」

と聞き、一心が書庫の奥から探し出して来ると、

「まあ、こんな小説を読んでいるのが、一番、問題がなさそうだな」

『紅楼夢』の埃を払って、ゆっくり出て行った。一般市民も、中日両国の首脳同士の国際政治のこととして、別段、変った様子もなく、平静であった。

しかし、九月二十八日、『人民日報』が、一面全段通しで、毛主席と田中総理とが握手している写真と会見記事を載せ、『人民日報』の題字の右側に『毛主席語録』を掲げると、一般人民の注目が集った。

われわれすべての国家が、互いに主権及び領土の保全を尊重し、互いに侵さず、互いに内政を干渉せず、平等互恵、平和共存というみんなが知っている五項目の原則をはっきり主張する。

一心は、何度も読み返した。中日両国が、たとえ国の制度が異っていても、平和共存の五原則

を基礎にすれば、国交を回復し、友好を保っていけることを、毛主席が、明確に示唆したのだった。

北京放送によれば、北京市民は西単の繁華街にある新聞掲示板に集って、もの珍しげに新聞を見たということであった。だが、陸一心の職場でそのことが話題になることはなく、一心の日常も変ることがなかった。図書室の掃除と本の整理に時が過ぎ、余暇にこっそり日本語の独学を続けていたが、時折、『人民日報』に載った日本の総理大臣一行の顔がちらつき、窓ガラスに映る自分の顔と知らず知らずのうちに見比べていることがある。しかし、彼らと共通する特徴はどこにもなく、まさしく中国人の姿、容貌以外の何ものでもないと確信をもちながらも、絶えず微妙な心の揺ぎを覚えるのは何故だろうか。この矛盾した複雑な思いを一心は、誰かに告げたかった。

＊

その日は朝から雪が舞っていた。いつもの日曜日なら、人出の多い前門大街に近い陶然亭公園も人影が疎らで、二つの湖も、湖畔の公園も森閑としていた。

湖面には、雪が舞い降りては、すぐ吸い込まれて行ったが、湖に浮かぶように細長く突き出ている小道の先に建っている陶然亭の屋根には雪が降り積り、静謐なたたずまいを見せている。

陸一心は、綿入れの上衣を着、襟をたてて、江月梅が現れるのを待っていた。

内蒙古の草原の包の中で、跪いて、月梅の至純の愛を拒絶しておきながら、こうして月梅を待っているのは、中日国交回復で揺れる自分の胸中を誰かに告げたい思いからだった。朱子明や唐偉もいたが、労改で出遭い、命を救ってくれた月梅に会い、話したい衝動に駈られて、燕京病院の月梅宛に手紙を出したのだった。

粉雪の舞う中を、急ぎ足で来る月梅の姿が見えた。小柄な体に綿入れのジャケットを着、毛糸のマフラーに顎を埋めて近付いて来た。

動悸が鳴るような歓びと同時に、会ってはならぬ女性と遂に会う躊躇いがあった。次第に近付いて来る月梅を身じろぎもせず、見詰めた。月梅もまた、一心に気付くと、瞬時、足を止め、前髪に降りかかる粉雪を払いもせず、見詰めた。互いに白い息を吐きながら、万感の思いをもって近寄った。

「どうして、もっと早く報せて下さらなかったの」

「よく自分の気持を整理してからと考え、つい遅くなってしまって――、ほんとうに感謝の言葉もありません、北京駅で私を待っていてくれた父からも、重々、お礼を申しあげるように云われていたのですが――」

ぎこちなく云い、深く頭を垂れた。

「やっと、北京であなたと会えたのね、無事に生きて――」

まじまじと、一心を見上げた。

「有難う、釈放されず、あのまま労改で働き続け、再び病気になったら、生きて戻れなかったかもしれない」

「囚人の健康状態は、ますますひどくなるばかりですわ、内蒙古のあの一〇四労改から、急性肺炎の囚人が医療隊へ運び込まれたけれど、ひどい栄養失調で、なす術もない状態でした、その囚人は助かりたい一念で、ペニシリン、ペニシリンと、息絶え絶えの中で繰り返していたから、知識人なのでしょう」

「もしや、その人は黄書海……黄と云いませんでしたか、齢は幾つぐらい?」

思わず、せき込むように聞くと、月梅は記憶をたぐるように、

「年齢は確か五十五、六歳、金という朝鮮族の囚人だと聞きました」

と答えた。一心は、黄書海でなかったことにほっとした。

労改から釈放後、一心は内蒙古一〇四労改・黄書海宛に何度も手紙を出したが、返事はなかった。中日国交回復が成立した時も手紙を書き、日本との通信も可能の旨を報せたにもかかわらず、返事がなかった。何の便りもないのは、もしや死亡、あるいはさらに僻地の労改へ移送されたのではないかと、いつも心に残っていた。

湖面に水鳥の群が現れた。白い胸毛に瑠璃色の羽根を胴にぴたりとつけ、雪の舞い散る湖面を音もなく、すべるように進んで行った。二人は足を止めて、暫し、水鳥の群を見やった。

「あなたとは、北京で一番美しい北海公園を歩きたかったわ——、いつになったら開門されるのかしら」

今は毛主席夫人の江青が独占し、一般人民は入園禁止となっていた。庶民にとって、祭日に無料で入れる美しい公園だけが、唯一の憩いの場所であったが、それさえもかなわぬ時代であった。

「原単位へ復帰して、仕事の方はうまくいっていますの」

「いや、それが——」

図書室の掃除と本の整理など、雑用係であることを話した。

「私の病院でも、曾てドイツ留学組のドクターが、労改から戻って来られても、本来の仕事へ戻れず、薬局の薬の瓶洗いをさせられているのです、何か、すべてが狂っている、納得のいかないことばかりで……」

哀しげに云い、またゆっくりと歩き出した。

「でも、今度の中日国交回復で、あなたに対する職場の対応は、少し変るんじゃないかしら？」

月梅は、長身の陸一心を見上げ、希望を探り当てるように云った。

「国交が回復したからといって、私の単位では何一つ変らない、国交回復によって、これから何がどのように変りそうか、話したくても、そんなことを話せるような雰囲気ではない——」

一心はそう云い、言葉を継いだ。

「私は、りっぱな養父によって、中国人として育ち、中日の国交回復が成っても、私個人には何の関りもないことだと、突き放して考えていた、だが、『人民日報』に載った日本の総理をはじめ、多くの随員の笑顔、乾杯している姿などを見ていると、理由もなく落ち着かない、彼らが帰国してしまってからも、時々、図書室の新聞の綴じ込みの中から、その時の紙面を繰って眺めていることがある——」

一心は、胸中にあるものを、はじめて吐露した。月梅と接していると、日頃の抑圧感から解放され、心が和んだ。

「日本人と会って、話してみたい気持が潜在的にあるのかしら」

「いや、私は、あの人たちは外国人だと思っている」

「じゃあ、なぜ、そんなに気になるの、七歳まで日本人として育ったあなたの中に、日本に惹かれる何かがあるのではないかしら」

月梅は、優しい口調で問いかけた。

「……幼い時のことは、もう何も記憶していない」

と否定しながら、一心の胸の奥底に疼くものがあったが、言葉にならなかった。そのことに、月梅は、気付いたようだったが、

「それなら、思い迷うことはないでしょう、私たちと同じ中国人以外の何ものでもありませんわ」

と云い、そっと体を寄せた。月梅の髪を包んだマフラーに、松の枝の雪が落ち、一心は手を伸ばして払おうとして、体を硬ばらせた。何歳の頃か解らないが、幼い妹の頭の雪を払った記憶が、

突然、脳裡を掠めたのだった。日本人としての記憶がないと云ったばかりでありながら、この過去の切絵のような光景を、月梅に話す勇気はまだなかった。

「どうかしたの？」

「いや……」

一心は口ごもった。長い囚人生活の習慣で、月梅といえども、容易に心の殻を破ることが出来ない。

「冤罪が雪がれて釈放され、もとの単位に戻り、国交が回復されても、私が日本人の血をもった反革命分子として労改へ送られた歴史的汚点は档案（身上書）に入れられ、生涯、私に付いて廻る、どうしようもないことだ」

月梅は葉を落した湖畔の樹へ視線を向け、一心の言葉を聞いていたが、

「それはあなただけでなく、多くの人民が苦しんでいることだわ、私の場合は、〝自殺した右派の娘〟という烙印が終生、消えないのよ」

月梅の眼が哀しげに潤んだ。一心は慰める言葉に窮した。沈黙の中で、雪が次第に激しく降りはじめた。

「苦難の中で播かれた種は、どんな風雪にも耐え、必ず芽ぶくものだと云われていますわ」

二人の愛情の芽生えに譬えるように云い、月梅は静かに微笑んだ。

一心にとって、月梅は百里香のような人だった。水も肥料もない砂漠の中で、忍耐強く根を下し、夏が来ると、毎年、砂漠を行く人々に、百里の先まで香を送る百里香は、無償の愛に生きる花木であった。

それだけに、国交が回復されたとはいえ、文化大革命の運動がいつ終えるともしれぬ中で、自分のように日本人の血をもつ者が月梅に近づくことは、〝自殺した右派の娘〟という烙印を捺さ

れている月梅に、この先、またどんな災難がふりかかるやもしれない。

「私、来月からまた、巡回医療隊に出るのよ、今度は、はじめて東北の僻地を廻るのだけど、以前、あなたから聞いた七台屯（チータイトン）の村落も廻る予定になっているから、あなたが最初、どんな環境の中で育ったかを、この眼で見、あなたの幼かった日々をよく知りたいと思っているの」

一心の脳裡に、ソ連兵の虐殺から生き残った五歳の妹と引き裂かれたこと、大福（ターフー）と呼ばれて、牛馬の如く酷使された日々が、浮かんだ。

一旦、やみかけた雪が再びちらほらと舞いはじめたが、二人とも傘を持っていなかった。月梅は湖面に突き出ている陶然亭の四阿（あずまや）を指し、

「降りやむのを待ちましょう」

と云った。

中には掛け椅子があるだけだったが、雪を避けるには充分であった。雪は次第に激しくなり、湖畔の小道や樹々に降り積り、見渡す限り白い静謐な世界に掩（おお）われた。一心は月梅と並んで椅子にかけ、純白の美しい光景に見とれていた。

月梅がふと頭から掩っていたマフラーをはずし、雪を払おうとして、髪止めを落した。

「あら――」

手を伸ばし、拾いかけようとして、先に伸びた一心の手に触れた。凍えた互いの手に温かいぬくもりが伝った。一心の手は知識人とは思えぬ節くれだった手で、労改での四人生活を物語り、月梅の手も僻地の巡回医療隊で荒れ、消毒薬の匂いがし、互いの苦しかった過去がそこに滲み出ていた。

一心は月梅の髪止めを拾って、土を払い、前髪をあげるように優しく止め、月梅はされるままに身を寄せた。

曾て内蒙古で黒災(ヘイツァイ)が吹き荒れ、黒い砂嵐が大地を剝ぐように吹き募った日、包(パオ)をばしっばしっと叩きつける音に怯えた二人が、今は霏々(ひひ)として音もなく降り積る雪の中で、愛を燃えたたせるように身を寄せ合っている。

月梅の白い吐息を頰に熱く感じ、一心は抱擁し、口づけしたい衝動に駈られたが、辛うじて抑えた。

月梅が東北の巡回医療隊から帰って来たその時に、まだ月梅に話していない日本人なるが故に惨めであった日のすべてを包み隠さずに話そう——。そして今度は、自分が跪いて、月梅の愛を求めよう。そう心の中で決めると、長い囚人生活の習慣で、頑(かたく)なに閉していた心の殻がかすかな音をたてて、割れはじめるのを感じた。

相変らず、陸一心は図書室の床を藁帚(わらぼうき)で掃き、掃除が終ると、書名カードを作成する毎日であった。

製鉄所の操業は一向、改善される気配はなさそうだが、労改や五・七幹校の農場から戻って来る工程師は多くなり、図書室の利用者も増え、図書室配属の員数も増えた。しかしソ連への逃亡に失敗した林彪(リンピャオ)の後、江青夫人はじめ四人の党中央幹部が跋扈(ばっこ)しており、誰も警戒心を緩めず、黙々と自分の仕事だけしていた。

「茶(チャア)」

部屋に場違いな女の間のびした声がし、がたんと椅子を鳴らして、たち上った。図書室主任の李春風(リツンフォン)だった。名前にそぐわぬ顎の張った平ったい顔で、出がらしの茶の葉が残っている大きな湯呑茶碗を持って、魔法瓶が置いてあるところまで行き、白湯(さゆ)を注ぐと、浮いた茶の葉が沈むのを待ちきれぬように、ふぅふぅと、男のように吹きさまし、ぐいと一口、飲んでから、自分専用の机に戻った。

字を書くのを誰も見たことがなく、書籍に関心を示さず、一日中、編物ばかりしているが、党員序列が上位の人事処長の妻であるということだけで、いいポストを得ているのだった。

この間までは男物のセーターを編んでいたが、最近は茶色の毛糸で何かを編みはじめ、その毛糸を手繰りよせ、編棒を使う器用な手つきだけが、妙に女らしかった。

「おい、一心――」

肩を叩かれ、振りむいて、飛び上った。元同僚のアメリカ華僑の唐偉であった。

「いつ、帰って来たんだ」

青黯く、痩せ細った唐偉の手を取って、聞いた。朱子明から唐偉は、一心が批判闘争大会にかけられて間もなく、槍玉に上り、アメリカ特務の罪名で、遥か西北の新疆ウイグル自治区へ労改送りになったと聞いていたのだった。

「ここへは一昨日、帰って来たところだ、朱技師長から、君がここにいると聞いて、すぐ来たんだよ」

「無事に帰って来られて、何よりだな」

感慨をこめて云うと、

「君こそ、さぞひどい目に遭っただろうな、批判大会で、王司令とか云う奴に、名指しで引きずり出され、首に煉瓦を吊されるまで、僕は、君が日本人と知らなかった、中国人とばかり思い込んで、やられるとしたら僕だと、体をがくがく震わせていたから、あの時はほんとうに驚いたよ、お互い無事でよかった」

唐偉は喜びを嚙みしめ、

「ニクソン大統領とキッシンジャー補佐官のおかげで、上海コミュニケ以降、中米関係もよくなりつつあるらしい、ところが、期待して帰って来ると、英文レターの代書と、タイプライター打ちだってことだ、馬鹿にしている」

一心は、しっと、眼で制した。唐偉は、編物をしている中年の女が、図書室主任で、それとなく、自分たちを監視していることを知らなかった。

「何か借りたい本でもあるのかい、大分、整理ができているから、見ていったらどうだ」

さり気なく話題を変え、唐偉を書庫の奥へひっぱって行った。

「僕は、寧夏回族自治区と内蒙古自治区の労改へ廻されたが、新疆も大へんだったろう」

一心が云うと、唐偉は肉の削げ落ちた青黯い顔を歪め、小声で話しはじめた。

僕が送られたところは、新疆ウイグル自治区の天山山脈の北側の鉱山だった。ウイグル族にはトルコ人の血が入っているから、男も女も彫りの深い顔だちで、驚いたよ。文字はアラビア語に似ているしね。ま、それはともかく、労改の囚人生活はまさに残酷そのものだよ。朝七時から夕方五時まで十時間労働で、それも地下三、四百メートルほどの坑内ときている。坑内へ入る時、入口で作業灯を受け取り、ガタピシの木製昇降機に十二、三人ずつ詰め込んで降りる。四十度近くの猛暑でも坑内は涼しいし、マイナス十度の厳冬でも温かいのが唯一の取り得だ。受持区まで来ると、切羽に水をかけて、鶴嘴で岩盤を掘り砕き、スコップで掘り出した鉱石をトロッコに放り込んだ。その度に濛々とした粉塵が舞い上り、咽喉や眼に襲いかかる。工程師の僕は、鈍い作業灯の中でも、その鉱石が石炭よりも硬く、鈍い光を発しているのに気付いたが、それが何であるかを聞いたり、下手に知れば、さらにスパイ容疑をかけられ、刑期が増えるから、黙って掘っていたが、あれはウランだろうと思っている。

太陽を浴びない暗い坑内で一日中、働き、食糧は月一回、羊の肉が出る程度で、それ以外は一日五百グラムの雑穀類と塩漬けの葉っぱだけ、休みは二週間に一度。こんな極限生活の中でも何とか生きのびられたのは、ハイスクールまでクリスチャンとして、信仰心を持って生活していたからだと思う。政治学習の時間は、口では皆と同じように『毛主席語録』を暗誦していたが、心の中では『聖書』の感銘深い章を思い浮かべ、「天にましますわれらの神よ、救い給え」と祈っていた。休みの日は、上海から送られて来た四人の中に、たまたま同じアメリカ華僑がいて、二人でビーフステーキやアイスクリームの話をして、飢えを忘れようとして、かえって飢餓感が募り、気が狂いそうになったこともあったよ。

幸い、神の思召しで帰れたけど、あの鉱山で死んで行った人は数えきれない。特に知識人に対して労働が苛酷で、病人になって、坑内で働けなくなった知識人は療養させず、農作業に廻すのだ。いかに知識階級に対する再教育、思想改造とはいえ、やみくもに痛めつけることは、知識人に対する殺人行為だ、僕はもうこの国に絶望した——。両親のいるシカゴへ帰ろうかと思っている。一九五三年の「愛国華僑よ、祖国建設のために帰れ」という呼びかけに熱にうなされ、両親が止めるのもきかず、振り切って来たのは、全くの茶番劇だったよ。

唐偉は苦々しげに、煙草の煙を吐き出しながら、語った。指先近くまで短くなってもなお、惜しむように喫い、

「日本とも国交回復したそうじゃないか、君も帰ることを考えているんだろう」

シカゴの大学の物理学者を父に持つ唐偉は、ごく自然に聞いた。

「いや、僕の両親は中国人だ、日本の両親は死んでいるだろうし、帰ろうなどと考えたこともない」

「そうだったのか、日本の両親はいないのか……」

唐偉はよけいなことを聞いたと、気まずく、言葉に詰った。

「やあ、君たち、ここにいたのかい」

朱子明が入って来た。

「せっかく鉄造りの情熱に燃えて帰って来たのに、がっくりだという話をしていたところですよ」

唐偉が、肩をすくめると、朱子明は、

「こういう時代は、図書室の雑用をしたり、タイプライターを叩いている方が安全だと考えることだ、はじめてこの工場へ乗り込んで来た革命委員会の連中は、別の派閥に粛清されて、今は誰一人、残っていないそうだし、今の指導層の内部もごたごた続きで、製鋼工場長の顔を久しく見ないなと思っていたら、今日、新任工場長だという元工人に引き合されたよ」

淡々とした口調で、云った。

「製鋼の第一人者の朱技師長をさしおいてなんたる馬鹿げた話だ、僕はまだ工場へ行っていないが、鋼の純度は落ちているだろうな、聞けば、工場で働いているのは昔ながらの工人と、大学は出たけれど、武闘と下放のために畑仕事に明け暮れて、専門知識のまるでない名前だけの工程師ばかりが、ごろごろしているっていうことだろう？　わが国の製鉄業の将来はどうなるんだろう」

唐偉は、労改送りで、こんな野蛮な国に絶望したと云いながら、憂うるように嘆息した。

「陸同志！」

図書室主任の李春風が、珍しく同志付きで呼んだ。書庫での話を聞き咎められたのかとひやりとし、机の前へ行くと、

「人事処長が、お呼びになっている、速やかに出頭しなさい」

自分の夫を権威づけるように、もったいぶった口調で云った。書庫から出て来た朱子明と唐偉は心配そうに見守ったが、一心は、人事処へ向った。

工場の組織で、組織処、人事処は、党規律委員会と並んで、政治幹部が押え、最も怖れられているところだった。そこへどんな用件があって、呼び出されるのか、まさか再び思想調査でもされ、釈放取消しなど通告されるのではあるまいかと思いつつも、部屋の扉の前にたつと、動悸がした。

中へ入ると、人事処長のずんぐりとした猪首の姿が見えた。一九五〇年の朝鮮戦争で、米帝国主義と戦ったことが自慢の種だという人事処長は、

「陸一心です、何かご用でしょうか」

という声に、猪首をねじ向け、

「ふむ、お前が例の陸一心か、見たところ、中国人と見分けがつかんな」

頭のてっぺんから爪先まで、検分するように見、

「お前、日本語が喋れるだろう」

いきなり、云った。

「いえ、話せません」

「簡単な日本語なら、やれるはずだ」

「いいえ、私は子供の時から、ずっと中国人として育ちましたから、全く出来ません」

一心は、動きそうになる表情を抑えて、答えた。

「このわしを騙せると思っているのか、お前が図書室の仕事の合間に日本語の本を読んで、学習していることは、わしの女房が報告しているぞ」

「——それは、外国文献の中に日本語の資料もありますので、整理していただけです」

「お前、女房がわしの股引だけ編んでおると思ってるのか、日本の特務、生産破壊罪で労改へ送られた前歴のあるお前を、李図書室主任はちゃんと見張っていたんだぞ」

一心は、じわりと冷汗が滲む思いがしたが、

「しかし、喋ろうにも喋れないのですから」

用心深く断りながら、一心は、黄書海から習った五十音の平仮名を見つけられ、労改の懲罰牢に入れられた恐怖が、まざまざと甦った。ここは何が何でもしらを切って、この場をしのがねばならない。

「何やら妙に警戒しているようだな、それなら、人事処長のわしが保証するから、安心して喋りな、実は日本語の通訳がいるのだ」

俄かに、あやすような口ぶりで促した。

「ですが、話したくても、一言も——」

首をうな垂れながら、何のために、日本語の通訳がいるのか、不審と警戒心を募らせつつ徹頭徹尾、固辞した。

「ふん、よくよく喋れんのだな、そんな役にたたん奴はいらん!」

話をぶっきるように云い、

「明後日、日本から鉄鋼協会の視察団がやって来る、わが北京鋼鉄公司を見学することになっているから、お前ら工程師の資格を持っている者は、その日だけは現場に出て、立っているんだ、但し、向うから何を質問されても一切、喋るな、職務命令だ、要は工程師の数が少いのでは恰好がつかんので、員数合せのためだけ、立っているんだ!」

と云い渡した。

北京首都空港に、中国民航機が着陸し、タラップがかけられた。広州からノンストップの飛行機はソ連製機、イリューシンであった。

人民服姿の中国人、背広姿の東南アジア系華僑にまじって、日本人十五名がタラップに姿を現した。日本鉄鋼協会の視察団の一行だった。

一行がタラップを降りると、重工業部の幹部たちが、

「您好！　ようこそ、おいで下さいました」

一人一人と出迎えの握手をし、タラップに横付けされた乗用車へ案内した。

日本の鉄鋼六社の技術担当役員が主なメンバーである視察団は、空港の建物に掲げられた毛主席の大きな肖像画や社会主義建設万歳！　と赤字で大書されたスローガン、そこここにたつ警備兵に緊張した表情で、先導された乗用車に乗り込んだ。団長のみは大型高級車〝紅旗〟で、他は中型車の〝上海〟六台に分乗した。各自のスーツケースも積み込まれると、乗用車の列は、空港から一路、市内へ向った。

やや色づきはじめた洋槐や白楊の広い並木道が一直線に延び、その先に青く澄みきった北京秋天の空が拡がっている。日本鉄鋼協会の一行は、はじめてほっとした表情で窓外を眺めた。国交回復後、二年近く経っていたが、航空協定が締結されていないために、東京―北京間の直行便は飛んでいなかった。一旦、香港へ飛んで、九龍駅から列車で国境の町、羅湖まで行き、そこから徒歩で、深圳川にかかった鉄橋を渡り、広州で一泊してから、北京まで飛んだのだった。一衣帯水の国とはいえ、現実の日本と中国との距離は、二日がかりのいまだに遥けき国であった。それだけに、日本鉄鋼協会の視察団の一行は、世界で最も美しいと云われる空港からの並木道と北

京秋天を眼にして、心を和ませたのだった。

車はやがて、北京市のメイン・ストリートである長安街に入った。天安門へ通じる幅百メートル近い道路の両側に、パリのシャンゼリゼ通りに似た街灯がたちならんでいる。

視察団一行の車は、天安門広場の手前にある北京飯店に停った。中国人民はもとより、外人旅行者の中でも、国家の賓客クラスしか泊れない七階建てのクラシックなホテルであった。大理石の階段を上った正面の回転ドアの前には、警備員がたち、さらに両側に着剣した兵士がたっていた。

旅装をといた一行は、再び七台の車を列ねて、重工業部を表敬訪問し、その翌日、北京鋼鉄公司を見学に訪れた。

会見室に入った一行は、総経理（社長）以下、十五、六名の幹部の拍手で迎えられた。

「はじめての私たち訪中視察団を、このように歓迎して下さり、心から感謝します」

日本側は挨拶し、各自、自己紹介したが、中国側は、総経理以外、誰も無言で、居並んでいる幹部たちの肩書、担当が皆目、解らなかった。団長が、皆さん方はと各自の名前と役職を聞きかけ、口を噤んだ。聞くことが咎められるような硬い雰囲気であったが、

「私は、一九六三年、東京オリンピックの前年にあたりますが、日本を訪問したことがあります」

総経理が、緊張を解きほぐすように口を開いた。

「ほう、それはそれは――」

団長は、そんな時に中国から鉄鋼訪日ミッションがあったのかと、記憶をめぐらせていると、

「もっとも、その時の訪日の名目は、原爆反対平和代表団の一員として行き、そのついでに阪神

製鉄の工場を見学しましたよ」

と云った。一行の中の阪神製鉄の役員は、

「よく存じ上げております、私はお迎えする準備委員の一人で、酸素工場をお褒め戴き、感激しました」

と応えると、総経理は懐しげに、その役員の方を向き、

「そうでしたか、皆さん、お元気ですか」

と云い、当時の話に暫し、花を咲かせた後、

「わが北京鋼鉄公司は、創設以来、六十年の歴史を持つ鋼鉄公司で、解放前、数十年間の生産量はさしたるものではなかったが、新中国成立後、毛主席の〝鉄を以て要となす〟の指導によって、飛躍的発展を遂げた模範的先進単位であります。当公司は、高炉、転炉をはじめとする三十二の工場と、独自の施工公司を持ち、全従業員は二万五千人です。さらに原料の鉱山も所有しており、原料から製鉄・製鋼・圧延まで、文字通り一貫生産で、原料の搬入、製品の輸送も、工場構内に敷設されている鉄道によって行っています。そして、豊台駅で国家の鉄道に乗り入れるので、貨物の積み替えなしで、中国全土どこへでも輸送できるわけです。貨車は国からチャーターしていますが、機関車は当公司の所有で、鉄路に乗せさえすれば、中国のいかなる地域はもちろん、モスクワまでそのまま、行けるのであります」

総経理は、こともなげに説明した。視察団の一行は、あまりのスケールの大きさに半信半疑の顔で耳を傾けた。

やがて、工場見学となり、原料ヤードから高炉工場へ向ったが、五百リューベ（立方メートル）二基、千リューベ二基のうち、二基は操業停止中であった。一九六六年からの極左路線の影響と見て取れたから、一行は敢えて質問せず、操業中の溶鉱炉の廻りの工人は、柳で編んだヘルメッ

トを冠り、作業衣やセーター、シャツ姿など、各自ばらばらの服装で、作業衣の支給が行き渡っていなかった。同時に一基当りの溶鉱炉の作業員が多過ぎ、炉前で働いている工人より、蹲って私語している工人の方が多く、工場内の整理整頓もされていない。日本の新聞で時々、中国の文革のことは報じられていたが、その実情が解らない視察団の一行には、操業状態も操業員の動きも緩慢で、指揮系統の乱れが見られ、これが〝模範的先進単位〟かと、訝った。

視察団を先導し、説明するのは、副経理で、原料ヤードからはじまって、ずっと同一人物が話し、他の幹部は無言で随行するだけであった。日本の一行は、他の幹部とも話したかったが、この国では代表者だけが統一見解を述べ、他の者は発言しない慣例であった。

「お国には、二、三千リューベの大型高炉があると聞いていますが、わが工場は規模こそ違え、操業技術は国際的水準に達しており、なかには、お国でさえ、まだ到達しておられない技術も駆使していますよ、つまり、高炉の燃焼に微粉炭の吹込み方式を採り入れているのです」

通訳を通して、得意気に説明した。通訳は、技術用語になると詰り、たどたどしくなったが、日本側の同行している通訳がそこを補った。

「ほう、微粉炭の吹込みとは——それほど効率のいい技術は、何時ごろから、導入しておられたのですか」

団長をはじめ一行が、眼を凝らして質問すると、

「一九六〇年の前半からです、自力更生の代表であるこの技術のライセンスは、欧米諸国へも売っていますよ」

自信満々の語調であった。日本の製鉄所からみれば、一昔前の旧態依然とした設備にすぎないと、内心、たかをくくっていた矢先だけに、微粉炭吹込みの独創性には、一行は眼を見張った。

次は、製鋼工場の見学であった。ここも必要以上に工人の数が多かった。

ゴオーッと音が鳴り、精錬された溶鋼が旧式の取鍋に入れられるところで、オレンジ色の溶鋼が滝のような勢いで流れ出、周囲に火花が散った。

「ここでも自力更生の毛主席の思想のもとで、当公司独自の技術が開発されています、ご覧のように上吹き酸素式で、中国ではじめて設計、製造、据付けを行った転炉です」

副経理は胸をそらせて、説明したが、製鋼のための上吹き方式は、日本では以前から、ごく一般的に行われていたから関心を持たなかった。それより、そこここで雑然と積まれた転炉の内貼り用煉瓦の形状が不揃いで、角が欠けていることに視線が行った。まさかこんな不良品はハネるだろうと思ったが、廃棄せず、置き放しにしていることに呆れ、転炉自体の規模の小ささにも驚いた。わずか三十トンの転炉は、日本の十分の一の規模であった。

一行は礼儀上、感心したような表情をし、次の圧延工場の方へ向ったが、一番うしろから遅れて歩いている二人の団員は、三十トン転炉に眼をやり、日本語が解る作業員などいるはずがないと思ったらしく、

「遅れているな、玩具みたいだな」

と囁きあった。その途端、転炉の近くで、喰い入るように一行の一挙手一投足を凝視していた若い工程師の顔が動き、両手の拳をぐいと、握りしめたことには、気付かなかった。

それは、工程師の陸一心であった。工程師の員数合せのために、図書室から駈り出され、ただ黙っているだけの任務であったが、日本人の団員が、不用意に洩らした「遅れているな、玩具みたいだな」という言葉を耳にしたのだった。

日本に比べれば、確かに小さい転炉であろうが、以前、朱技師長の指導下で、世界各国の研究論文、設備技術書を夜を徹して読み漁り、討論し合い、最初は三十キロ、次に三トン、そして三十トンと、実験に実験を重ねて、造り上げた一心たちの精魂を傾けた転炉であった。玩具のよう

だという言葉が、陸一心の胸に、鋭く突き刺さった。

それから二週間後、陸一心は、再び人事処から呼び出しを受けた。

薄暗い廊下を歩きながら、今度はどんな用件だろうかと思いをめぐらせながら、処長室へ入ると、

「はじめまして、陸さん、お忙しいですか」

いきなり、日本語が発せられ、陸一心は狼狽した。

「やはり、日本語が解るね」

見知らぬ男の日本語が、間髪入れず、返って来た。人民服を着ているが、一心の全く見知らぬ男で、もしや、日本人では——と、どきりとすると、猪首の人事処長が、

「こちらは、重工業部の外事司長さんである、この間は、日本語は解らないと云ったのに、ちゃんと解るようじゃないか」

咎めだてる眼付きで云った。重工業部の外事司長は、眼鏡の下から注意深く、陸一心を観察し、

「君の档案は、ここで見せて貰ったよ、七歳まで日本人として生活していたのだから、基礎はあるはずだ。私も一九四五年、日本敗戦まで、東北の小学校で日本語教育を受けたから、簡単な日本語の会話なら聞き取れるし、話もできる」

一心は黙したまま、外事司長を見詰めた。

「私が今日、ここへ来たのは、君をわが重工業部の外事司に採用するためだ、さし当って、日本の視察団から貰った多くの文献、資料があり、その翻訳をしなければならないし、今後、中日間の技術交流が増える見通しから、通訳を増やさなくてはならないのだ」

と云った。

「しかし、私はそのような職務にふさわしい能力を持っておりません、読み書きの語学力もないし、第一、日本語は喋れません」

一心は、中国語で強く云い張った。

「心配しなくともよい、重工業部で、日本語学習班をつくって、特訓するから大丈夫だ、日本語を外国語として、一から習う連中と比較すれば、上達の度合いが違うはずだよ」

外事司長は、自らの体験から請け合うように云った。

「しかし……」

なお固辞しかけると、猪首の人事処長は、

「重工業部は、われわれの上部機関であり、国務院直轄の国家機関である、わが北京鋼鉄公司は、中国随一の模範的先進単位で遜色はないが、ここではお前は役にたたぬ工程師の一人で、図書室の雑用係に過ぎん、こんな有難い話をなぜ固辞するのだ、日本人と会うと、何か都合の悪いようなことでもあるのか」

野太い声で、詮索した。それは一心の気持を最も傷つける言葉であった。

「私は名誉を回復されて、原単位へ戻っており、疚しい点は、何もありません」

控え目ながら、明確に答えると、外事司長は、眼鏡をきらりと光らせ、

「それなら党と国家が必要とする任務につくことだ、技術者であり、日本語が話せる者は、今後の重工業部にとって必要、欠くべからざる人材だ、組織の決定だから、君はそれに従えばよい、正式の転属手続は、追って通知する」

一方的に、云った。

人事処長室を出て、重い足どりで図書室へ帰りかけると、廊下の曲り角で、借り出した本を抱

えた朱子明と出会った。

「何かあったね、人事処長に呼ばれるなど、どうせ、ろくなことはないだろうから、戻って来るまで待っていたんだよ」

一心の顔色を読み取るように云った。一心は、周囲に人影がないのを確めると、視線を中庭へ向け、重工業部外事司への転属を、外事司長に云い渡されたことを告げた。朱子明は驚いたが、

「上部組織への転属は、昇格というべきだろうが、小陸の場合は、確かに複雑だな、君は、重工業部のような官僚的な組織より、生産工場の工程師として、遅れているわが国の製鉄設備の近代化に一日も早く貢献してほしかったよ」

「私も、老朱と一緒に現場で工程師として働ける日がいつ来るか、それぱかりを待っていたのです……」

と云うと、朱子明は、無言で一心の肩を叩き、行き過ぎて行った。

その日は一日中重苦しい気分で、寮に帰っても、食欲が無かった。皆が食堂へ出かけている間も、一心は四人部屋の二段ベッドに上り、しみだらけの暗い天井を見上げて、この間、見学に来た日本鉄鋼協会の連中のことを思い返した。

一体、あの日本人たちの精神構造は、どのように成りたっているのだろうか。曾て武力を以て中国大陸を侵略し、無辜の人民まで殺戮しておきながら、国交回復では、『遺憾』という曖昧な表現で、過去の罪業を詫びたのみであった。自分はその世代の日本人たちの犯した過去の罪悪に、幼い頃から小日本鬼子と軽蔑され、絶えず、頭を垂れて生きて来たのだった。

その中で第二の養父、陸徳志の恩愛によって、貧しい中からも高等教育を受け、北京鋼鉄公司に配属されたが、文革が起ると、日本人なるが故に、日本の特務と生産破壊罪の容疑を受けて、労改へ送られ、四人生活に呻吟しなければならなかった。その度に日本とは、日本人とは、かほ

ど罪業深き民族かと懊悩し、慟哭してきたにもかかわらず、彼ら日本人には一片の贖罪感も見受けられない。国交回復で、すべてが清算されたかのように尊大で、優越感さえ見られる。そして製鋼視察団の一行の二人の団員は、「遅れているな、玩具のようだ」と私語し、中国の製鉄状況を侮辱する言葉を吐いたのだった。何という無神経さであろうか。

その心の傷が、まだ尾を曳いている時、国家機関の重工業部へ転属させられようとしている。内蒙古の労改で、華僑の黄書海に、母国語を知らないことは民族の恥だと云われ、学びはじめた日本語が今また、自分の人生を翻弄し、月梅との絆にも関って来るのではなかろうかと危惧した。

（中巻に続く）

初出　文藝春秋’87年5月号〜’88年6月号

大地の子　上巻

一九九一年一月　十　日　第一刷
一九九一年九月二十五日　第十刷

定価はカバーに表示してあります

著　者　山崎豊子
発行者　豊田健次
発行所　株式会社文藝春秋
東京都千代田区紀尾井町三―二三　郵便番号一〇二
電話東京（〇三）三二六五局一二一一

印刷　凸版印刷　製本　加藤製本

万一落丁・乱丁の場合はお取替えいたします

ISBN4-16-312270-2

Printed in Japan